D0171943

COLLECTION TEL

H. F. Peters

Ma sœur, mon épouse

Biographie de Lou Andreas-Salomé

TRADUCTION
DE LEO LACK

Gallimard

Avertissement

Cet ouvrage a d'abord été édité en langue anglaise sous le titre : My Sister, my Spouse *(W. W. Norton, New York, 1962). Il a été ensuite édité en allemand (Kindler Verlag, 1964), dans une version différente de l'originale, sous le titre :* Lou.

La présente traduction a été faite d'après le texte anglais, mais on a tenu compte des modifications apportées par l'auteur : légères variantes et ajouts, souvent importants, principalement dans les pages concernant Rilke et Freud. (Les chapitres XVII et XX ne figurent pas dans l'édition anglaise.)

J.-B. P.

A Helga, qui m'a vaillamment secondé dans mes longs efforts à la recherche de Lou.

Avant-propos

Dans la ville universitaire allemande de Göttingen, mourut, en 1937, une femme remarquable. Agée de soixante-seize ans, elle était la veuve du professeur Andreas, mais beaucoup plus connue sous son nom de jeune fille : Lou Salomé. La maison dans laquelle elle mourut est perchée au sommet des pentes du Hainberg, qui surplombent la ville. Du balcon de son cabinet de travail, Lou avait une vue magnifique sur la large vallée de la Leine, au-dessous, et sur les collines boisées aux horizons ouest et sud. Pendant plus de trente ans, elle avait partagé cette maison — mais non son lit — avec son mari, et, pendant plus de trente ans, elle avait abaissé son regard sur Göttingen, « célèbre par son université et ses saucisses », avec une cordiale indifférence. Irrités de son attitude distante et ne sachant trop que penser d'une femme de professeur de Faculté qui ne prenait de part ni à la vie sociale de la ville ni à celle de l'université, les bons bourgeois de Göttingen répandaient sur elle toutes sortes de rumeurs. Leurs femmes, qui savaient que, lorsqu'elle était plus jeune, on avait souvent vu Lou voyager en compagnie d'hommes autres que son mari, l'appelaient « la Sorcière du Hainberg ».

Aussi lorsque, quelques jours après la mort de Lou, un camion de la police, conduit par un fonctionnaire de la Gestapo, monta avec fracas la Herzberger Landstrasse, s'arrêta devant la maison récemment abandonnée et emporta la bibliothèque de Lou pour la déverser dans le sous-sol de la mairie, on n'y prêta guère attention, et sans doute n'en fut-on pas autrement surpris. La sorcière était morte, mais la chasse à la sorcière était engagée.

Les fonctionnaires de la Gestapo donnèrent pour raison à cette confiscation que Lou avait été psychanalyste et avait pra-

tiqué ce que les Nazis appelaient la « Science juive », qu'elle avait été une collaboratrice et une amie intime de Sigmund Freud et que sa bibliothèque était bourrée d'auteurs juifs. Toutes ces charges étaient vraies. Lou avait adhéré au mouvement psychanalytique presque à ses débuts. Avec son élan coutumier, elle avait pris part aux congrès et aux réunions, avait écrit des articles pour la revue Imago, et comptait parmi les premières femmes qui aient pratiqué la psychothérapie. Deux ans avant l'ascension de Hitler au pouvoir, elle avait publiquement exprimé son admiration pour les travaux et pour la personne du fondateur de la psychanalyse dans un petit volume intitulé Ma Gratitude envers Freud (Mein Dank an Freud).

Ces activités ne lui avaient pas valu la sympathie des dirigeants de l'Allemagne nazie, mais on l'avait laissée tranquille lorsqu'elle était en vie, probablement parce qu'on la trouvait trop âgée et trop malade pour mériter une attention sérieuse. Si elle avait été plus jeune, elle ne s'en fût pas tirée à si bon compte, car, dans sa jeunesse, Lou se rebellait contre l'autorité établie. C'était une individualiste invétérée, une iconoclaste et l'une des plus grandes figures parmi les polémistes de son temps. Son amitié avec Nietzsche, vers 1890, souleva un scandale qui se répercuta de ville en ville, de Rome à Saint-Pétersbourg, et aboutit à une menace d'expulsion d'Allemagne et de renvoi, dans sa Russie natale, par les soins de la police. Comme tant d'épisodes de sa longue vie, Lou traversa celui-ci avec une parfaite sérénité. Elle refusa de se laisser intimider et par les menaces de ses ennemis et par les instances de ses amis. Elle était déterminée à vivre sa vie selon sa propre conception, sans se soucier de ce que l'on pensait d'elle et au mépris de toutes les formes de conduite conventionnelles.

Elle écrivait. Ses livres sur Nietzsche et Ibsen, ses romans, ses nouvelles et ses essais la rendirent célèbre. Dans les années 1890, son nom se répandit en même temps que celui de femmes allemandes bien connues telles que Ricarda Huch et Marie von Ebner-Eschenbach. Mais elle n'a jamais considéré l'art d'écrire comme son mode essentiel d'expression. Elle voulait « découvrir la force secrète qui assujettit l'univers et dirige sa course », elle voulait la connaître, l'éprouver, la vivre.

Elle aimait la compagnie des hommes d'une intelligence brillante et les décelait avec un instinct infaillible. Elle connut Wagner et Tolstoï, Buber et Hauptmann, Strindberg et Wedekind, Rilke *et Freud. Ses détracteurs disaient qu'elle collectionnait les hommes célèbres comme d'autres collectionnent des tableaux, pour les accrocher dans sa galerie personnelle. Mais, comme ses détracteurs étaient en grande partie des femmes qui ne voyaient en elle qu'une rivale, cette critique était peut-être injuste. La plupart des amitiés de Lou étaient fondées sur une attraction mutuelle, car cette femme très intelligente était, par surcroît, extrêmement belle. Elle était grande, svelte, et avait des yeux si lumineux que Hélène Klingenberg écrit : « Le soleil se levait quand Lou entrait dans une pièce. » Ses cheveux d'un blond argenté, son petit nez légèrement retroussé et surtout sa bouche tendre et volontaire, fascinaient tous ceux qui l'approchaient. Son charme était si grand que sa présence éveillait la force créatrice des hommes qui s'éprenaient d'elle. Comme le dit un de ses admirateurs : « Quand Lou se prend d'attachement passionné pour un homme, neuf mois plus tard, cet homme donne naissance à un livre. »*

Comme les grandes hétaïres de jadis, elle savait que, dans l'art de l'amour, il y a bien plus que l'acte physique. Un lien intime doit être établi entre l'âme et l'esprit avant que le corps n'entre en jeu. Ce n'est qu'alors, après avoir atteint l'affinité spirituelle la plus intense, que deux êtres peuvent pénétrer dans la plénitude de l'amour. Elle prenait à la lettre le mot allemand Hochzeit, *qui signifie « noces ». C'était pour elle une lame de fond qui, même contre leur gré, emporte deux êtres en une étreinte suprême durant laquelle toutes leurs facultés sont décuplées. A diverses reprises, elle connut de telles noces et, à diverses reprises, elle découvrit que ses partenaires désiraient rendre permanent ce qui lui semblait, à elle, transitoire par sa nature même, comme le flux et le reflux des marées. Son refus de poursuivre une liaison une fois la passion épuisée bouleversait les hommes qui l'aimaient. Pour certains d'entre eux ce fut l'effondrement, pour les autres la transmutation en œuvres d'art.*

« Partout où Lou passait, écrit l'un de ses critiques, elle provoquait des tourbillons d'idées et de sentiments, demeurant elle-même aussi impassible qu'une cataracte qui se soucie peu que son cours apporte le bonheur ou la désolation. C'était une force de la nature, puissante et indomptée, démoniaque, primitive, sans la moindre faiblesse féminine ou simplement humaine : une virago au sens propre du terme, mais manquant de véritable humanitas, *un être des temps préhistoriques. »*

Les amis de Lou protesteraient avec véhémence contre une telle description. Ils voyaient en elle une femme au cœur généreux, très humaine et sans la moindre prétention, dont le rire était contagieux et la vivacité d'esprit désarmante. C'est ainsi que, lorsque la femme indiscrète d'un collègue de son mari s'étonnait qu'elle quittât Göttingen chaque printemps, elle répondit : « Oui, Frau Professor, vous avez tout à fait raison, c'est la fièvre de printemps, cette sensation spéciale qui s'empare de nous. Moi, hélas, j'en suis affligée toute l'année! » C'était précisément son humanité qui séduisait ses amis, son assiduité désintéressée au travail, sa vitalité, sa joie de vivre. Hélène Klingenberg écrivait : « Elle traverse la vie, la tête légèrement ployée, comme si elle écoutait, comme si elle écoutait toutes les choses qui projettent sur son visage un rayonnement que ses yeux reflètent comme deux étoiles prometteuses de bonheur. »

« Je me sens chez moi dans le bonheur. » C'est ainsi que Lou résumait sa vie. Elle ajoutait aussitôt : « Pourquoi faut-il que mes actes les plus spontanés aient causé tant de chagrin? » Mais elle ne s'appesantissait pas sur ce paradoxe. Peu importait : la vie était magnifique et la mort un retour aux racines de l'être. Découvrir ces racines, ce fut toute sa recherche. Elle s'y consacra, radieuse, concentrée sur elle-même et complètement indifférente aux passions qu'elle suscitait. Jusqu'au seuil de la mort, tandis que son corps succombait peu à peu aux maladies de la vieillesse, son esprit travaillait avec une vigueur intacte. Quand elle mourut, en 1937, elle était presque recluse, mais possédait encore cet ensorcelant pouvoir de l'esprit qui exerça une fascination si fatale sur les hommes et les femmes qui la connurent au cours de sa longue existence.

L'autobiographie de Lou, Lebensrückblick, *fut publiée en Allemagne en 1951. Elle n'attira guère l'attention, car c'est un livre difficile à lire. Elle m'a intrigué, non pas tant pour ce qu'elle dit (que ce soit une femme extraordinaire, je l'avais depuis longtemps soupçonné, ayant reconnu son influence sur Nietzsche et Rilke), mais pour ce qu'elle ne dit pas. C'est un livre que l'on doit lire entre les lignes. C'est cette dérobade intentionnelle — du moins apparemment — qui piqua ma curiosité. J'écrivis à l'éditeur de* Lebensrückblick, *Ernst Pfeiffer, à Göttingen, pour lui demander s'il connaissait une biographie de Lou Andreas Salomé. Il me répondit qu'il n'en existait pas, ajoutant qu'il n'en était point besoin, puisque Lou avait dit tout ce qu'il y avait à dire sur elle dans son autobiographie. Peu satisfait par cette réponse, j'engageai avec Pfeiffer une longue correspondance. Je lui rappelai qu'une autobiographie était une chose, qu'une biographie en était une autre et qu'il y avait certainement matière à une présentation plus objective de la vie de Lou que la sienne. Puisqu'il était en possession de toute la propriété littéraire de Lou, y compris ses manuscrits, ses lettres et son journal non publiés, je lui suggérai d'écrire sa vie. Il déclina cette suggestion. Il souligna qu'il avait été l'ami de Lou. Il éditerait une partie de sa correspondance et de ses manuscrits, mais devenir son biographe ne l'intéressait pas. En ce cas, l'informai-je, avec témérité peut-être, je me mettrais moi-même à la besogne.*

*D'abord, tout alla bien. Puisque Lou avait été écrivain, je commençai par me familiariser avec son œuvre entier : une vingtaine de livres et plus de cent essais, articles et comptes rendus. Ce fut une tâche profitable, car, aussi bien dans ses œuvres de fiction que dans ses articles et comptes rendus, Lou faisait souvent intervenir ses expériences personnelles, ce qui me fournit un nombre considérable d'indications biographiques. Ses manuscrits, ses lettres et son journal non publiés soulevèrent un problème plus difficile. La plupart d'entre eux (pas tous, ainsi que je le découvris) se trouvaient en la possession de Pfeiffer et il était peu disposé à me les communiquer. Je ne pourrais, m'écrivit-il, les lire à Göttingen qu'en sa présence et sous sa surveillance. Toutes les notes que je prendrais devraient être soumises à son examen. Je me rendis à Göttingen en septembre 1958, pourvu d'une bourse de voyage par l'*American Council of Learned Societies *— je lui en exprime ici ma gratitude — et y passai plusieurs mois à travailler à la bibliothèque de l'université et dans le cabinet de travail de Pfeiffer.*

Pfeiffer paraissait prendre un intérêt sincère à ce que j'essayais de faire et, cependant, je ne pouvais me défaire de l'impression qu'il me considérait comme un assez dangereux intrus dans son domaine privé. Il avait publié lui-même trois volumes importants : en 1951 l'autobiographie de Lou, en 1952 sa correspondance avec Rilke, et, en 1958, le journal qu'elle tint durant ses travaux avec Freud. Il se croyait le seul interprète légitime de la pensée de Lou, de sa vie et de son œuvre. De là sa répugnance à donner accès à ses papiers privés. Il préférerait, me dit-il, les détruire.

Néanmoins, je travaillai avec Pfeiffer pendant près d'un mois. J'écoutai les histoires qu'il me raconta, examinai les documents qu'il me permit de voir et appris de lui bien des choses... peut-être davantage qu'il ne s'en rendit compte. Mais je n'aurais pu écrire ce livre s'il m'avait fallu m'en remettre entièrement au concours de Pfeiffer. Heureusement, un certain nombre de personnes qui ont connu Lou plus intimement encore et pendant plus longtemps que Pfeiffer sont toujours en vie. Chaque fois que ce fut possible, j'allai les voir et, sans exception, elles consentirent à me faire part de ce qu'elles savaient. Je voudrais les assurer ici de ma reconnaissance. J'ai essayé d'être fidèle à leurs témoignages, mais, bien entendu, je prends toute la responsabilité de la forme sous laquelle ils paraissent. Il serait difficile, sinon impossible, d'exprimer ce que je dois à chacune d'elles ou d'indiquer quelle phase de la vie de Lou elles m'ont aidé à éclairer. Je me contenterai de citer leur nom : Martin Buber et Lea Goldberg à Jérusalem, Sylvia Koller et son frère en basse Autriche, le professeur Karl Schlechta et Tilly Wedekind à Munich, Ellen Delp à Reichenau, le professeur H. Lommel à Prien, le professeur Victor von Gebsattel à Bamberg, les professeurs Ewig, König et Kühnel et Frau Klein à Göttingen, le professeur W. Lentz à Hambourg, Anna Freud et E. M. Butler à Londres et Franz Schönberner à New York.

Je suis particulièrement redevable à Sylvia Koller d'avoir mis à ma disposition un certain nombre de lettres non publiées que Lou a écrites à sa mère; je lui dois également, ainsi qu'à son frère, des détails sur le rôle que le Dr Friedrich Pineles joua dans la vie de Lou. C'est là l'un des exemples où Lou, dans son autobiographie, et Pfeiffer, dans ses commentaires, se sont rendus coupables du péché d'omission. Après avoir appris par hasard que le Dr Pineles avait été un ami très intime de Lou pendant des années, je questionnai Pfeiffer à ce sujet et me vis d'abord opposer un silence glacial; plus tard, je reçus des lettres prolixes dans lesquelles il tentait d'amoindrir le rôle du Dr Pineles et me suggérait de n'en faire aucune mention. Il fit la même suggestion pour Poul Bjerre, le célèbre psychothérapeute suédois, qui présenta Lou à Freud et qui, lui aussi, fut l'un de ses amis intimes. Mais j'eus la chance de rencontrer ce vieux monsieur sagace. Son honnêteté intellectuelle et son humaine franchise compensèrent agréablement les frustrations subies à Göttingen.

Avant de faire usage d'une information confidentielle donnée verbalement, j'adoptai pour règle qu'elle fût corroborée par deux sources indépendantes au moins. J'espère que cette méthode me disculpera de l'accusation d'avoir imprudemment prêté l'oreille à des commérages. Il n'est pas aisé de se documenter sur certains côtés de la vie de Lou, telle sa grossesse interrompue. Quand, pour la première fois, j'en vis la mention dans le livre de Miss Butler sur Rilke, j'en vins à l'écarter comme étant sans preuve. Même après en avoir discuté à Londres avec Miss Butler elle-même et examiné le témoignage que le professeur Eudo C. Mason m'envoya d'Édimbourg, je restai incrédule. Mais lorsque quatre témoins se manifestèrent, citant l'homme en question et la date approximative où la chose survint, force me fut d'en tenir compte. Même si le récit que j'en fais, nécessairement incomplet, n'est pas exact dans tous ses détails (j'ai laissé ouverte la question de savoir si la grossesse de Lou fut interrompue volontairement ou non), j'ai la conviction qu'il est très près de la vérité.

La vérité, hélas! Qu'est-ce que la vérité? « La vie humaine, toute vie, en vérité, est poésie », dit Lou. Sa propre vie, vécue avec une telle acuité intérieure, pose pour le biographe des problèmes spéciaux. Car, souvent, c'est en vain qu'il cherche à découvrir les équivalences extérieures, les incidences quotidiennes de nature à jeter quelque lumière sur l'aventure intérieure. Dans son effort pour tracer un portrait net et plausible, il risque de trop simplifier. En essayant d'éviter ce risque, il doit prendre à cœur un proverbe oriental. « La lune, disent les Orientaux, a plusieurs faces. » Lou, elle aussi, avait de multiples faces. Son image apparaît sous une étonnante variété de formes et de couleurs. Réfléchie dans les miroirs déformants de l'amour et de la haine, de l'exaltation et du désespoir, elle apparaît souvent comme une caricature de la réalité. Une chose est certaine : elle ne saurait être maintenue dans un cadre unique.

Voici donc le récit de sa longue et turbulente vie, galerie de portraits allant de sa naissance, dans la Russie des tsars, jusqu'à sa mort, dans l'Allemagne nazie. Une vie peu commune, quel que soit le jugement que nous portions sur elle. « Voilà un homme [1] », *dit Napoléon lorsqu'il rencontra Gœthe. Je ne puis que dire, en vous présentant Lou Salomé :* Voilà une femme.

1. **Les mots en romain sont en français dans le texte. (N. d. T.)**

Ma sœur, mon épouse

Que ton amour est beau, ma sœur, mon épouse,
Et combien meilleur que le vin!

Cantique des Cantiques, IV. 10.

PREMIÈRE PARTIE

Une enfance en Russie

1861-1880

CHAPITRE PREMIER

Les Salomé de Saint-Pétersbourg

Salomé : ce nom évoque les images opposées de la passion et de la piété. Il rappelle la princesse Salomé, dont la danse des sept voiles avait si bien déchaîné la passion du roi Hérode qu'il avait promis de lui donner tout ce que désirait son cœur, « jusqu'à la moitié de son royaume ». Elle demanda la tête de saint Jean-Baptiste. « Et le roi était tout à fait désolé, car, à cause de son serment, il ne pouvait se rétracter. » Beaucoup moins connue est l'autre Salomé qui fut présente à la Crucifixion et qui, avec Marie-Madeleine et Marie, la mère de Jacques, alla jusqu'au sépulcre du Christ pour l'oindre. Une fois là, ils découvrirent que la tombe était vide. « Et, rapidement, ils s'en allèrent et s'enfuirent loin du sépulcre, car ils tremblaient et étaient confondus. »

La racine du nom Salomé est le mot hébreu, *shalom*, qui veut dire « paix »... une ironie, semble-t-il, car la vie des deux Salomé de la Bible fut rien moins que paisible. Celui de leur homonyme moderne, Lou Salomé, fait songer à une projection dans le temps de ces qualités contradictoires qu'un tel nom évoque. *Nomen est omen.* Lou Salomé, elle aussi, provoqua des passions destructrices dans le cœur des hommes. Elle subit, elle aussi, le choc du « tombeau vide » lorsqu'elle perdit sa foi en Dieu en tant que présence vivante. Comme un arc incandescent, cet esprit brillant illumina maintes vies, mais en assombrit aussi beaucoup, car Lou l'allumait ou l'éteignait à volonté. Égocentrique, elle traversa la vie sans presque se rendre compte de sa funeste influence sur celle des autres : une *femme fatale* malgré elle.

Lou, ou Louise, ainsi qu'elle fut baptisée, naquit à Saint-Pétersbourg le 12 février 1861. A un jour près, sa naissance coïncida avec un événement d'importance dans l'histoire de la Russie moderne : l'émancipation des serfs. Ce fut une grande réjouissance. Après de longues années de lutte, les paysans russes avaient enfin rompu le joug de l'esclavage. Partout retentissaient les cloches de la liberté, partout la division traditionnelle de la société en maîtres et esclaves était abolie. Lou était née sous l'étoile de la liberté qui venait de se lever. Et, comme dit le poète : « Tu demeureras ce que tu fus au commencement, si grands que soient les dangers et les influences, car presque toute la vie est déterminée par la naissance. »

Le père de Lou, Gustav von Salomé, était un général russe. Ses longs et loyaux services au temps des Romanov l'avaient porté au sommet de sa profession. Quand Lou naquit, les Salomé occupaient une résidence officielle dans l'immense bâtiment en arc de cercle de l'État-Major général, en face du palais d'Hiver. C'est là que, dans le grand apparat de la Russie impériale, Lou vint au monde.

Son arrivée avait provoqué quelque chose de plus que les spéculations habituelles sur l'attente d'un garçon ou d'une fille. Cinq frères l'ayant précédée, les pronostics penchaient fortement pour un autre fils. La femme du général elle-même semble avoir cru, et, en vérité, espéré, qu'une fois de plus elle donnerait naissance à un fils. C'était une femme précise et méticuleuse. L'idée d'être mère d'une demi-douzaine de fils l'enchantait. Une fille viendrait interrompre la progression mâle, sans parler de la confusion qu'elle causerait nécessairement dans un foyer où la majorité était masculine. Ainsi qu'il arriva, les appréhensions de la *Generalscha* se trouvèrent justifiées. Sa fille unique fut beaucoup plus difficile à élever que tous ses autres enfants. Quant au général, il avait depuis longtemps désiré une fille, mais, étant un homme discret et courtois, il n'avait jamais exprimé ouvertement de telles espérances, et peut-être les avait-il alors abandonnées. Il avait cinquante-sept ans. La pensée que sa femme allait lui donner un autre enfant emplissait son cœur de joie. Garçon ou fille, il l'aimerait.

Lorsqu'un terme fut mis à l'expectative et que l'on apprit que Mme von Salomé avait accouché d'une fille bien constituée, les rires et les réjouissances emplirent les salles et les couloirs de l'État-Major général. Des félicitations affluèrent de tous côtés. Le tsar lui-même envoya un message et l'événement fut dûment consigné dans les journaux russes et allemands de la capitale.

Les journaux allemands l'annoncèrent parce que le général Salomé, comme nombre d'officiers supérieurs dans l'armée de la Russie impériale, était de descendance allemande, ou, plus exactement, sa famille avait vécu pendant des générations dans les pays frontières de langue allemande, les pays baltes. Toutefois, comme le nom le fait supposer, les Salomé n'étaient pas allemands d'origine. C'étaient des huguenots français qui avaient été exilés de France pendant les persécutions religieuses du XVIe siècle. La tradition veut qu'Avignon ait été leur terre natale et qu'ils aient appartenu à la petite noblesse française. Selon une assertion non vérifiée de Rilke, toujours à l'affût d'une noble lignée (il en fit part à Lou plus tard dans une lettre), les Salomé étaient « les fils et petit-fils du notaire, André Salomé, qui écrivit ses Mémoires sous le premier gouverneur, de Manville ».

Durant le premier stade de leur exil, les Salomé s'étaient installés à Strasbourg avant de se joindre aux émigrants qui partaient vers l'est se mettre au service du roi de Prusse, comme ce fut le cas pour nombre de leurs coreligionnaires. Ils étaient devenus des partisans convaincus de l'idéal prussien du devoir et de la discipline et aidaient à administrer les vastes domaines des Junkers du côté est de l'Elbe, tout en adhérant encore à maintes de leurs traditions françaises. Lou écrit qu'on parlait beaucoup, dans son enfance, à Mitau et à Windau du « petit Versailles ». C'est de là, au début du XIXe siècle, que la famille de son père était partie pour Saint-Pétersbourg. Ce départ répondait également à un mobile général. Dans leur effort pour « occidentaliser » leur pays, les dirigeants de la Russie recherchaient l'aide des étrangers. Les Allemands et les Français étaient particulièrement bien accueillis. On leur octroyait des postes élevés dans l'administration civile et militaire de l'Empire et ils jouissaient d'un statut privilégié dans la société russe. Cela provoqua un certain ressentiment parmi les Russes de naissance, surtout chez les intellectuels, dont les sentiments anti-occidentaux et slavophiles commençaient à dominer de plus en plus la vie russe. Des écrivains tels que Dostoïevsky et Tolstoï exaltaient les vertus des coutumes campagnardes et créaient une *mystique* du moujik, ce paysan russe à l'esprit fruste, mais au cœur généreux. Ils avaient le sentiment que c'était à lui, si illettré et primitif qu'il fût, qu'appartenait l'avenir de la Russie et non à ces étrangers aux goûts compliqués que favorisait le tsar. Une vague de mécontentement envahit l'îlot cosmopolite de Saint-Pétersbourg pendant l'enfance de Lou. Bien entendu, elle n'en comprit pas tout de suite la signification, mais, à l'anxiété qu'elle lisait dans les yeux de son père bien-aimé, elle sentait que quelque chose n'allait pas.

Gustav von Salomé était âgé de six ans lorsque, en 1810, sa famille était venue s'installer à Saint-Pétersbourg dans l'espoir d'y refaire une fortune qui avait été anéantie par la défaite infligée par Napoléon à la Prusse trois ans auparavant. Le moment était mal choisi pour un tel changement car à peine les Salomé étaient-ils installés dans la capitale russe que Napoléon envahit la Russie. Il s'était juré de donner une leçon à ce « Grec byzantin », ainsi qu'il appelait Alexandre Ier, qui avait refusé de participer au « Système continental ». Tandis que le reste de l'Europe observait l'avance irrésistible de la Grande Armée, le peuple russe raidissait ses forces pour la défense du pays. Les étrangers qui se trouvaient en Russie étaient stimulés par cet esprit de patriotisme, le jeune Salomé plus que quiconque. Les nerfs tendus, surexcité, il lisait les communiqués quotidiens dans une langue qu'il avait très vite apprise, écoutait les récits héroïques de la bataille pour Moscou et s'identifiait complètement au destin de la « Sainte Mère Russie ». C'était son pays. Il le servait et mourrait pour lui s'il était nécessaire. Lorsque le vent tourna et que, sur la carte de l'Europe, les petits drapeaux russes avançaient de plus en plus vers l'ouest pour atteindre Paris, la résolution du jeune Salomé était prise. Il décida d'entrer au service de la Russie. Jeune homme d'une intelligence peu commune, il s'éleva rapidement. A vingt-cinq ans, il était déjà colonel. Il se distingua lors de l'insurrection polonaise de 1830 et fut décoré pour sa vaillance lors de la prise d'assaut de Varsovie. Ses prouesses militaires attirèrent l'attention du tsar Nicolas Ier, dont il devint le favori et qui fit de lui un membre de la noblesse héréditaire. Au cours de sa brillante carrière, le général von Salomé fut promu au grade de général d'État-Major, nommé conseiller d'État et, sous Alexandre II, inspecteur de l'Armée.

Cependant, son rang éminent n'était pas dû uniquement à un accident de naissance. Le père de Lou eût fait son chemin dans n'importe quelle société. C'était un homme courageux et courtois, doué d'une forte volonté, et un militant de la foi luthérienne, mais il n'était pas flegmatique. Des traces du tempérament gaulois perçaient parfois sous sa calme apparence. Comme sa fille, il était connu pour ses emportements, et, comme sa fille, il aimait la compagnie des hommes d'esprit. Lou dit qu'il comptait parmi ses amis les poètes Lermontov et Pouchkine.

Grand, beau, élancé, c'était un autocrate au cœur généreux qui vivait selon la devise : *noblesse oblige*. Lorsqu'il portait l'uniforme de gala des officiers de la Garde russe, avec son épée et sa rangée de médailles, il offrait un spectacle impressionnant et les dames le trouvaient irrésistible. Mais ce n'était pas un « homme à femmes ». Un sens inné de la dignité et du décorum le gardèrent, dans sa jeunesse, des aventures amoureuses. Après son mariage tardif, en 1844, il ne vécut que pour sa famille. Son amour pour sa jeune femme (il était de dix-neuf ans son aîné) était proverbial. Chaque fois qu'elle entrait dans une pièce, il se levait. Ce geste chevaleresque fit sur l'esprit de ses enfants une impression profonde. Ils se levaient, eux aussi, lorsque paraissait leur mère, interrompant tout aussitôt leurs espiègleries enfantines. Étant des enfants pleins de fougue — des *Emigrantenblut,* comme dit Lou — ce brusque passage d'une insouciance enjouée à une courtoisie solennelle avait sur leurs compagnons de jeu un effet saisissant. On ne savait jamais ce que les Salomé méditaient de faire. Quand le général eut à réfléchir à un nom pour sa fille, la dernière née et sa préférée, le seul qu'il crut assez beau pour elle fut Louise parce que c'était celui de sa femme.

Louise von Salomé, née Wilm, était la fille d'un riche industriel de l'Allemagne du Nord, de descendance danoise, qui exploitait une raffinerie de sucre. Née à Saint-Pétersbourg en 1823, elle y avait fait ses études, ainsi qu'à l'étranger, selon le style qui convenait à une jeune demoiselle de sa condition. Cette petite jeune fille blonde aux yeux bleus, méticuleuse dans ses manières et sa façon de s'habiller, devint une jeune femme résolue. Comme beaucoup de jeunes filles de sa génération, elle tenait un journal auquel elle confiait ses pensées les plus secrètes. Il contient des réflexions sur la vie et la mort, des méditations religieuses et des aphorismes. Écrit en allemand, en français et en russe et d'une écriture d'une extraordinaire netteté, il est digne de remarque, moins pour les idées qu'il expose que pour la concision de l'expression. Il montre que Louise Wilm était une jeune fille précise et réfléchie qui pesait les problèmes de la vie avec un esprit positif et dépourvu de sentimentalité.

Elle perdit ses parents dès son jeune âge et sa grand-mère prit soin d'elle. Quand cette dernière mourut à son tour, Louise n'avait pas encore vingt ans et toute la charge d'une grande maison retomba sur elle seule. Malgré sa jeunesse, elle s'en tira avec une réelle compétence. C'est ce trait qui attira d'abord vers elle le général von Salomé. Il admirait beaucoup le talent de diriger, qui faisait complètement défaut dans la société russe. Il avait enfin trouvé la femme qui partageait ses aspirations.

Louise Wilm avait vingt et un ans quand elle épousa le général. Elle l'aimait. Mais le sentiment de dévotion et de respect qu'elle éprouvait pour ce mari distingué surpassait son amour. Le jour de son mariage, elle écrivit dans son journal que, désormais, elle consacrerait sa vie au service de son mari, de sa famille et de son Dieu... dans cet ordre. Et elle tint sa promesse jusqu'à la fin de sa longue vie.

Mme von Salomé n'était pas aveugle aux imperfections de la société dans laquelle elle était née. Comme son mari, elle sentait les signes avant-coureurs de la révolution dans le corps politique de la Russie tsariste, mais son sens de l'ordre et du devoir profondément enraciné en elle tenait en échec ses sympathies révolutionnaires. Durant les quatre-vingt-dix années de son existence, elle demeura convaincue qu'il y a des vérités fondamentales fixées par Dieu que l'homme ne doit pas mettre en doute. L'une d'elles était sa certitude que la place de la femme est à son foyer. Elle ne pouvait comprendre pourquoi tant de femmes de la génération de sa fille réclamaient leur émancipation à grands cris et étaient prêtes à renoncer à leur droit naturel d'être épouses et mères pour le douteux privilège de faire concurrence aux hommes dans les occupations professionnelles. Elle ne niait pas que les femmes eussent le droit d'être libres. Elle mettait simplement en question la sagesse de demander une liberté qui, pour elle, n'avait aucun sens.

Lorsqu'elle s'aperçut que la fièvre de liberté de l'époque contaminait ses propres enfants, elle secoua la tête avec tristesse, faisant semblant de ne pas comprendre, et pourtant toujours prête à défendre ses enfants contre toute critique. Quelle que fût sa réprobation intime de leurs idées, elle ne l'exprima jamais en public. Qu'ils eussent tort ou raison, c'étaient ses enfants. Son amour maternel les protégeait tous, surtout sa fille, cette jeune entêtée dont les dispositions rebelles lui causaient un chagrin secret. Le seul fait que Lou était une fille alors qu'elle avait désiré un fils lui apparaissait comme un acte de défi. Mais elle veillait à ce que nul étranger ne remarquât la tension qui existait entre elle et Lou, ou « Ljola », ainsi qu'elle l'appelait, employant le nom russe. Extérieurement, du moins, la paix de la famille Salomé n'était pas troublée.

Aucune tension de cet ordre n'existait entre le général et sa fille. Tout au contraire, un lien secret de tendresse, inconnu du reste de la famille, les unissait. Ils prenaient un soin particulier de le dissimuler devant la *Generalscha*, qui était opposée à toute manifestation extérieure de sentiment. Mais lorsque le général faisait l'une de ses nombreuses tournées d'inspection, il terminait régulièrement ses lettres à sa femme par ces phrases : « Embrasse pour moi ma petite fille », et : « Je me demande si elle pense encore à son vieux papa de temps à autre? » On peut voir quelque chose de cette tendresse sur une vieille photographie qui montre Lou assise sur une rampe d'escalier, son père se tenant debout derrière elle. Le général, en redingote et cravate noire, tient très doucement sa fillette avec un air de bonheur paisible. Il avait une soixantaine d'années lorsque cette photographie fut prise et Lou trois ans environ. C'était une belle enfant avec son visage d'ange espiègle. Elle montre un plaisir évident à être photographiée avec son vieux papa. Ils se tiennent par la main et l'on peut sentir la joie qu'ils tirent de leur intimité.

Grand partisan de l'autorité lorsqu'un autre était en jeu, il était très indulgent pour Lou à cet égard. Au grand chagrin de sa femme, il avait tendance à prendre la défense de l'enfant dans toutes les querelles domestiques. Lorsqu'elle se plaignit un jour d'avoir à apprendre le russe à l'école, langue qu'elle trouvait difficile parce que l'on parlait l'allemand ou le français à la maison, il lui permit d'abandonner cette matière. Avec une lueur de malice dans les yeux, il déclara : « Louise n'a pas besoin de l'instruction obligatoire . » Et il avait raison. C'était une autodidacte née.

Lou, à son tour, faisait tout son possible pour faire plaisir à son père. L'idée qu'elle pourrait lui faire du mal, même involontairement, lui faisait horreur. Un jour, en allant à l'école (elle devait avoir huit ou neuf ans), elle fut mordue par son petit chien, Jimka. Elle ne s'en soucia guère et n'en parla à personne, parce qu'elle aimait le chien et ne voulait pas le faire punir. Que l'on imagine sa terreur lorsqu'on lui apprit, à son retour à la maison, que Jimka avait également mordu l'une des servantes et devait être supprimé parce qu'il avait montré des symptômes de rage. Le médecin de la famille, qui examina la servante, dit qu'il était bien trop tard pour faire quoi que ce fût. Il fallait attendre pour voir si le mal avait été communiqué. « Comment cela se voit-il? » demanda Lou anxieusement. Le médecin expliqua que l'un des symptômes était la crainte de l'eau et l'autre que le patient, l'écume aux lèvres, tentait de mordre son meilleur ami. Le cœur de Lou s'était arrêté de battre. « Je me rappelle, écrit-elle plus tard dans ses mémoires, l'effroi qui s'empara de moi à l'idée de la chose la plus terrible qui pût m'arriver : mordre Papa ! »

Elle n'avait pas de tels scrupules quand il s'agissait de faire du mal à sa mère. Un jour, dans sa petite enfance, elle avait accompagné sa mère sur la plage et, la regardant nager, lui cria : « Mouchka chérie, noie-toi, je t'en prie! »

Sa mère répondit, étonnée : « Mais, mon enfant, je mourrais.

— *Nitschevo!* » avait crié Lou. « Ça ne fait rien. »

Sans aucun doute, Lou était la fille de son père. Elle éprouva la plus grande joie de sa jeune vie lorsqu'elle put se promener à son bras sur les larges boulevards et dans les jardins publics de Saint-Pétersbourg. Sa mère détestait la marche, mais le général l'adorait et invitait souvent sa fille à l'accompagner. Il lui offrait galamment le bras, qu'elle acceptait, débordant de fierté. Avec de grands pas hésitants, elle essayait de régler son allure sur la démarche régulière et posée de son père. En observant les regards respectueux qu'on leur jetait de tous côtés, son cœur battait plus vite et elle écoutait attentivement la conversation sérieuse du général, qui ne tentait pas de se mettre à son niveau. Il la traitait avec la même courtoisie que sa mère.

Un jour, au cours d'une promenade, ils furent accostés par un mendiant. Le général venait tout juste de donner à Lou une pièce d'argent de dix kopecks pour lui apprendre la valeur de l'argent. Impulsivement, comme à son habitude, elle voulut la donner au mendiant. Mais son père l'arrêta. Ce n'était pas là une division convenable des richesses, lui dit-il. Il ne fallait donner au mendiant que la moitié de son argent; elle pouvait garder l'autre moitié. Mais les deux parts devaient être exactement semblables. De la monnaie de cuivre ne ferait pas l'affaire. Avec gravité, il échangea la pièce de dix kopecks contre deux pièces de cinq kopecks également brillantes et, avec la même gravité, donna l'une d'elles au mendiant qui observait la scène avec un amusement respectueux.

Le bonheur que Lou éprouvait dans la compagnie de son père tournait à la félicité lorsqu'il la soulevait de terre et la portait dans ses bras. Il le faisait lorsqu'elle était souffrante et elle simulait parfois la maladie pour qu'il la prît dans ses bras. Lorsqu'il s'apercevait de la supercherie, il faisait semblant d'être très fâché, la reposait à terre, relevait sa robe et faisait le geste de lui donner le fouet. A de tels moments, son amour pour lui était immense. Les larmes aux yeux, elle le suppliait de cesser de la punir. Plus tard, dans la nuit, elle implorait Dieu de n'être pas irrité contre son père, car il ne lui avait pas fait grand mal. Et, dans son esprit, elle ne doutait pas de la compréhension de Dieu.

Le cours de la vie de Lou fut profondément influencé par son juvénile attachement à son père. L'image de cet aimable vieil homme, dont l'amour l'avait enveloppée pendant les années où se formait son être, se confondait imperceptiblement dans son esprit avec celle d'un Dieu paternel et bon. Elle pouvait toujours se tourner vers lui si elle avait besoin d'aide et de réconfort. Il n'exigeait jamais rien d'elle, mais il était toujours là en cas de nécessité. C'est ainsi que l'image mâle imprimée dans le subconscient de Lou fut essentiellement celle du protecteur. Elle influença toutes ses relations avec les hommes.

Mais si son père était la déité qui régnait dans le ciel de son enfance, il faut se rappeler que Lou passa les années les plus impressionnables de sa vie en compagnie de ses frères. A l'origine, ils avaient été cinq, mais deux d'entre eux étaient morts jeunes. Les trois autres la considéraient toujours comme une « petite sœur » dont il fallait comprendre et pardonner les caprices. C'étaient tous des enfants intrépides, surtout Lou, qui refusait d'être traitée comme une « petite fille » et insistait pour prendre part à leurs jeux les plus turbulents. Les salles solennelles de la résidence officielle du général retentissaient souvent de hurlements de rires. Un de leurs jeux favoris était les courses de traîneau sur les parquets cirés. Lou, bien entendu, faisait le cheval. Elle galopait éperdument autour de la pièce, accompagnée des cris « Hue! » et « Dia! » comme ses frères l'encourageaient à courir plus vite. Elle était très fière lorsqu'ils la complimentaient en lui disant qu'elle était le petit cheval de troïka le plus rapide de Russie.

Parfois, cependant, ses frères réprouvaient ses façons de garçon manqué. A son grand ennui, ils l'obligeaient à faire la révérence quand ils regardaient le tsar passer à cheval devant leur résidence d'été, à Peterhof. Un jour, Lou fut si exaspérée par son frère Eugène qui lui donnait le conseil, qu'elle ne lui demandait pas, d'être un peu plus comme il faut, qu'elle lui jeta un verre de lait chaud à la tête. Eugène se baissa et le lait se répandit sur Lou, lui brûlant les bras et la figure. « Tu vois, dit-il calmement, c'est bien ce que je dis, voilà ce qui t'arrive quand tu fais les choses de travers. » Un hurlement de douleur et de colère fut la réponse de Lou. Les yeux jetant des éclairs, elle se précipita sur son frère, beaucoup plus grand qu'elle, et se mit à le bourrer de coups avec ses petits poings. Eugène esquiva les coups avec bonne humeur et la querelle prit fin aussi brusquement qu'elle avait commencé.

De telles scènes n'étaient pas rares, car les quatre enfants Salomé étaient emportés et ne craignaient pas de se battre pour défendre leurs droits. La seule personne qu'ils écoutassent sans un murmure était le général. Sa parole faisait force de loi. Il présidait dans sa famille comme un patriarche. Quand la question se posa d'une carrière pour ses fils, ce fut le général qui en décida.

Le frère aîné de Lou, Alexandre, appelé « Sacha », homme bon, mais énergique comme son père, devint le chef officiel de la famille quand le général mourut, en 1879. Lou dit que son rire était le plus contagieux qu'elle ait jamais entendu. Il subvint à ses besoins pendant des années, la pourvut d'argent et lui donna des conseils dont, le plus souvent, elle ne tenait pas compte. Mais elle savait que, chaque fois qu'elle serait en difficulté, Sacha viendrait à son aide. D'où le coup de massue que fut pour elle le télégramme annonçant sa mort subite. Elle avait alors atteint la cinquantaine, habitait l'Allemagne et était coupée de sa famille par la Première Guerre mondiale. Mais sa réaction immédiate fut celle-ci : « Maintenant, me voici vraiment seule et sans protection. » Seule la mort pouvait rompre les liens solides qui l'unissaient à sa famille.

Son second frère, Robert von Salomé, « le danseur de mazurka le plus accompli de nos bals de famille annuels », était un jeune homme plein de sensibilité. Il aimait l'uniforme et, comme son père, voulait être soldat. Mais le général mit son veto à cette idée. Profondément désillusionné par la politique instable d'Alexandre II, il ne voulait pas que ses fils suivissent ses traces. Robert devint ingénieur et se distingua dans cette profession. Comme Sacha, il épousa la fiancée de son enfance, s'installa à Saint-Pétersbourg et éleva une nombreuse famille. Ce fut le seul des frères de Lou qui survécut à la Grande Guerre. Mais, comme la plupart des gens de sa classe, il perdit tout ce qu'il possédait dans la révolution bolchevique, tout, excepté son amour pour son pays natal. Resté sans un sou, il trouva refuge, avec sa femme et ses enfants, dans la mansarde de sa maison de campagne qui appartenait maintenant à un ancien domestique qui les avait pris en pitié. Lou avait les larmes aux yeux lorsqu'elle lut, dans une lettre que Robert lui écrivait au beau milieu de la révolution, que l'humanité de ce paysan illettré était bien plus proche de sa nature que sa foi marxiste. C'était aussi son avis et, jusqu'à la fin de sa vie, elle crut que le peuple russe s'éveillerait finalement de son cauchemar communiste.

Un air de mystère entourait Eugène, le troisième frère de Lou, grand jeune homme mince qui, tout en n'étant nullement bien de sa personne, « éveillait chez les femmes les passions les plus folles ». A l'encontre de ses frères, il ne se maria point. Un sens malicieux de l'humour présidait à ses inventions. Lou se souvient qu'un jour il parut à l'un de leurs bals de famille habillé en femme, avec une perruque et un corset, et dansa toute la nuit avec de jeunes officiers amoureux qui n'imaginèrent pas un instant que la reine du bal était un homme. Grandement amusée à l'époque, Lou ne comprit que plus tard que la conduite excentrique de son frère ce jour-là, et en bien d'autres occasions, n'était pas simplement un jeu innocent. Une petite pointe démoniaque dans sa nature semblait le pousser à agir ainsi. Son affection pour lui (c'était son frère préféré) était peut-être le signe qu'elle sentait cette pointe en elle-même. Eugène voulait entrer dans la diplomatie, qui lui eût parfaitement convenu, mais son père ne le permit point. Il décréta que son plus jeune fils serait médecin. Obéissant au désir du général, Eugène étudia la médecine et devint un pédiatre bien connu dans la capitale russe. Lou dit que lorsqu'il mourut de tuberculose à l'âge de quarante ans, « une duchesse pleura sur sa tombe ».

Dans ses Mémoires, Lou ne fait qu'une brève mention de ses frères. Ils étaient tous plus âgés qu'elle et, bien qu'elle se les rappelle d'une manière vivante en tant que petite fille, ils disparaissent de sa vie au fur et à mesure qu'elle prend de l'âge, mais non de sa mémoire. L'univers dans lequel évoluait son jeune esprit n'était composé que d'hommes : son père et ses frères. Elle chérit toute sa vie le souvenir des années passées en leur compagnie.

Le cercle intime, étroitement fermé et qui se suffisait à lui-même, que le général présidait avec une autorité indiscutée, était entouré d'une suite d'officiers et de serviteurs de toutes les régions de l'Empire. Il y avait des cochers tartares réputés pour leur sobriété, de jolies servantes esthoniennes, des paysannes souabes vêtues de costumes pittoresques, qui entretenaient la maison d'été des Salomé, et une armée de laquais et de jardiniers russes. Il y avait des membres de l'Église orthodoxe grecque et russe, des mahométans, des protestants de toutes les dénominations, un vrai kaléidoscope de confessions et de visages aussi colorés qu'un bazar oriental, mais hiérarchiquement ordonné, chacun connaissant sa place et sa fonction.

Pour Lou, le membre le plus important de cette armée de serviteurs était sa *nianka*, sa nourrice russe, qui l'aimait comme si elle avait été sa propre mère. « C'était une douce et jolie femme qui, plus tard, après avoir fait à pied un pèlerinage à Jérusalem, avait été déclarée être "une petite sainte", ce qui me rendait très fière d'elle et faisait éclater mes frères de rire. » C'est de sa nourrice, dit Lou, qu'elle hérita son amour inébranlable de la Russie et du peuple russe. Sa gouvernante française, obligatoire pour des filles de son rang, avait beaucoup moins d'importance. Elle essaya, sans grand succès, de lui donner des leçons de maintien et la pourvut d'un bagage de français qui lui fut plus tard d'un grand secours. A part cela, Mademoiselle ne laissa pas d'autres traces dans le développement de Lou. Les autres servantes, cuisinières et femmes de chambre, qui prenaient leurs ordres de sa mère, et les laquais et les jardiniers, qui dépendaient du général, formaient l'arrière-plan humain de l'enfance de Lou.

C'était une enfance de conte de fées, passée dans ce qui était peut-être la société la plus brillante du monde en ce temps-là. Tandis que le reste de l'Europe s'enlaidissait et s'industrialisait avec rapidité, et que la bourgeoisie affermissait son pouvoir, une lueur de gloire féodale s'attardait sur la Russie. On eût dit que le passé aristocratique de l'Europe avait trouvé refuge dans la capitale des tsars. Ses grands boulevards, sur la rive gauche de la Néva, bordés de palais magnifiques, d'églises et de bâtiments publics, dont les façades aux lourdes colonnes se détachent avec une splendeur grecque sur le ciel du Nord, abritaient la société la plus élégante et la plus raffinée d'Europe. En hiver, pendant la saison mondaine, la rue principale et la plus en vogue de Saint-Pétersbourg, la Perspective Nevski, était encombrée de troïkas et de traîneaux tirés par des rennes transportant des femmes couvertes de bijoux, vêtues d'hermine et de vison, et des officiers en uniforme de gala, allant d'une partie de plaisir à l'autre. La musique et le rire retentissaient à travers les salles ornées et les couloirs des demeures de marbre et, les jours de grandes fêtes de l'Église, la splendeur granitique de la cathédrale Saint-Isaac résonnait de la passion des rites orthodoxes.

Comme la petite princesse du conte de fées, Lou vivait dans un monde enchanté. Elle ignorait que, derrière la splendide surface de la vie à Saint-Pétersbourg, se cachaient les spectres de la pauvreté, de la maladie, de l'ignorance, de la superstition et le lointain grondement de la révolte. Protégée par la tendre sollicitude de son père, elle se confinait dans son propre univers, qui l'occupait si bien qu'elle remarquait à peine la fuite du temps. Elle échappait à ces dures confrontations avec la réalité qui sont le lot de la plupart des enfants. Dans la mesure où elle s'en rendait compte, la vie était un éternel printemps et le monde un jardin où les enfants pouvaient s'ébattre. Le sentiment de perte qu'elle éprouva quand elle fut contrainte d'en sortir lui resta toute sa vie. Sa recherche passionnée pour ce qu'elle appelait les « racines de la vie » n'était que son désir de retrouver le paradis perdu de son enfance.

CHAPITRE II

Entre la veille et le rêve

La résidence de ville des Salomé, dans l'aile est du bâtiment de l'État-Major général, se trouvait en plein cœur de la Russie officielle. Situé entre le boulevard Mosakaïa et le Moïka, l'un des quatre grands canaux de Saint-Pétersbourg, il encadrait la place du Palais, avec les ministères des Finances et des Affaires étrangères, l'Ermitage, le palais d'Hiver et les Archives impériales en face et l'Amirauté à l'ouest. C'était aussi le quartier diplomatique (les ambassades française, italienne et allemande étaient toutes proches) et le quartier des clubs exclusifs, tel le Yacht Club impérial, des musées, des théâtres et des bibliothèques. Où qu'on tournât les yeux, un spectacle impressionnant s'offrait à la vue : des jardins magnifiques, des statues de bronze sur des piliers de granit poli, des escaliers monumentaux, éloquent tableau de la grandeur des tsars combinant le luxe byzantin avec la pompe occidentale.

En rapport avec cette splendeur extérieure, l'intérieur de la maison de Lou était également magnifique. De longs couloirs parquetés conduisaient à des salles spacieuses et, à l'extrémité de la dernière, un grand hall resplendissait avec son haut plafond, ses murs tapissés de papier blanc et or, son piano à queue et ses tentures d'épaisse peluche marron. C'est là que ses parents recevaient leurs invités.

Lou était rarement présente en de telles occasions car, en dépit de l'ambiance animée et brillante, c'était une enfant rêveuse, introvertie, qui vivait dans un monde à elle dans lequel le vaste univers extérieur faisait rarement intrusion. Elle n'aimait guère les réceptions et, chaque fois qu'elle le pouvait, elle restait à l'écart des fonctions officielles. Rien ne lui faisait plus de plaisir que de glisser silencieusement, chaussée de ses ballerines, sur le parquet ciré du grand hall. « Dans mon souvenir, écrit-elle, je me revois très facilement évoluer ainsi, ce qui me donnait l'impression d'être seule au monde. »

En vérité, elle n'était pas seule. Son univers intérieur était peuplé de gens de toutes sortes et de toutes conditions, fruits de sa vive imagination. Très jeune encore, elle prit l'habitude d'inventer d'étranges et merveilleuses aventures auxquelles elle participait si intensément que, pour elle, elles étaient plus réelles que le monde et les gens qui l'entouraient. Elle pouvait passer des heures dans cet état de rêve enchanté, indifférente à la fuite du temps et complètement absorbée dans son univers spécial. Cette faculté de se suffire à elle-même qui, à certains moments, menaçait de la retrancher entièrement de la réalité, devint une part permanente de sa personnalité. Toute sa vie, elle trouva difficile de faire une distinction entre son monde imaginaire et celui dans lequel vivaient les autres. Il lui arrivait ainsi d'être souvent accusée de ne pas dire la vérité, alors que, selon son propre code, elle la disait. Elle écrit qu'un jour, étant toute jeune, elle alla en promenade avec une cousine un peu plus âgée qu'elle. A leur retour, leurs parents leur demandèrent de décrire ce qu'elles avaient vu. A la grande surprise de son amie, Lou débita une histoire extraordinaire et dramatique inventée sur l'impulsion du moment. C'en était trop pour l'autre petite fille. « Troublée dans son honnêteté et sa sincérité enfantines, elle me regarda fixement d'un air déconcerté et, finalement, s'écria d'une voix terrible et forte : "Mais tu mens!" » Plus tard, dans la vie de Lou, ces mots lui furent souvent jetés à la face.

Dieu était de beaucoup le personnage le plus important de son monde imaginaire. Puisqu'elle était élevée dans une maison très pieuse, il n'est pas surprenant que l'idée de Dieu soit entrée de bonne heure dans ses pensées et qu'elle en fût profondément occupée. C'était une sorte de Dieu très personnel qui, à maints égards, ressemblait à son père. Il était bon et compréhensif. Il écoutait avec une patience infinie les histoires qu'elle Lui racontait et ne la traitait jamais de menteuse. De plus, Il ne la grondait jamais. Il était là, tout simplement, attendant qu'elle vînt à Lui. Chaque soir, avant de s'endormir, elle Lui parlait. Se blotissant près de Lui dans l'obscurité de sa chambre, elle Lui racontait à quel point une de ses poupées s'était mal conduite, combien son petit chien était malin, les ennuis qu'elle avait avec ses frères. Et Dieu écoutait. Il ne l'interrompait jamais et semblait acquiescer tranquillement lorsqu'elle commençait chaque histoire par ces mots : « Comme tu le sais. » Il savait, elle en était sûre.

Pendant les prières pour lesquelles on s'assemblait régulièrement à la maison et quand toute la famille était présente, Dieu n'était pas aussi près d'elle que lorsqu'elle était seule. En conséquence, elle ne prêtait que peu d'attention à ce qui se passait au cours de ces réunions, et elle se souvient qu'un jour, son père lui ayant soudain demandé de réciter un Notre Père, elle fut tirée brusquement de son rêve éveillé et se mit à chanter une chanson de folklore apprise au jardin d'enfants. Elle fut très offensée quand son père haussa les sourcils de surprise et que ses frères se mirent à pousser de petits rires. Dieu n'était-il pas dans sa chanson?

La perte de sa foi en Dieu fut le premier choc important que Lou éprouva. Cela fut tout à fait accidentel. L'un des serviteurs qui s'occupaient de leur maison de campagne et qui, une fois par semaine, venait en ville livrer un panier d'œufs, lui dit un jour qu'il avait trouvé un vieux couple debout devant la maison d'été en miniature qui appartenait à Lou. Les deux vieillards lui avaient demandé de les laisser entrer, mais il avait refusé parce qu'ils n'étaient pas de ces gens qu'on pût inviter dans sa maison. Elle fut très troublée en entendant cela et, lorsque le domestique revint la semaine suivante, elle lui demanda avec anxiété ce qu'il était advenu du vieux couple. Elle craignait que tous deux n'eussent été gelés ou ne fussent morts de faim. Il lui dit qu'ils s'étaient amenuisés de plus en plus jusqu'à ce qu'un beau matin il n'eût trouvé que les boutons noirs de la robe blanche de la femme et le chapeau dépenaillé du vieil homme. Et le sol était couvert de larmes glacées.

L'histoire du domestique horrifia Lou. De toute évidence, il se moquait d'elle et les deux vieux n'étaient que des bonhommes de neige qui avaient fondu au soleil du printemps. Elle se tourmentait pourtant. Elle se demandait comment quelque chose qui, sans conteste, existait, pouvait disparaître aussi complètement, fondre, comme disait le serviteur. Où cela allait-il? Cette nuit-là, dans son lit, elle se tourna vers Dieu et Lui demanda une réponse. Elle Lui avait toujours parlé et Il l'avait écoutée. Elle voulait maintenant qu'Il lui parlât et la rassurât. Elle voulait simplement qu'il prononçât ces mots : « M. et Mme Neige. » Juste ceci, car elle savait que Dieu est bien trop occupé pour entrer dans de longues explications. Mais elle attendit en vain. Il n'y eut point de réponse. Plus elle priait Dieu de parler, plus profond était Son silence, et il y avait quelque chose de terrifiant dans le silence de Dieu. Les ténèbres de la pièce, toujours si douillette en la tiède présence de Dieu, devinrent menaçantes. D'abord, elle pleura parce qu'elle croyait que Dieu était fâché contre elle et voulait la punir. Mais, peu à peu, une affreuse pensée lui pénétra l'esprit : Et si Dieu ne lui répondait pas parce qu'Il n'existait pas? Tout à coup, un voile se déchira et un univers sans Dieu parut à ses yeux terrifiés.

Que ferait-elle, à présent? Évidemment, elle ne pouvait continuer à raconter des histoires à Dieu. Il lui faudrait s'habituer à vivre dans un monde sans Lui.

Ce soir-là, Lou perdit sa foi en Dieu en tant que présence personnelle, ainsi que le sentiment de refuge et de protection qu'Il lui donnait. Cela laissa une blessure qui ne guérit jamais. Toute sa vie, elle essaya de Le retrouver, ce Dieu de son enfance. Son premier livre, écrit peu de temps après sa vingtième année, avait pour titre : *Une lutte pour Dieu.* Et, à l'âge de soixante-dix ans, elle confia à Freud que ce problème de la foi la préoccupait encore.

Lou garda le secret de cette perte. Elle assistait toujours aux prières familiales, mais lorsqu'elle entendait ses parents parler de Dieu, elle en était fâchée : quelle déception ce serait pour eux s'ils découvraient, eux aussi, qu'il n'y a point de Dieu! Il fallait faire quelque chose pour les protéger. Elle décida de ne pas les contrarier inutilement et d'être désormais une bonne petite fille.

Cela ne lui était pas du tout facile parce qu'elle avait hérité l'emportement de son père et était constamment exaspérée par la façon dont ses frères la traitaient. Ils voulaient toujours qu'elle se conduisît mieux qu'ils ne se conduisaient eux-mêmes, simplement parce qu'elle était une fille et que les filles sont censées se mieux conduire que les garçons. Pourquoi? Elle eût bien voulu le savoir. Pour quelle raison les garçons auraient-ils plus de liberté que les filles? Elle était déterminée à trouver sa propre réponse à cette question.

C'est lorsqu'elle alla à l'école qu'elle eut l'occasion de rencontrer d'autres filles. Mais celles qu'elle connut là ne lui firent aucune impression. Elles étaient comme des pies, toujours à bavarder pour ne rien dire. Elle s'amusait bien mieux en sa propre compagnie ou avec ses frères. De fait, l'école ne fut pas un chapitre important dans la vie de Lou. Elle alla d'abord dans une école anglaise privée, un cours préparatoire, où elle était mêlée à des enfants de toutes nationalités, puis au *Protestant Petre Gymnasium,* où elle n'apprit rien. Non, elle n'était pas faite pour l'instruction publique. Ce qu'elle apprit, elle l'apprit à la maison ou par elle-même, ou, plus tard, des hommes qu'elle aima.

Son premier amour, lorsqu'elle avait huit ans environ, fut le jeune et beau baron Frederiks, un adjudant du tsar Alexandre II. Le baron habitait également dans le bâtiment de l'État-Major général et Lou l'apercevait souvent. Mais elle n'essayait jamais de lui parler et l'adorait de loin. Un jour, en voyant approcher son idole, elle en fut si agitée qu'elle glissa et tomba sur les marches gelées. Se précipitant galamment à son aide, le baron glissa, lui aussi, et s'assit rudement à côté d'elle sur la glace.

« Nous nous regardâmes mutuellement, perplexes. Puis il se mit à rire de bon cœur. Je ne disais mot, mais me croyais au Septième Ciel. »

Cet incident est typique du monde de rêve dans lequel Lou passa une grande partie de son enfance. Ce n'est que par accident que d'autres y entraient. Elle n'en avait réellement pas besoin. Son plus grand bonheur était de les voir continuer à jouer le rôle qu'elle leur avait assigné dans son imagination. Ce trait causa plus tard dans sa vie une grande confusion. Car elle persista à assigner des rôles aux gens qu'elle rencontrait et était stupéfaite lorsqu'ils n'étaient pas à leur hauteur. Un mur invisible séparait le monde de Lou de celui qui l'entourait. Mais elle se sentait si à l'aise dans le sien qu'elle remarquait à peine à quel point il l'isolait.

Élevée dans un îlot cosmopolite, Lou était également isolée du courant essentiel de la vie russe. Il ne lui parvenait que des échos lointains du grand ferment social qui avait commencé avec l'émancipation des serfs, l'année de sa naissance, et qui, depuis lors, ne cessait de croître. Elle observait, naturellement, l'anxiété de ses parents qui allait grandissant : le souci de son père au sujet de la politique d'Alexandre, la réprobation de sa mère pour la jeune génération imbue de l'esprit de révolte contre l'ordre établi. Mais elle n'y prenait aucune part active. Et pourtant, comme elle le dit elle-même, « il n'était guère possible d'être jeune et vigoureux sans être affecté par ce qui se passait autour de moi ». Consciemment ou non, Lou partageait la surexcitation révolutionnaire qui emplissait l'air de la Russie pendant son adolescence. Elle entrevoyait le fanatisme, le zèle missionnaire dont étaient animés tant de jeunes Russes, qui se qualifiaient eux-mêmes de nihilistes et vouaient leur vie à l'amélioration du sort du paysan russe.

Elle entendait parler des *narodniki*, qui allaient parmi le peuple, comme les premiers apôtres du christianisme, prêcher un nouvel évangile de fraternité. Elle apprenait également que, parce que la jeunesse russe éprise de liberté se sentait trahie par la volte-face du tsar libérateur, les *narodniki* à l'esprit social étaient remplacés de plus en plus par des comités révolutionnaires qui prêchaient la terreur. Et il est tout à fait probable que les actes de terrorisme commis au nom de la « Sainte Mère Russie » la faisaient frémir secrètement. De fait, cachée dans le tiroir de sa commode, elle gardait une image de l'héroïne révolutionnaire, Vera Sassoulitch, qui, en janvier 1878, avait attenté à la vie de l'exécré gouverneur de Saint-Pétersbourg.

Par tempérament, Lou était elle-même une rebelle. De bonne heure dans la vie, elle choisit pour principe directeur cette devise :

La vie, ne t'y trompe pas,
Te traitera méchamment.
Si donc tu veux avoir ta vie,
Va... et prends-la.

Elle était irritée par la pompe et les faux-semblants de la vie de cour et n'avait aucun désir d'y prendre part. Tout y était trompeur et irréel. Saint-Pétersbourg tout entier était un mirage. A l'encontre de Moscou, il n'avait pas de racines dans le sol russe. « Avez-vous jamais vu Saint-Pétersbourg par une "Nuit blanche"? En juin, par exemple, lorsqu'il reste aussi lumineux qu'en plein jour? La ville prend, alors, un aspect étrange. Elle a un air irréel. Tout y est clair et décoloré à la fois. Tout semble flotter. "Es-tu faite de granit? demande-t-on à la cathédrale Saint-Isaac, n'es-tu pas aussi légère que si tu étais de papier gris?..." Et tout est ainsi. Tout y est stimulant et nullement ordonné. Un rêve. Oui, il vous faut être fonctionnaire, à Saint-Pétersbourg, si vous ne voulez pas devenir fou. »

Il n'y avait pas de danger que Lou devînt folle. La vie s'ouvrait à elle et elle en savourait chaque minute. Maintenant qu'elle n'était pas distraite par la présence de ses frères, qui faisaient leurs études au-dehors, elle observait le va-et-vient des gens dans la grande ville. Elle aimait à flâner dans les rues et à parler avec les travailleurs, les cochers et les paysannes. Elle les trouvait bien plus intéressants que les diplomates et les officiers qu'elle rencontrait chez elle. C'était là une autre source de frictions entre sa mère et elle. Mme von Salomé voulait voir Lou entretenir des relations amicales avec les filles des familles de son propre rang. Elle organisait des réceptions et des goûters auxquels elle invitait une demi-douzaine de jeunes filles de la bonne société de Saint-Pétersbourg. Lou mettait docilement la robe d'après-midi que sa mère lui avait préparée, attachait un ruban autour de ses cheveux blonds et essayait d'être polie avec ses invitées. Mais c'était inutile. Elles n'avaient aucun sujet commun. Toutes les autres ne s'intéressaient qu'aux vêtements et aux parties de plaisir, tandis qu'elle avait envie de parler de la vie, de la force mystérieuse dont elle sentait les pulsations dans son jeune corps. Être vivant : c'était là le miracle. Marcher nu-pieds dans une prairie, au printemps, à une heure matinale, était autrement à son goût que danser toute la nuit avec de jeunes officiers au cerveau vide. Acquérir cette grâce mondaine dont elle aurait besoin, insistait sa mère, comme future maîtresse de maison, ne l'intéressait pas du tout, pour la simple raison qu'elle n'avait pas l'intention de devenir une maîtresse de maison. Au grand chagrin de Mme von Salomé, elle ne déguisait pas son mépris pour la société dans laquelle elle était née. L'idée qu'elle se marierait bientôt et s'établirait comme les autres la faisait rire.

Comme toutes les adolescentes, Lou pesait, bien entendu, les problèmes du mariage, mais son souci principal était l'effet que cela aurait sur sa liberté et le droit de développer sa propre personnalité. Elle était très intriguée par les rumeurs qui lui parvenaient au sujet des « mariages fictifs », courants dans l'intelligentsia russe, mariages blancs, unions platoniques conclues entre un homme et une femme pour leur amélioration mutuelle, sorte de coopération entre camarades. « D'autres considéraient la chose comme une chance de montrer leur mépris pour une institution bénie par l'Église et sanctionnée par l'État, une façon de se placer au-dessus de la société tout en obéissant à ses lois [1]. » Ce thème était souvent utilisé par les romanciers russes. Dans l'une des œuvres de Tchernikovsky, un couple marié vit côte à côte comme frère et sœur. Les deux conjoints sont très heureux et ne revendiquent jamais leur droit marital. Quand le mari s'aperçoit que sa femme a une intrigue avec son meilleur ami, il se retire discrètement pour ne pas gêner les amants. De telles idées apportaient de l'eau au moulin d'une jeune rebelle comme Lou. Elle se promettait d'expérimenter la plupart d'entre elles.

Par-dessus tout, elle goûtait toujours la compagnie de son père. Mais le général, qui avait dépassé soixante-dix ans, montrait des signes de vieillissement. Il se tourmentait visiblement pour l'avenir, celui de la Russie et celui de sa fille bien-aimée. Lou observait que lorsqu'il parlait du *narod*, les gens du commun, il avait une note de respect dans la voix. Il critiquait leur ignorance et leur superstition, mais les aimait. Ce fut son père qui fit voir à Lou les paradoxes déconcertants qu'offre la Russie pour l'esprit occidental. A bien des égards, c'était un pays arriéré, fruste, barbare, du point de vue occidental. Le peuple était plus enclin à prier qu'à travailler. En même temps, c'était un pays où nombre d'idées modernes (le droit des femmes à l'égalité en matière d'éducation, par exemple) étaient préconisées et mises en pratique longtemps avant de devenir le cri de guerre des suffragettes.

« Quel autre pays », demandait un observateur occidental contemporain, « a vu des jeunes gens de bonne famille, des étu-

1. Leroy-Beaulieu, *The Empire of the Tsars and the Russians*, 1re partie, p. 212, New York, Putnam, 1905.

diants des universités, rejeter les vêtements et les habitudes de leur classe, mettre de côté leur plume et leurs livres pour travailler dans des usines comme des ouvriers afin d'être en mesure de mieux comprendre "le peuple" et de l'initier à leurs propres doctrines? Dans quel autre pays voit-on des jeunes filles bien élevées et cultivées se réjouir, en revenant de pays étrangers, d'avoir obtenu un emploi de cuisinière dans la famille d'un surintendant pour se rapprocher du "peuple" et étudier personnellement la question du travail? [2] »

Lou vibrait à de tels récits. Dans de longues conversations houleuses avec ses frères lorsqu'ils venaient en vacances à la maison, elle discutait le pour et le contre du mouvement de réforme. Comme un groupe de conspirateurs, entassés dans la chambre de Lou devant le samovar fumant, les enfants du général Salomé parlaient des maux de la Russie. Lou apprit de ses frères que beaucoup de jeunes filles de sa condition renonçaient à leur vie oisive pour étudier la médecine parce qu'elles voulaient venir en aide aux malades et aux pauvres des villages de Russie. D'autres faisaient des études pour être infirmières ou sages-femmes, ou devenir institutrices, ou s'occuper d'aide sociale. Lou admirait l'idéalisme révolutionnaire qui animait ses contemporains russes. Il y avait quelque chose de noble dans leur zèle à faire des études universitaires. Il lui paraissait parfaitement sensé que des étudiants hommes et femmes pussent, fréquemment, étudier et vivre ensemble. A l'encontre de ses parents, elle ne voyait là aucun mal. Et peut-être n'y en avait-il pas, bien qu'un critique français observât « que cette fréquente cohabitation, même si elle n'était préjudiciable à la morale, aidait à accroître l'exaltation des jeunes gens des deux sexes qui s'excitaient mutuellement et, pour ainsi dire, se remontaient les uns les autres ».

Dans la solennité cloîtrée du bâtiment de l'État-Major général, Lou sentait la surexcitation révolutionnaire de l'époque. Ses aspirations à la liberté personnelle, ses idées peu orthodoxes concernant les relations entre les sexes, son désir de recevoir une éducation universitaire étaient influencés par son ambiance russe, en dépit du fait qu'elle était tenue à l'écart de ce mouvement par sa famille et que ces idées fussent diamétralement opposées à tout ce que prônaient les siens. C'était particulièrement le cas pour ses idées sur l'amour et le mariage. L'exemple de ses parents montrait que l'amour et le mariage n'étaient pas mutuellement exclusifs, ainsi qu'elle l'avait cru, car, tout en aimant ses parents, surtout son père, elle sentait que, dans de

2. *Ibid.*

telles relations, l'un des conjoints, généralement la femme, devait sacrifier son épanouissement intellectuel et soumettre sa propre personnalité à celle de son mari. Sa mère avait beau affirmer que cette soumission était le devoir d'une femme, Lou y était violemment opposée. Si elle se mariait jamais, elle exigerait une véritable égalité, un sentiment de fraternité, le respect du caractère sacré du partenaire, l'altruisme et la compréhension mutuelle.

Pourquoi, demande-t-elle dans son livre, *Rodinka*, qui porte pour sous-titre « Réminiscences russes », ne savons-nous être que des cavaliers, des amants ou des seigneurs? Avons-nous oublié que nous sommes frères? »

Fraternité et Russie, ces mots, pour elle, étaient synonymes. Quand elle les employait, elle devenait enthousiaste. Elle aimait la Russie et le peuple russe parce que, contrairement au peuple d'Occident, il était simple et enfantin et n'avait pas perdu le sens de la fraternité de tout le monde des créatures. Ils n'étaient pas encore séparés du grand rythme de la vie. Ils ne craignaient pas de montrer leurs sentiments, leur piété, leur humilité, oui, même leur férocité. Ils faisaient contraste avec les hypocrites raffinés de la société de Saint-Pétersbourg. Elle aimait la tiédeur de leurs isbas au sol de terre battue, ces huttes de paysan primitives qui semblent sortir de terre. Elle aimait les petites églises russes toutes rondes aux coupoles dorées, mais, par-dessus tout, elle aimait la vaste et calme étendue des eaux de la Volga avec son mélange d'intimité et de distance. Tout cela, elle le savait, s'identifiait à elle, parce que c'était plus qu'un peuple, plus qu'un paysage : c'était une force, une force aussi élémentaire que l'eau, le vent et la pluie. Cette force jaillissait des profondeurs de l'âme russe. Avant de mourir, elle regrettait avec amertume que l'Europe eût perdu cette force : « L'Europe n'a plus de mystères, plus de profondeur, elle est vraiment morte [3]. »

Mais elle n'acquit que peu à peu cette perspicacité. Il lui fallut voyager très loin vers l'ouest, s'imprégner de la pensée et des idées occidentales avant de découvrir la Russie et de se découvrir elle-même. Il lui fallut d'abord s'arracher au monde des rêves de son enfance et se soumettre à une rigoureuse discipline intellectuelle, à un strict enseignement de la philosophie occidentale. Il lui fallut faire tout cela parce que telle était la volonté de l'homme qu'elle aimait avec toute la passion de son cœur adolescent. C'était un Occidental qui méprisait la Russie et tout ce qui était russe. Son nom était Hendrik Gillot et il était le ministre de l'Église hollandaise réformée à Saint-Pétersbourg.

3. Gertrud Bäumer, *Gestalt und Wandel, Frauenbildnisse*, Berlin-Grunewald, 1939, p. 484.

CHAPITRE III

Dieu et Gillot

L'adolescence est une période tumultueuse, une seconde naissance. Pour Lou, elle fut particulièrement tourmentée parce que le ferment révolutionnaire ambiant stimulait sa nature rebelle. Ses contemporains russes, désespérant d'obtenir des réformes pacifiques, ne cessaient d'étendre leur activité terroriste. On attenta plusieurs fois à la vie du tsar et une bombe explosa dans le palais d'Hiver. Il y avait du changement dans l'air. La vie de Lou changeait, elle aussi. L'enfant concentrée sur elle-même devenait une jeune fille pleine de volonté et d'obstination.

Elle était plutôt grande pour son âge, et mince. Comme beaucoup de jeunes filles élevées dans les climats nordiques, le développement de ces caractéristiques féminines qui sont en plein épanouissement entre douze et quatorze ans chez les filles du Sud était plus lent chez elle. A cet âge, Lou avait la poitrine plate et une silhouette de jeune garçon, des hanches étroites et de longues jambes. Ses clairs yeux bleus contemplaient le monde sans crainte, et pourtant elle avait souvent une expression rêveuse qui adoucissait ses traits nettement dessinés et presque masculins. De fins cheveux blonds au reflet roux couronnaient son front haut. Elle avait un petit nez et un menton doucement arrondi, mais le trait le plus remarquable de son visage était sa bouche, une bouche tendre et féminine, à la lèvre inférieure pleine et sensuelle.

Le tournant dans le vie de Lou survint à l'âge de dix-sept ans. Il coïncida avec l'agitation politique dans laquelle la Russie était plongée à la suite de la guerre russo-turque. Cette guerre avait été très populaire. La jeunesse révolutionnaire de Russie, imbue des idéaux panslaves, la considéraient comme une « guerre sainte ». Les jeunes Russes voulaient libérer leurs frères slaves des Balkans des Turcs païens. Même parmi les non-

Russes, le sentiment patriotique s'échauffait. « Dans notre maison allemande, se souvient Lou, j'étais assise avec les autres et faisais un travail de couture, ou j'aidais ma mère à envoyer des colis au front. » La Russie avait gagné la guerre, mais se sentait frustrée de sa victoire par les conditions du traité de paix de Berlin auquel Bismarck avait présidé. L'Allemagne fut grandement blâmée pour la défaite de la Russie à la table de la conférence et le sentiment anti-allemand parmi le peuple russe, l'intelligentsia et l'armée n'en prit que plus d'acuité. De son lit de malade, le général von Salomé observait avec inquiétude cette nouvelle effervescence. Sa santé s'était altérée et il était impossible de prévoir combien de temps il lui restait à vivre. Mme von Salomé s'occupait de son mari de façon efficace et tranquille, mais elle ne pouvait dissiper la tristesse qui avait envahi sa famille. Lou, surtout, était inconsolable. L'idée qu'elle pourrait perdre son père bien-aimé passait son entendement. Pendant des heures, elle restait assise à son chevet, lui faisant la lecture ou essayant de l'égayer par de menus propos.

Cela ne lui était pas facile car, juste à ce moment, elle subissait les affres d'une grave crise de conscience. Elle recevait une instruction religieuse pour la préparer à sa confirmation. Comme ses frères, elle devait être confirmée par le pasteur Dalton, de l'Église évangélique réformée. C'était l'Église de son père. Le général avait contribué à son édification en obtenant personnellement du tsar la permission de fonder une église luthérienne dans la capitale russe. C'était l'une des deux raisons pour laquelle Lou prenait cette instruction tout à fait au sérieux. L'autre raison était, bien entendu, que cela touchait à des problèmes qui l'avaient troublée durant ses jeunes années. Bien qu'elle eût, depuis longtemps, perdu sa foi enfantine, elle sentait qu'il lui fallait défendre le Dieu de son enfance tandis qu'elle écoutait les savants arguments théologiques qu'avançait le pasteur Dalton pour prouver Son existence. Sa piété se révoltait contre le besoin de telles preuves et, un jour, alors que le pasteur parlait de l'omniprésence de Dieu, concluant par cette déclaration catégorique qu'il n'existait pas un endroit où Dieu ne se trouvât, elle l'interrompit vivement en disant : « Oh, si, il y en a un : l'Enfer ! »

Déconcerté, le pasteur Dalton pensa qu'il était de son devoir de convaincre la fille du général Salomé des vérités traditionnelles de la foi protestante. Mais plus il devenait dogmatique, moins Lou était disposée à les accepter. Il aboutit à une impasse lorsque Lou refusa finalement d'être confirmée et parla de quitter l'Église. Dalton était indigné. Il ne s'était jamais heurté à une telle obstination, et de la part d'une adolescente. Il ressentait comme un affront personnel le fait que la fille d'une des familles les plus pieuses de sa congrégation pût exprimer de tels sentiments. Mais Lou était irréductible. Le seul point sur lequel elle était disposée à faire une concession était de suivre une seconde année d'instruction. Elle ne voulait pas mettre à ce problème un point final pendant que son père était malade. Mais, au fond d'elle-même, elle était déterminée à ne pas accomplir un acte auquel elle ne croyait plus. Elle était évidemment troublée à propos de l'effet qu'aurait sur le reste de sa famillle une rupture ouverte avec l'Église. Elle espérait que son père comprendrait et lui pardonnerait. Mais elle savait que sa mère serait grandement offensée et imaginait que cela scandaliserait les amis de sa famille. Cependant, la peur du scandale ne l'empêcha pas alors (ni à aucun autre moment de sa vie) de faire ce qu'elle croyait être son devoir.

Elle était encore en train de se débattre avec les arguments théologiques fumeux du pasteur Dalton sans aboutir à quoi que ce fût lorsque survint un événement qui transforma toute sa vie. Elle rencontra Hendrik Gillot. Il était ministre, lui aussi, mais d'une sorte très différente, et un homme très différent de ce qu'était Dalton. Tandis que ce dernier était un exemple typique du clergyman savant, mais du luthérien prosaïque, Gillot était un homme du monde, un *causeur* fascinant et un brillant orateur. De descendance hollandaise, il avait beaucoup voyagé, avait acquis les manières d'un grand seigneur et la *Weltanschauung* d'un rationaliste du XVIIIe siècle, en dépit du fait que c'était un ministre de l'Église hollandaise réformée. Il avait trente-sept ans lorsque, en 1873, il arriva à Saint-Pétersbourg pour prendre la charge de pasteur à l'ambassade hollandaise.

Gillot était doué d'une volonté de fer. Il avait des yeux si pénétrants qu'on se sentait nu devant lui. Ses vues libérales provoquaient un grand ressentissement parmi ses confrères théologiens plus orthodoxes, qui le trouvaient quelque peu charlatan. Ils enviaient sa popularité et s'offensaient de l'air condescendant avec lequel il les traitait. L'un de ses ennemis les plus acharnés était le pasteur Dalton.

La petite église où prêchait Gillot était située dans le quartier le plus en vogue de Saint-Pétersbourg, la Perspective Nevski, en face du palais Stroganov, baroque et magnifique. Peu de temps après son arrivée, Gillot fut nommé tuteur des enfants du tsar, honneur insigne qui montrait le respect dont il jouissait parmi l'aristocratie. Bel homme, il avait le visage d'un acteur et les gestes et la force d'expression d'un prophète. Rien d'étonnant à ce qu'il fût adoré des femmes qui comptaient parmi ses ouailles. De son côté, il n'était pas insensible au charme féminin, bien que marié et père de deux filles déjà adolescentes. Il prêchait en allemand ou en hollandais, et ses sermons devinrent des événements de première importance dans la capitale russe.

Tous les dimanches, l'église de Gillot regorgeait d'hommes et de femmes élégamment vêtus, de toutes sectes et de toutes nationalités. Ils restaient debout dans les bas-côtés, sur les marches et même à l'extérieur. Lorsqu'il montait en chaire, il y avait plus d'une grande dame dont le cœur battait. Dans son port, ses manières, son apparence, il y avait quelque chose qui éveillait plus que de pieux sentiments. Et puis il y avait la voix de Gillot, cette voix aux inflexions merveilleuses qui était une caresse pour l'oreille. Elle tenait ses auditeurs sous le charme.

Le secret du succès de Gillot en tant que prédicateur résidait en ce qu'il faisait appel et aux sentiments et à la raison. Il n'insistait ni sur une foi aveugle, ni sur une soumission sans condition aux dogmes de l'Église. Par la force de son raisonnement, il essayait d'émouvoir ses auditeurs pour leur faire apprécier le miracle de la vie et la puissance de Dieu, fondant souvent ses textes sur des arguments scientifiques ou philosophiques plutôt que sur la Bible. La science et la foi, affirmait-il, ne sont point contradictoires, elles se complètent l'une l'autre. L'homme a été doté par son Créateur d'un esprit aussi bien que d'une âme. Il est de son devoir de cultiver les deux. L'ignorance, l'aveuglement et la superstition, disait-il, sont les vrais ennemis de Dieu. Plus l'homme pénètre profondément dans les mystères de la nature, plus il se rapproche de Lui. Car Dieu a dit : « Que la lumière soit. »

Présentés, pour ainsi dire, avec une ardeur presque faustienne, de tels arguments avaient un immense effet sur les intellectuels russes, enclins au scepticisme et souvent athéistes militants. Ils sentaient qu'il y avait là une voie qui les ramenait à Dieu sans offenser la raison humaine.

La résidence des Salomé et l'église de Gillot n'étaient séparés que par quelques pâtés de maisons néanmoins, pendant cinq années, Lou ne fit aucun effort pour aller l'entendre, bien qu'elle eût sûrement entendu parler de son talent d'orateur. Peut-être sa curiosité fut-elle éveillée lorsqu'elle apprit que Gillot était entré en conflit contre le dogmatisme inflexible de Dalton. Elle avait certainement besoin d'un appui dans sa lutte pour se libérer du pouvoir de la foi luthérienne.

Lorsqu'elle consentit à accompagner une parente à l'église de Gillot, elle était dans un état d'expectative. La maladie de son père rendait la vie à la maison sombre et incertaine. Il y avait du changement dans l'air. Le monde de son enfance, le monde privé de ses rêves et de ses fantaisies, dans lequel elle avait vécu si heureuse avec l'amour protecteur de son père, tirait à sa fin. Un monde extérieur, un monde hostile, la réclamait. Pour la première fois de sa vie, Lou se sentait étrangère dans son propre pays, une étrangère détestée. Elle était forcée d'accepter des responsabilités et on lui rappelait continuellement ses devoirs d'adulte chrétienne. C'était là, lui disait le pasteur Dalton, la signification du vœu de la confirmation. Et sa mère acquiesçait avec empressement. Lou devrait avoir du cran, tenir bon, et il faudrait compter avec elle. En embrassant publiquement la foi luthérienne, elle devrait également faire savoir qu'elle était membre de la communauté allemande. C'était alors très important. Lou savait qu'en rejetant son Église elle trancherait les liens les plus intimes qui l'unissaient à tout groupe russe. Elle deviendrait vraiment une proscrite. Mais ce n'était pas le pire : cela briserait le cœur de sa mère. Pourtant, prononcer un vœu auquel elle ne croyait pas serait la violation de sa propre intégrité. Pourrait-elle, après cela, vivre avec elle-même? C'était un terrible dilemme. S'il lui avait seulement été donné de se confier à son père! Mais son pauvre père ne pouvait plus l'aider. Il était près de la mort.

Dès l'instant où Lou vit Gillot monter en chaire, elle sut qu'elle avait enfin trouvé l'homme qui pouvait l'aider et l'aiderait. « Maintenant, ma solitude est finie », se dit-elle avec un profond sentiment de gratitude. « Voilà ce que je cherchais. » C'est l'homme qu'elle entendait par là. « Ce qu'il disait était sans importance. » Elle décida tout aussitôt qu'il lui fallait le connaître. Elle découvrit son adresse et lui écrivit pour lui demander si elle pourrait le voir, « mais non à cause de scrupules religieux ».

« Une créature vivante entra dans mon univers de rêve, écrit-elle dans ses Mémoires, non pas à part, mais en s'y intégrant, tout en demeurant une synthèse de la réalité. Le choc qu'il provoqua ne peut être exprimé que par le seul mot qui, selon moi, dépeint l'événement le plus exceptionnel, le plus invraisemblable aussi bien que le plus familier et toujours espéré : "Un Homme!" »

Gillot, sans nul doute, recevait nombre de lettres semblables de ses admiratrices. Il se peut que sa curiosité ait été éveillée par la candeur du billet de Lou. Elle ne dissimulait pas son désir de le voir en prétendant avoir besoin de directives religieuses. Elle disait franchement qu'elle désirait voir l'homme et non le pasteur. Tout homme moins vain que Gillot eût été flatté par une telle spontanéité. Il la reçut à bras ouverts.

Lou attendit avec impatience le jour fixé pour leur rencontre. Elle n'en avait rien dit à personne. Le cœur battant à se rompre, elle se dirigea vers la maison de Gillot et fut conduite dans son cabinet de travail, où on lui dit d'attendre. Les quelques minutes qui suivirent lui parurent une éternité. Les mains pressées sur son cœur, elle attendait que la porte s'ouvrît. Lorsque enfin Gillot, debout sur le seuil, s'exclama : « Vous êtes venue à moi! » et lui ouvrit les bras, Lou s'y précipita, en larmes, comme un enfant qui cherche un refuge.

Dès lors et pendant plusieurs mois, elle fit à Gillot des visites régulières, mais sans le dire à sa famille. La nature clandestine de ces visites ajoutait beaucoup à leur exaltation. Dans l'intimité du cabinet de travail de Gillot, ils se découvrirent l'un l'autre : la jeune fille jetée en sa présence dans un état d'extase (à certains moments, elle se prenait à l'aimer comme sainte Thérèse aimait le Seigneur Jésus) et l'homme confondu par une adoration qu'aucune autre femme ne lui avait jamais témoignée. Sa ferveur l'émouvait et l'alarmait à la fois. A moins qu'elle n'apprît à être maîtresse d'elle-même, elle serait un jour cruellement blessée. Son imagination excessive avait besoin d'être contenue. En parlant avec elle, Gillot constata que Lou avait une excellente mémoire qui, convenablement exercée, agirait comme un frein sur les essors de son imagination. De façon tout à fait méthodique, il se mit à alimenter son esprit d'une nourriture si riche qu'il semble incroyable qu'une jeune fille de dix-sept ans ait pu la digérer. Mais Lou la digéra, bien qu'au détriment de sa santé.

Les nombreux carnets bleus qu'elle remplit d'une écriture aussi nette que celle de sa mère donnent une idée de l'étendue de son travail intensif avec Gillot. L'un d'eux montre qu'elle a étudié l'histoire des religions, comparant le christianisme avec le bouddhisme, l'hindouisme et l'islamisme; elle y examine les problèmes de la superstition dans les sociétés primitives, le symbolisme de leurs rites et médite sur les conceptions de base de la phénoménologie de la religion. Un autre carnet traite de philosophie, de logique et de métaphysique, et de la théorie de la connaissance. Un troisième est consacré au dogmatisme et à des questions telles que l'idée messianique dans l'Ancien Testament et la doctrine de la Trinité. Un quatrième, écrit en français, contient des notes sur le théâtre français avant Corneille, sur la période classique de la littérature française sur Descartes, Port-Royal et Pascal. Dans un cinquième, on trouve des essais en allemand sur la *Marie Stuart* de Schiller, et sur *Krimhild* et *Gudrun.* Gillot lui fit lire Kant et Kierkegaard, Rousseau, Voltaire, Leibniz, Fichte et Schopenhauer. Il s'émerveillait de voir son esprit, pareil à une eponge, absorber en quelques mois une grande partie de l'héritage culturel de l'Occident.

Ce fut une méthode brutale, un rude réveil du monde de rêve de son enfance, mais elle était pourvue intellectuellement pour le reste de ses jours. C'est également à ce moment que s'éveilla son intérêt pour l'art d'écrire, car Gillot lui permit de composer à sa place certains de ses sermons du dimanche. C'était pour elle un précieux exercice qui lui donnait l'occasion d'observer l'effet de ses textes sur une nombreuse assistance. Cela prit fin, hélas, lorsque au lieu d'utiliser un passage de la Bible, elle écrivit un sermon puissant sur les paroles bien connues du *Faust* de Gœthe : « Le Nom n'est que bruit et fumée. » Ayant prononcé exactement le prêche écrit par Lou, Gillot fut admonesté par l'ambassadeur hollandais qui se trouvait présent, et qui lui enjoignit de s'en tenir désormais à la Bible. « Un peu maussade, se rappelle Lou, Gillot me transmit cette réprimande. »

Quel que fût le prix de cet entraînement intellectuel forcé, il avait un sérieux inconvénient : il coupait Lou de toutes ses racines et elle allait ainsi à la dérive. En stimulant l'esprit de Lou, Gillot faisait crouler le mur invisible derrière lequel elle avait passé une grande partie de son enfance. Il la détournait d'elle-même, de son foyer, de son pays, il l'obligeait à affronter le monde. Elle se soumettait à cette méthode brutale parce qu'elle l'aimait et, toute sa vie, elle resta reconnaissante à Gillot de l'avoir libérée. Toutefois, par un tour singulier du destin, Gillot découvrit bientôt que libérer Lou, c'était aussi la perdre.

Au cours des mois où Lou fréquenta secrètement Gillot, pendant l'hiver de 1878-79, trois événements survinrent qui tranchèrent finalement ses liens avec le passé : la mort de son père, sa rupture avec l'Église et sa franche confession à sa mère des visites qu'elle avait faites à Gillot. Des trois événements, la mort de son père était de beaucoup le plus important. Il avait été pour elle plus qu'un père : il avait été le centre de son univers. Il avait maintenant disparu et, avec lui, le monde de son enfance. Aussi longtemps qu'il avait vécu, elle était demeurée dans l'Église. Elle ne la quitta qu'après sa mort. Son père, affirme-t-elle, eût certainement compris son acte, tout en déplorant la perte de sa foi, mais le fait est qu'elle attendit qu'il fût mort avant de rompre ouvertement avec l'Église en refusant la confirmation. Cette décision hardie, inouïe, causa une grande souffrance à sa mère, qui confia à une parente :

« Je suis surprise que ce choc absolument inattendu ne m'ait pas rendue malade. Il m'a fallu faire appel à toute ma force morale pour le surmonter. Pendant cette période, j'ai de nouveau senti, comme si souvent dans ma vie, que Dieu aide les faibles. Je sais que ma simple foi est démodée, mais je me trouve privilégiée de l'avoir encore. Tu dis que Ljola souffre pour moi, mais je n'en crois rien. Sinon, elle se fût conduite autrement. Tu me demandes d'être bonne et compréhensive envers elle, mais comment le puis-je avec une fille aussi entêtée, qui veut toujours et en toute chose agir à sa guise?... Ljola dit qu'il serait hypocrite et criminel d'être confirmée par Dalton, mais je sais qu'en d'autres occasions elle n'a pas eu de tels scrupules. »

La sympathie générale allait à Mme von Salomé, qui, venant de perdre son mari, perdait maintenant sa fille. L'Église était la gardienne de la moralité. En la rejetant ouvertement, Lou affichait publiquement, du moins le pensait-on, qu'elle mènerait désormais la vie d'une païenne.

Cette impression fut confirmée lorsqu'elle dit un jour à sa mère, devant des amis, qu'elle revenait tout juste de chez Gillot, chez qui elle allait secrètement depuis un certain temps. Mme von Salomé fut outrée. La réputation de Gillot n'inspirait pas confiance et son inimitié avec Dalton était bien connue. Il lui vint tout à coup à l'idée que le rejet par sa fille de l'Église luthérienne avait été encouragé par cet homme dangereux. Elle ordonna sévèrement à Lou de monter dans sa chambre et d'y rester. Puis elle fit venir Gillot. Au cours d'une scène digne de la grande tradition, elle accusa le ministre d'avoir commis un crime grave contre sa fille et lui dit qu'elle l'en tenait pour responsable. Gillot repoussa toute l'accusation. Loin de vouloir esquiver ses responsabilités envers Lou, il proclama fièrement qu'il les acceptait. Il expliqua en détail ce qu'ils avaient fait. Il dit à Mme von Salomé que sa fille était un génie et lui demanda de le laisser continuer à diriger son éducation. Lou, qui, de sa chambre, écoutait la discussion qui allait parfois s'échauffant, entendit Gillot persuader peu à peu sa mère qu'il n'y avait eu là aucun mal et qu'il serait dommage de refuser à Lou la permission de poursuivre ses études. Un peu à contrecœur, Mme von Salomé se rendit enfin aux arguments persuasifs de Gillot. Lou débordait de joie. Dans sa lutte pour la liberté, une autre bataille avait été gagnée.

Au cours des mois qui suivirent, les relations entre Lou et Gillot, déjà intimes auparavant, le devinrent davantage. Mais l'exaltation émotionnelle que Lou éprouvait en présence de Gillot, la rigoureuse discipline intellectuelle à laquelle il la soumettait fut au-dessus de ses forces. Elle eut des évanouissements. Elle perdit connaissance un jour où elle était sur les genoux de Gillot. Elle insiste sur le fait que « faire quelque chose de mal était impossible ». Mais cette insistance n'est pas convaincante. A dix-huit ans, une jeune fille assise sur les genoux d'un homme qu'elle adore et qui, de toute évidence, est fasciné par elle, fait tout ce qu'il faut pour s'attirer des ennuis. Si innocente que fût Lou et si purs que fussent ses sentiments, Gillot n'était pas un saint, bien qu'elle lui eût attribué ce rôle. La situation était grosse de dangers. Comme des témoins muets, les ombres d'Héloïse et d'Abélard planaient au-dessus d'eux et il ne fallut pas longtemps pour que la part intense que le ministre prenait à la vie de son élève se muât en amour. Un jour, tandis qu'ils travaillaient dans son cabinet de travail, il l'étreignit soudain avec passion, lui dit qu'il l'aimait et lui demanda d'être sa femme. A l'insu de Lou, il avait déjà fait des préparatifs pour leur mariage.

Lou était stupéfaite. De nouveau, un monde s'était écroulé, le monde de la raison et de l'esprit. Un autre dieu s'était effondré. Mais l'homme qui l'avait embrassée était-il un Dieu? Elle le dévisagea avec incrédulité. C'était toujours le même homme, l'homme qu'elle aimait, et pourtant ce n'était pas le même. Tout était différent, à présent. L'innocence de son amour avait disparu. Une chose terrifiante était arrivée. Elle avait entendu le rugissement lointain de l'antique fleuve du sang et sentait instinctivement que si elle s'abandonnait, elle serait anéantie. Tout serait perdu. Avec un suprême effort de volonté, elle se leva et quitta Gillot. Elle lui dit qu'elle serait toujours son enfant, qu'elle l'aimerait toujours, mais qu'il lui fallait maintenant le quitter avant que son image ne fût brisée.

Il y avait, bien entendu, d'autres motifs à son refus d'épouser Gillot. L'un d'eux était leur différence d'âge. Gillot avait quarante-trois ans et Lou n'en avait que dix-huit. Il y avait aussi le fait qu'il était marié et avait deux filles de son âge, ce qui la tourmentait, bien qu'elle dise, dans ses Mémoires, que, puisque c'est un attribut de Dieu qu'être apparenté à tous les hommes (Gillot était pour elle un substitut de Dieu), ses liens familiaux ne l'eussent pas empêchée d'accepter sa proposition. La principale raison de le repousser était tout simplement qu'elle n'était pas prête pour le mariage. « Ma persistante apparence enfantine, due au climat nordique et au développement tardif de mon corps le forcèrent [Gillot] à me cacher, au début, qu'il avait déjà fait tous les préparatifs nécessaires à notre union. » Le pathétique de son amour pour Gillot était qu'elle l'aimait comme une enfant. Il l'émouvait, mais n'éveillait pas la femme en elle. Ayant l'expérience du monde, Gillot en avait le soupçon, d'où ses agissements secrets. Il dut éprouver un choc assez rude lorsque son plan si bien préparé se heurta à un refus aussi catégorique. « Comme il doit souffrir des sentiments contradictoires qui se déchaînent en lui! »

De nombreuses années plus tard, dans son roman, *Ruth*, Lou essaya de recréer l'histoire de son premier amour. Comme dans tous ses livres, les éléments autobiographiques et la fiction sont mêlés dans *Ruth*, mais les premiers dominent. Il est clair que l'héroïne, Ruth Delorme, est un portrait de l'auteur. Erik, son professeur, personnage principal de l'histoire, est modelé d'après Gillot. Le roman raconte comment ils se rencontrèrent, travaillèrent ensemble et s'éprirent l'un de l'autre. Il abonde en observations psychologiques sur les formes diverses de l'amour : l'agressivité du mâle, le désir d'abandon de la femme, l'adoration de l'enfant. Pour le lecteur moderne, son atmosphère surchargée et son exaltation sont assez fatigantes, mais les contemporains de Lou trouvaient *Ruth* très émouvant. Dans une imagination d'adolescente, aucun sujet n'offre autant d'intérêt que celui qui traite de l'amour entre un maître et son élève. Les lectrices de Lou, en tout cas, prirent le livre à cœur et écrivirent à l'auteur des lettres passionnées. Certaines d'entre elles allèrent même la voir et devinrent ses amies dévouées pour le reste de leurs jours. L'épisode Gillot eut sur la vie de Lou des répercussions qui allèrent bien au-delà du choc immédiat.

Le décor de Ruth est une maison de campagne en Russie, non loin de Moscou. L'héroïne est dépeinte comme une écolière intrépide, insouciante et fantasque. Elle se conduit souvent comme un garçon manqué et est farouchement individualiste. Elle porte défaits ses cheveux blond cendré qui retombent mollement sur ses épaules. Sa blouse de paysanne russe et sa jupe gris-bleu toute simple sont sans prétention et contrastent avec les vêtements richement brodés de ses compagnes. C'est une conteuse née et il lui est difficile de faire une distinction entre le monde de son imagination et le monde réel qui l'entoure. Erik, son professeur, remarque ce don peu commun, mais craint que, à moins qu'elle ne soit dirigée vers une voie créatrice, Ruth ne s'épuise dans son monde de rêve.

Dès qu'elle rencontre Erik, Ruth sait qu'elle arrive à un tournant de sa vie. Obéissant à une impulsion, elle va à lui et le prie d'être son professeur particulier. L'école l'ennuie et elle a besoin d'un grand stimulant. Erik consent et Ruth sera son chef-d'œuvre pédagogique. Il espère, lui dit-il, qu'elle deviendra une étrange et belle fleur dans son jardin. Le bonheur de Ruth est complet. Elle passe soirée après soirée dans le cabinet de travail d'Erik, totalement absorbée par le monde qui s'ouvre à elle :

Tandis qu'ils étaient assis tous deux dans le silence de la nuit, avec le monde endormi autour d'eux, ils semblaient saturés de vie, et une affinité se lisait sur leurs visages, une affinité au-delà de l'âge et du sexe. Ils voulaient vivre.

Erik s'aperçoit peu à peu que son amour pour son élève se transforme en amour pour la femme. Il y résiste d'abord. Il y résiste encore lorsque sa femme, malade, qui se rend compte de ce qui se passe, mais sait qu'elle ne peut rien empêcher, lui dit qu'il est libre. Sous un prétexte quelconque, il envoie Ruth chez un ami en Allemagne. Mais lorsqu'elle revient à l'improviste et le trouve seul dans son cabinet de travail, la résistance d'Erik s'effondre. Il la prend dans ses bras, l'embrasse passionnément et lui demande d'être sa femme. Il découvre alors avec consternation qu'il s'était complètement mépris sur les sentiments de la jeune fille :

Lentement, Ruth se leva. Une expression de complète surprise parut sur son visage. L'incrédulité, l'horreur même, s'y reflétaient. Elle avait l'impression qu'il lui fallait appeler un ami lointain, Erik, pour qu'il vînt la défendre contre cet assaillant inconnu. Mais elle prit alors conscience que c'était lui, Erik, qui se trouvait devant elle.

Elle lui dit calmement qu'il lui faut maintenant le quitter parce qu'elle veut rester son enfant. Elle ne veut pas qu'il descende du piédestal sur lequel son amour l'a placé. Son refus de s'abandonner à lui ne signifie pas qu'elle ait peur pour elle-même :

Quelle importance avait-elle? Mais lui devait rester là où elle l'avait placé, sa vie devait rester ce qu'elle avait toujours été. Tout dépendait de lui. Sinon, serait-il encore Erik?

Elle se rend évidemment compte qu'elle n'est pas réaliste, qu'elle ferme les yeux sur la vie telle qu'elle est vraiment et qu'un jour il lui faudra affronter. Mais pas maintenant, pas encore. Pour le moment, elle préfère rester dans le monde de son enfance.

Dans le roman, comme dans l'épisode Gillot, le personnage de l'héroïne apparaît comme un singulier mélange d'innocence et d'expérience. Lorsqu'elle rencontra Gillot, Lou, émotionnellement, était encore une enfant, moins mûre à certains égards que la plupart de ses amies. Mais, intellectuellement, elle était très avancée et l'égale d'hommes qui avaient le double de son âge. Son esprit était allé de l'avant et avait pénétré dans des régions où aucune de ses compagnes n'osait se risquer. C'était son esprit et sa spontanéité qui avaient d'abord attiré Gillot et allumé sa passion pour elle. Elle était si vivante, vibrait si docilement à toutes ses idées qu'il avait tout naturellement présumé qu'elle répondrait également à son amour. Et Gillot ne fut que le premier d'une longue liste d'hommes qui commirent la même erreur. Tous sentaient que cette jeune fille à l'esprit vif et brillant qui semblait devancer chacune de leurs pensées était prête pour l'amour et pouvait être facilement conquise. Mais ils se trompaient parce que, paradoxalement, l'esprit de cette femme passionnée était enfermé dans un corps d'enfant.

Lou elle-même avait conscience de l'ambiguïté des sentiments qu'elle provoquait chez les hommes. Dans son roman, *Ruth*, il y a un passage qui décrit Erik voyant sa bien-aimée dans deux rêves différents : dans le premier, il voit Ruth sous la forme d'une vieille fille desséchée qui l'accuse en silence de l'avoir trahie. Dans le second rêve, elle lui apparaît comme « une courtisane voluptueuse dont le corps blanc est impudemment ravagé par des inconnus, un corps blanc qui n'est pas le sien, un visage séduisant qui n'est pas le sien, et pourtant, il le sait, c'est Ruth ».

Nous ne pouvons que supposer ce qu'éprouva Gillot lorsque son élève bien-aimée le repoussa. Ce fut pour lui un coup terrible de découvrir qu'il s'était si complètement mépris sur le compte de Lou. Il n'y avait d'autre chose à faire que d'essayer de trouver une consolation dans son travail et se contenter du rôle de père confesseur que Lou lui avait octroyé.

Les semaines qui suivirent cette crise émotionnelle furent également pénibles pour Lou. Elle eût aimé continuer à travailler avec Gillot, car il avait éveillé sa curiosité intellectuelle, et il y avait tant de choses encore qu'elle voulait connaître! Mais ce n'était plus possible. Elle savait qu'elle ne pouvait plus le voir, mais elle savait aussi que tant qu'elle habiterait Saint-Pétersbourg, il lui faudrait le voir. La meilleure solution était de quitter la Russie et de poursuivre ses études à l'étranger. Son choix se fixa sur l'université de Zurich. Vers 1888, Zurich était l'un des principaux centres d'études supérieures qui admettaient les femmes. Le fait que nombre de jeunes Russes en révolte contre l'autorité parentale et imbues de toutes sortes d'idées révolutionnaires s'y rassemblaient n'était pas un secret. Un observateur contemporain a noté que : « Zurich, en Suisse, voit depuis un certain temps de nombreux spécimens de ces étudiantes [Russes] qui s'efforcent d'extirper chez elles toutes les qualités inhérentes à leur sexe afin d'établir leur droit aux carrières de l'autre sexe, de ces filles asexuées, comme dit Shakespeare, qui, pour mieux s'élever au niveau des hommes, font de durs efforts pour cesser d'être des femmes. »

Lou avait évidemment eu connaissance de ces rumeurs. Ce n'est pas pour y trouver la liberté sexuelle que Lou voulait aller à Zurich. Elle n'était pas non plus inspirée par les idéaux *narodniki* de ses compatriotes qui étudiaient à Zurich pour se préparer à un travail de missionnaire parmi le peuple russe. Elle voulait y aller pour des raisons à elle, surtout parce qu'elle désirait travailler avec Aloïs Biedermann, l'un des premiers théologiens protestants de l'époque. Cependant, le fait qu'elle choisit Zurich, le centre de l'élite russe révolutionnaire, prouve qu'elle ne laissait pas d'être influencée par son ambiance russe et que les efforts de Gillot pour la « dérussifier » n'avaient pas été complètement couronnés de succès.

Gillot fut d'abord atterré quand Lou lui fit part de ses projets. Sans doute espérait-il qu'aussi longtemps qu'elle vivrait près de lui il pourrait peut-être la conquérir. Mais il connaissait sa force de volonté et savait que rien ne pourrait la détourner de sa décision. Bon gré mal gré, il se résigna à l'inévitable. L'opposition de la famille de Lou fut beaucoup plus vive. L'idée de sa fille de poursuivre ses études, sans parler de son départ pour l'étranger, répugnait à Mme von Salomé. Elle n'en voulait pas entendre parler. Puisque la mort de son père avait privé Lou de son meilleur défenseur, elle était obligée d'affronter sa mère. Pendant des semaines, la lutte fit rage entre leurs deux volontés, tandis que ses frères conseillaient la modération, et, parfois, Lou désespérait de l'issue. Mais Mme von Salomé finit par céder. Elle avait appris la proposition de Gillot et en était profondément offensée. Peut-être était-il bon de soustraire Lou à l'influence de cet homme dangereux.

Mais, quand tout paraissait arrangé, une difficulté imprévue vint tout compromettre. Le gouvernement russe refusa à Lou de lui établir un passeport parce qu'elle n'avait pas été confirmée. Selon le raisonnement subtil des fonctionnaires tsaristes, une personne dont l'existence n'avait pas été confirmée par l'Église n'existait pas et, par conséquent, n'avait pas besoin de passeport. En ces temps heureux du XIXe siècle, les passeports n'avaient pas autant d'importance qu'aujourd'hui et peu de pays, sauf la Russie, les exigeaient. Ce fut pour Lou une nouvelle absolument inattendue que d'apprendre qu'elle ne pouvait voyager sans passeport et qu'elle n'en obtiendrait un que si elle était confirmée.

Dans cette impasse, elle se tourna une fois de plus vers Gillot.

Il suggéra de les emmener, sa mère et elle, en Hollande, où il la confirmerait dans l'église d'un ami. Cette suggestion fut acceptée. En mai 1880, une étrange cérémonie eut lieu dans l'église d'un petit village hollandais. Un dimanche, après l'office régulier et le départ des paysans, Lou s'agenouilla devant l'autel et jura de devenir un membre fidèle de l'Église chrétienne. Après son refus antérieur de prêter ce serment et ses convictions contraires, cet acte sent quelque peu l'opportunisme. Ce fut cependant Gillot qui lui fit prêter serment et c'est à lui plutôt qu'à toute doctrine religieuse qu'elle jura fidélité. A part Gillot, le seul témoin de la confirmation de Lou fut sa mère. Mais l'office étant dit en hollandais, Mme von Salomé ne pouvait le suivre... heureusement, pensa Lou, car c'était presque une cérémonie de mariage.

« Ne crains point : Car je t'ai rachetée, je t'ai appelée par ton nom : Tu es mienne. » Elle frissonna en entendant ces mots par lesquels Gillot la bénit. Elle comprit en une brusque intuition que, si loin de lui qu'elle se trouvât, il ferait toujours partie de sa vie.

Une minute plus tard, lorsqu'il l'appela par son nom, le charme fut rompu. Elle savait que Gillot avait des difficultés à prononcer son vrai nom, Ljola. A sa surprise, il n'employa ni la forme russe, ni la forme allemande. Il l'appela Lou. Dès lors, ce serait son nom parce que Gillot l'avait ainsi baptisée. Elle laissait son nom derrière elle avec son enfance. Tandis qu'elle observait Gillot dans son rôle difficile de ministre et d'ami, comprenant qu'avec cet acte de consécration leur séparation commençait, une vague de gratitude emplit le cœur de Lou. Elle lui devait beaucoup. Il l'avait aidée à franchir le seuil de l'enfance vers l'adolescence, il avait formé son esprit et lui avait fait affronter le monde. Il lui avait fait sentir qu'au plus profond d'elle-même une femme endormie attendait d'être éveillée. Et il l'avait libérée. Avec la bénédiction de l'Église, il lui avait donné un passeport pour la liberté.

Gillot, lui aussi, éprouvait des sentiments mêlés. Sa bien-aimée allait le quitter pour de bon après l'avoir forcé à accepter le rôle de conseiller divin, alors que tout ce qu'il désirait était d'être son mari. L'idée qu'il lui faudrait retourner sans elle à Saint-Pétersbourg et conserver un poste qui lui paraissait maintenant vide de sens lui pesait. Une fois de plus, comme il la voyait agenouillée devant lui, tout l'amour qu'il lui portait lui gonfla le cœur. Il lui fallut toute sa force de volonté et la présence de Mme von Salomé pour l'empêcher d'interrompre la cérémonie et de la prendre dans ses bras. Il savait qu'aussi longtemps qu'il vivrait, il ne pourrait jamais l'oublier. Il aurait toujours un sentiment d'irréparable perte. Peut-être comprit-il à ce moment ce que comprirent la plupart des hommes qui furent épris de Lou : que l'amour et la haine jaillissent de la même source et qu'un cœur déçu devient amer et rancunier. En tout cas, tandis que Gillot, le ministre, bénissait Lou et lui pardonnait, l'homme ne le pouvait.

CHAPITRE IV

De Saint-Pétersbourg à Rome via Zurich

En septembre 1880, la veuve du général von Salomé et sa fille, âgée de dix-neuf ans, arrivèrent à Zurich. Ce n'était pas la première fois qu'elles y venaient. Du temps où vivait le général, toute la famille avait souvent passé des vacances en Suisse. Tout récemment, de bons amis de Saint-Pétersbourg avaient acheté une maison à Ries, près de Zurich. Ils aidèrent les deux femmes à s'installer.

Zurich était alors, tout comme à présent à certains égards, un grand village suisse qui s'était développé dans un centre commercial et tirait une grande fierté d'être appelé le « *Kleinstadt* le plus cosmopolite du monde ». La ville doit son importance et son renom non seulement à ses laborieux citoyens, mais à son admirable situation sur la rive nord du lac qui porte son nom. Entourée à l'est et à l'ouest de collines boisées, elle est encadrée, à l'horizon sud, par la chaîne des Alpes suisses aux cimes enneigées. Un groupe d'églises et de monastères anciens sur les deux rives de la Limmat, qui traverse la ville, en forme le noyau et rappelle au passant étranger la puissante tradition chrétienne de ses habitants. *Ora et labora* (prière et travail) a toujours été la devise des habitants de Zurich, avec une plus grande insistance peut-être sur le mot « travail ».

A leur grand déplaisir, ces bourgeois laborieux, frugaux et craignant Dieu, ont vu de temps à autre leur terre natale envahie par une armée de visiteurs transitoires. Des rois et des empereurs, des grands-ducs et des grandes-duchesses, des artistes, des écrivains, des exilés politiques et des révolutionnaires ont cherché une détente ou un refuge dans ses murs, se conduisant souvent de façon très excentrique. Le chef de la dynastie des Romanov passa un certain temps à Zurich et Lénine en fit autant tandis qu'il préparait les phases finales de la révolution russe. Il y a, dans le vieux quartier de la ville, une maison qui porte une plaque avec cette inscription : Ici ont habité Joseph II, le tsar Alexandre Ier, Frédéric-Guillaume IV, Louis-Philippe, Louis-Napoléon, Gustave IV, Alexandre Dumas, Mozart, Volta, Gœthe, Mme de Staël, Schlegel, Fichte, Ludwig Uhland, Victor Hugo, Carl Maria von Weber, Liszt, Brahms... D'autres plaques citent des noms tels que Richard Wagner, James Joyce, Thomas Mann. Un véritable flot de célébrités a séjourné à Zurich, sans affecter, toutefois, son caractère fondamentalement suisse.

En dépit de sa clientèle cosmopolite, Zurich est restée une ville sobre, sur laquelle les austères commandements moralisateurs de son grand homme, le réformateur Zwingli, projettent une ombre durable. Elle ne dispense pas la gaieté que l'on trouve dans les villes allemandes universitaires et ne possède aucun des frivoles établissements nocturnes dont Vienne et Paris se font gloire. Il y a de longues années, les édiles de Zurich, se refusant à voir la moralité des citoyens corrompue par ces étrangers qui menaient souvent une vie dissolue, décrétèrent que minuit est l'heure de se coucher pour un bon chrétien, homme ou femme. Celui qui veut tramer une révolution à Zurich après minuit doit le faire chez lui.

Mme von Salomé trouvait à son goût la sobriété suisse. Celle-ci s'accordait à son propre sentiment de la moralité protestante et mettait un frein rassurant à l'activité de ces jeunes têtes chaudes (athées français, anarchistes italiens et nihilistes russes) qui se rassemblaient à Zurich. Elle aimait aussi l'air de décence qui revêtait tous les aspects de la vie dans la ville, ses jardins bien tenus, ses maisons nettes, ses rues propres. Si sa fille devait poursuivre son projet téméraire d'aller à l'université (elle n'en voyait toujours pas l'utilité), ce serait, grâce à Dieu, à Zurich, et non à Vienne ou à Paris. Mais, à part l'université, il lui était égal d'être à Zurich.

Lou eût évidemment préféré venir seule, mais, en la circonstance, elle n'avait pas eu l'avantage. Mme von Salomé s'était refusée catégoriquement à laisser sa fille voyager sans être accompagnée. Puisque aucun autre chaperon ne s'était offert, Lou avait consenti à ce qui lui paraissait une concession inutile à la propriété conventionnelle. A la façon dont elle s'en était tirée avec Gillot (elle avait raconté franchement à sa mère ce qui s'était passé), elle avait l'impression d'avoir montré qu'elle était parfaitement capable de se défendre. Toutefois, c'était précisément l'affaire Gillot qui avait provoqué chez sa mère le souci de l'avenir de sa fille. Elle était disposée à croire que rien d'inconvenant n'était survenu cette fois-ci, mais elle ne risquerait pas un autre épisode de ce genre. Elle voulait que Lou se mariât et le plus tôt serait le mieux.

Lou ne l'encourageait guère à cet égard. Au contraire, elle écartait l'idée du mariage comme étant légèrement ridicule, un moyen consacré par l'usage, mais démodé, d'empêcher les femmes d'être libres en transférant au mari l'autorité parentale. Elle rappelait à sa mère que si elle avait voulu se marier, elle eût pu épouser Gillot. Il le lui avait demandé. De tels arguments rendaient Mme von Salomé furieuse. Gillot n'avait eu aucun droit de lui demander de l'épouser. Il était marié et avait une famille. Quant à obtenir le divorce, il était choquant que Lou pût faire mention d'une telle possibilité. Il n'y avait pas de divorce dans un mariage chrétien. Il était scandaleux qu'un ministre le suggérât. Lou devrait cesser de se vanter de cette aventure.

Lou répondait qu'elle n'avait aucune envie de s'en vanter, mais puisque cela avait été la grande passion de sa vie, elle avait le droit d'être fière du courage qu'elle avait eu de repousser une proposition aussi flatteuse. Bien des femmes éminentes à Saint-Pétersbourg eussent été heureuses d'épouser Gillot. Mme von Salomé était indignée. Où le monde en était-il arrivé? La génération moderne semblait avoir perdu toute pudeur. A Zurich, elle avait entendu d'horribles histoires d'étudiantes de bonne famille qui préconisaient l'amour libre. Elle soupçonnait que c'était la légèreté morale qui était à la base des revendications féminines pour l'émancipation et elle était déterminée à ne pas relâcher sa surveillance.

Un autre motif de la soucieuse vigilance de Mme von Salomé était les intrigues politiques de nombreux jeunes Russes qui se disaient étudiants, mais agissaient plutôt comme des conspirateurs. Elle ne voulait pas que sa fille se compromît avec eux. Elle pensait qu'ils abusaient de l'hospitalité des Suisses qui, en réalité, regardaient d'un œil méfiant les airs comploteurs du vaste contingent slave qui avait envahi leur paisible cité. Lorsque, peu de temps après leur arrivée, des étudiants russes firent de bruyantes démonstrations dans les rues et un défilé aux flambeaux pour célébrer l'assassinat du tsar Alexandre II, Mme von Salomé trouva que c'était faire montre de manières déplorables. Elle était là, Dieu merci, pour empêcher sa fille de se joindre à eux.

En vérité, il n'y avait aucun motif d'être alarmé dans le cas de Lou. Elle était venue à Zurich pour étudier, ce qu'elle fit à l'exclusion de toute autre chose. Elle suivit des cours de religion comparée, de théologie, de philosophie et d'histoire de l'art. Ses professeurs s'accordèrent à dire que c'était une étudiante brillante et, parmi eux, se trouvaient des hommes célèbres, tels le théologien Biedermann, l'historien d'art Kinkel et l'historien Baumgartner. Elle les frappa tous par son sérieux et sa détermination.

Une photographie prise alors qu'elle était étudiante confirme cette impression. Elle montre une grande et mince jeune fille vêtue d'une robe noire de coupe austère, boutonnée jusqu'au cou et dépourvue de tout ornement, sauf une garniture de dentelle blanche aux poignets et au cou. Elle l'appelait sa petite robe de nonne. Elle disait que c'était le vêtement préféré des étudiantes à Zurich. C'était assurément loin des tournures et des pompons de ses contemporaines plus conventionnelles. Son visage est plus saisissant encore que son costume : un front proéminent encadré de cheveux blonds sévèrement rejetés en arrière, des yeux bleus profondément enfoncés dans les orbites et regardant bien droit dans l'appareil, une bouche tendre et sensuelle, et un menton joliment découpé. Ce n'est peut-être pas un beau visage — son front haut de jeune garçon dément son sexe — mais un visage dont on se souvient.

La meilleure description que nous ayons d'elle à l'époque est celle du professeur Biedermann, alors au terme d'une grande carrière académique. Il en était venu à bien connaître Lou et lui portait personnellement beaucoup d'intérêt. En témoignage d'estime, il lui donna un exemplaire de son livre, *Le Dogmatisme chrétien*, avec cet envoi : « L'esprit cherche toute chose, en vérité les choses profondes de Dieu. » Et, dans une lettre à sa mère, il écrit :

« Votre fille est une femme vraiment peu commune : elle a une pureté et une intégrité de caractère enfantines et, en même temps, une attitude d'esprit et une indépendance de volonté qui ne sont pas d'un enfant ni presque d'une femme. C'est un diamant. J'hésite à employer ce mot parce qu'il a l'air d'un compliment et que je ne fais pas de compliments à ceux que je respecte, et moins encore à une jeune fille au succès de laquelle je prends un intérêt sincère. Je craindrais de lui nuire en lui faisant des compliments. Je ne veux pas non plus complimenter la mère sur la personnalité de sa fille, car je sais très bien que cela lui impose la pénible privation de cette sorte de bonheur qu'une mère est en droit d'attendre de sa fille. Néanmoins, dans son être le plus intime, Louise est un diamant. »

Le professeur Biedermann n'était pas le seul à être frappé par la force de volonté de Lou. Son honnêteté intellectuelle, son énergie, la sévérité de son emploi du temps pendant la poursuite de ses études étaient remarquées par tous ceux avec qui elle entrait en contact. Elle était admirée et redoutée. Bien des gens trouvaient qu'elle était beaucoup trop indépendante pour une jeune fille de son âge, qu'elle manquait d'intérêt pour les choses féminines et était trop indifférente aux sentiments qu'elle éveillait chez les autres. Sa vitalité était trop cérébrale, sa volonté trop masculine. De plus, il s'avéra bientôt qu'elle travaillait trop dur et outrepassait ses forces.

Des signes de surmenage mental et physique étaient apparus chez Lou avant son départ pour Zurich. Lorsqu'elle travaillait avec Gillot, elle avait eu des évanouissements. Ils devenaient maintenant plus fréquents. Elle se plaignait de fatigue. Son visage était pâle et tiré et, chose plus alarmante, elle se mit à cracher le sang. Un an à peine après leur arrivée en Suisse, sa mère se rendit compte que Lou était gravement malade. Elle l'emmena dans un certain nombre de stations balnéaires, la mit au régime et l'obligea au repos. Mais rien n'apportait d'amélioration. L'esprit de Lou était aussi actif que jamais, mais son corps s'affaiblissait visiblement. On dit enfin à Mme von Salomé que le seul espoir de guérison pour sa fille était un changement complet de climat. Elle ne devait pas rester en Suisse pendant l'hiver. Il lui fallait aller vers le sud. L'Italie était la solution évidente. En conséquence, en janvier 1882, Mme von Salomé et sa fille souffrante arrivèrent à Rome. Elles décidèrent de rester pendant un certain temps en Italie et Lou y fut entraînée dans un tourbillon d'événements que ni sa mère ni elle n'eussent pu prévoir.

Cela commença par un poème. Comme beaucoup d'adolescents, Lou avait l'habitude de faire des vers quand elle en avait envie. Dans son cas, c'était vraiment l'esprit qui l'y poussait et non une disposition momentanée d'exaltation sentimentale. Elle écrivait en vers lorsqu'elle voulait exprimer de grandes idées, des idées universelles, telles que le sens de la douleur et la splendeur de la vie. Elle avait montré quelques-uns de ses poèmes au vieux professeur Kinkel, qui lui avait enseigné l'histoire de l'art à Zurich. Kinkel, l'un des principaux révolutionnaires allemands de 1848, devenu un vénérable vieillard, était poète lui-même. Il aimait les vers de Lou et avait été particulièrement impressionné par son poème *Prière à la Vie*, qui commence par ces vers grandiloquents :

Assurément, un ami aime son ami
Comme je t'aime, O Vie, mystérieuse Vie.
Rire ou larmes, peu importe ce que tu nous donnes.
Richesse et bonheur, ou lutte et chagrin,
Chèrement je t'aime, j'aime ta douleur même.

Kinkel savait que Lou était gravement malade et qu'elle pourrait ne plus vivre longtemps. Le savoir rendait ce poème plus poignant. Que cette jeune fille douée, au seuil de la mort, ne s'abandonnât pas à une morbide pitié de soi était, pensait-il, le signe d'un grand courage moral. Quand Kinkel avait appris que, pour améliorer sa santé, Lou partait pour Rome, il lui avait donné une lettre d'introduction chaleureuse pour sa chère et vieille amie Malvida von Meysenbug. Il demandait à Malvida de s'occuper de cette jeune Russe brillante qui aimait tant la vie et qui était pourtant si près de la quitter.

Malvida von Meysenbug, la grande dame du mouvement féministe allemand, avait alors largement dépassé la soixantaine. Appartenant à la noblesse, elle avait sacrifié la vie aisée que lui conférait sa naissance et s'était jointe au mouvement social révolutionnaire de 1848 au mépris de sa famille. C'était une idéaliste, une championne du droit des femmes aux études et une ardente avocate de la justice sociale.

Son cœur généreux, sa sympathie pour les opprimés et son intérêt pour ce qui concernait la liberté personnelle et politique l'avaient amenée, elle, la fille d'un noble allemand, à d'étroites relations avec les dirigeants de la révolution de 1848. Lorsqu'elle échoua, elle fut forcée, comme les autres, de quitter son pays natal et de s'exiler. Pendant des années, elle avait lutté pour subvenir à ses besoins en Angleterre, d'abord en donnant des leçons particulières aux rejetons gâtés des gens riches et, plus tard, en surveillant les études d'Olga Herzen, la plus jeune des filles du célèbre écrivain et critique social russe, Alexandre Herzen.

Elle était devenue l'une des travailleuses les plus infatigables pour la cause de la liberté humaine. Partout où elle était menacée, elle élevait la voix, écrivait des articles, faisait des discours et élaborait des plans pratiques pour l'amélioration des classes défavorisées par le sort. Ses efforts altruistes lui avaient valu l'affection et l'admiration de l'élite révolutionnaire d'Europe. Elle les connaissait tous : Schurz et Kinkel, Froebel, Garibaldi, Herzen, Kossuth, Mazzini, Wagner. Elle avait des amis dévoués et des admirateurs en France, en Angleterre, même en Amérique. Ses relations personnelles et sa vaste correspondance avec les esprits les plus progressistes du XIXe siècle lui donnaient des choses à venir une prescience qui semble prophétique, comme lorsqu'elle écrit : « La Russie et l'Amérique, géographiquement similaires avec leurs immenses contours, ont peut-être été choisies pour rendre effectives ces tendances socialistes que nous aurons entrevues comme l'idéal de l'avenir, pour la réalisation desquelles nous avons lutté et dont nous déplorons maintenant l'échec. »

Richard Wagner était de ses amis, et particulièrement intime. Elle sentait que sa musique annonçait l'aube d'un âge nouveau. Elle était devenue l'une des premières wagnériennes, et des plus ardentes. Elle avait fait tout ce qui était en son pouvoir pour l'aider pendant ses années maigres à Paris. Elle suivait sa carrière de près et se trouvait à Bayreuth au moment historique de 1872 lorsque Wagner, en présence de ses amis, posa la première pierre du théâtre du Festival. En cette occasion, Malvida avait rencontré le jeune et brillant Friedrich Nietzsche, qui était alors le disciple le plus dévoué du maître. Elle en était rapidement venue à aimer le jeune professeur à l'air grave dont l'essai sur la tragédie, récemment publié, déchaînait les commentaires. Mais ce qui l'avait vraiment émue avait été d'entendre Nietzsche improviser au piano. Elle avait alors senti qu'un artiste était perdu en ce savant, et convenu avec Wagner qu'un homme doué d'une telle inspiration musicale n'avait que faire d'être professeur.

Plus tard, installée en Italie, Malvida apprit que Nietzsche était très malade, qu'il souffrait de terribles maux de tête et pourrait être forcé d'abandonner sa profession. Ses instincts maternels furent éveillés et elle invita Nietszche à venir en Italie pour que, confié à ses soins, il pût recouvrer la santé. Nietzsche accepta l'invitation avec empressement et demanda s'il pouvait amener deux amis, qui avaient également besoin de soins et de repos : un étudiant en droit et un jeune philosophe qui se nommait Paul Rée. Malvida consentit volontiers et, pendant l'hiver de 1876, ses trois protégés et elle vécurent ensemble à Sorrente, dans une belle villa qui surplombait la baie de Naples.

C'était une existence idéale. Dans la matinée, chacun se livrait à son propre travail : Nietzsche écrivait alors *Humain, trop humain* et Rée les *Origines de la Morale.* Dans l'après-midi, ils faisaient des promenades à pied ou en voiture dans les merveilleux environs de Naples et, dans la soirée, ils parlaient ou lisaient à voix haute. Si, certains soirs, Nietzsche recevait la visite d'une jeune paysanne napolitaine, comme le dit Rée, cela est, bien entendu, impossible à vérifier. Malvida semble n'avoir rien remarqué d'insolite, mais elle vivait dans un monde idéal à elle. L'un de ses projets favoris était la fondation d'une école où les jeunes hommes et les jeunes femmes pourraient faire des études complètes dans les arts et dans les sciences. Elle croyait beaucoup à l'éducation supérieure des femmes. Dans l'« École de Mission » qu'elle souhaitait créer, les femmes auraient une chance de rivaliser avec les hommes, sur un pied d'égalité, dans la recherche de la connaissance. Elles auraient les meilleurs professeurs, des loisirs pour lire, écrire et méditer et seraient en mesure de prouver que, intellectuellement, les femmes ne sont pas inférieures aux hommes. En même temps, Malvida ne voulait pas voir les femmes oublier qu'elles étaient femmes. Dans leur lutte pour l'égalité, elles ne devaient pas perdre de vue leur héritage féminin.

Au début, Nietzsche et Rée semblaient sincèrement en faveur des idéaux pédagogiques de Malvida et avaient même offert leurs services comme professeurs. Mais il y avait une grande part de moquerie dans leur offre, car, dans les livres que tous deux étaient en train d'écrire à l'époque, il n'y avait guère de place pour une entreprise aussi idéaliste. Dans ses aphorismes sur la morale, Rée, marchant sur les traces de ses maîtres admirés, les moralistes français, La Rochefoucauld en particulier, affirmait que le mobile fondamental de toute action humaine était la vanité. Et Nietzsche, alors admirateur de Voltaire, lançait des pointes acerbes contre la femme « intellectuelle ».

Malvida elle-même comprit enfin qu'il n'y avait guère de chance d'obtenir l'appui de ses deux protégés sceptiques pour son école. Mais sa déception ne diminua en rien son amitié pour eux. Tout en déplorant leurs idées, elle leur garda une affection sincère. C'était surtout vrai pour Paul Rée, qu'elle traitait presque comme un fils.

Lorsque après de nombreuses années de vie nomade, Malvida se fixa définitivement à Rome, « la seule ville qui soit un poème vivant et qui satisfasse les besoins esthétiques de l'âme », son salon, au dernier étage d'une maison de la Via della Polveriera, près du Colisée et donnant sur les monts Albains et sur l'Aventin, devint le rendez-vous des écrivains, des musiciens, des artistes et des politiciens de toutes les parties du monde. Ils venaient rendre hommage à l'une des âmes les plus nobles de l'époque dont l'œuvre essentielle, *Mémoires d'une idéaliste*, montre à quelle hauteur peut s'élever l'esprit humain lorsqu'il obéit à la voix de la conscience.

Parmi les visiteurs de Malvida, se trouvait Romain Rolland, qui la dépeint comme « une petite femme pleine de simplicité dans son attitude et sa façon de s'habiller... Ses grands yeux plus énergiques que sa frêle personne, des yeux à fleur de tête à l'iris bleu clair... Ses traits étaient restés lisses. Un nez assez lourd, une grande bouche, un ferme dessin des joues et du menton... Ce qui frappait le plus dans son visage était ce pli viril aux commissures des lèvres.

« Son salon à Rome se faisait gloire d'un buste blanc de Wagner se détachant sur un fond pourpre. Il y avait aussi des anémones dans un vase d'argent.

« Leur texture n'était ni plus délicate ni plus transparente que la vieille dame aux yeux gris-bleu et aux cheveux blancs rejetés en arrière et retenus par un foulard noir, qui, souriante et silencieuse, calme et rapide, s'avança vers moi, me prit la main et me transperça de son regard limpide qui allait au fond de l'âme et, sans les voir, la lavait de ses impuretés.

« Elle avait passé une vie entière avec les héros et les monstres de l'esprit, avec leurs peines et leurs corruptions. Tous s'étaient confiés à elle et rien n'avait altéré le cristal de sa pensée. »

Lou n'attendit guère pour rencontrer cette femme extraordinaire. Elle avait lu les Mémoires de Malvida avec une grande émotion. C'était là une femme qui lui ressemblait beaucoup quant à la condition et à l'éducation et qui avait osé défier le monde entier afin de vivre sa vie selon son idéal. Comme elle-même, Malvida avait dû lutter contre les préjugés de sa famille et de sa classe. Comme elle-même, elle avait quitté l'Église, et, comme elle-même, elle avait connu la douleur et la joie d'un grand amour.

Il y avait, dans le livre de Malvida, des passages qui bouleversaient Lou parce qu'elle sentait qu'elle eût pu les écrire elle-même. Celui, par exemple, où Malvida parle de l'unité de l'être lui allait droit au cœur. Elle le lisait et le relisait : « L'atome de carbone qui, aujourd'hui, fait partie du mécanisme de la pensée immortelle du cerveau d'un poète, et qui, demain, s'épanouit sous la forme d'une fleur, ou dans le gosier d'une alouette qui, s'élevant dans l'éternel éther, chante un hymne de joie à la lumière, me paraît être la preuve profonde de l'unité de l'être. » Ou un autre, où Malvida déplore le système d'éducation de son temps qui « tient les femmes à l'écart des grandes influences libératrices, qui les empêche de s'associer aux forces élémentaires, à tout ce qui est primitif, et qui détruit en elles toute originalité. Être à même de s'abandonner aux grandes impressions avec un véritable élan est ce qui rend les gens forts et bons. Tenter de communier avec les étoiles par une nuit lumineuse et solitaire, pénétrer hardiment dans le labyrinthe le plus sinueux de la pensée, aguerrir son corps en luttant contre les vagues et les tempêtes, regarder la mort en face et subir sa douleur avec compréhension... ». De tels passages émouvaient Lou et la stimulaient, car les pensées qu'ils exprimaient étaient ses propres pensées et elle était déterminée à les vivre, comme l'avait fait Malvida.

Peu de temps après son arrivée à Rome, elle se dirigea

vers la Via della Polveriera. Elle fut reçue avec la plus grande bonté. Malvida l'adopta comme si elle avait été sa propre fille. Dans de nombreux entretiens à cœur ouvert, elles en vinrent à se bien connaître : la vieille dame au passé orageux et la jeune fille au seuil de la vie... ou de la mort. Car Malvida avait appris de Kinkel à quel point Lou était malade et avait besoin de paix et de repos. Elle savait ce que cela signifiait, parce qu'elle-même, de santé délicate, était passée plus d'une fois par de semblables crises. Une fois sa sympathie profondément éveillée, elle fit tout ce qui était en son pouvoir pour rendre le séjour de Lou à Rome aussi agréable que possible. Plus elle la connaissait, plus elle était frappée — tout comme Lou l'avait été en lisant le livre de Malvida — par la similitude de leurs intérêts et de leur idéal. « Il y a longtemps que je n'ai éprouvé une aussi chaude tendresse pour une jeune fille, écrivait-elle à Lou. La première fois où je vous ai vue, j'ai eu l'impression que renaissait ma propre jeunesse [1]. »

Or, Malvida se trompait. Elle ne comprenait pas, et Lou non plus à cette époque, qu'un large gouffre séparait leurs personnalités et leurs objectifs. Lou était égocentrique par nature. Elle était déterminée à vivre sa vie sans souci des conséquences pour elle ou pour les autres. Malvida était une altruiste idéaliste. Elle était encline à suivre sa propre conscience, mais seulement si cela ne causait aucun tort aux autres. Elle avait renoncé à son projet d'émigrer en Amérique quand elle avait appris que cela briserait le cœur de sa mère. Une telle considération n'eût pas retenu Lou de faire ce qu'elle désirait.

L'événement qui jeta la première ombre sur les relations de Lou et de Malvida survint lorsque Paul Rée vint à Rome rendre visite à son ancienne protectrice. « Cela arriva à Rome un soir de mars 1882, écrit Lou. Quelques amis étaient assis dans le salon de Malvida von Meysenbug quand la sonnette retentit. Trina, la fidèle servante de Malvida, se précipita dans la pièce. Elle murmura quelque chose à l'oreille de sa maîtresse, sur quoi Malvida alla rapidement jusqu'à son bureau, y prit de l'argent et sortit. Elle riait en revenant, mais, dans sa surexcitation, son foulard de soie fine s'agitait sur sa tête. Elle avait à son côté Paul Rée, un vieil ami à elle qu'elle aimait comme un fils. Il rentrait à bride abattue de Monte-Carlo et était pressé de rembourser le prix de la course qu'il avait emprunté à un garçon de café après avoir perdu au jeu tout, littéralement tout ce qu'il possédait. »

1. Erich Podach, *Friedrich Nietzsche und Lou Salomé : Ihre Begegnung, 1882*. Zurich, 1937, p. 137.

Lou était fort amusée par l'entrée dramatique de Rée. Il lui apparaissait comme une tête brûlée, un aventurier hardi qui, sorti d'une nuit romaine, entrait brusquement dans sa vie.

« Paolo », comme l'appelait affectueusement Malvida, était le fils d'un riche propriétaire foncier allemand. Il avait trente-deux ans. Il s'intéressait à la philosophie, mais, déférant au désir de son père, il avait étudié le droit. Cependant, la guerre franco-prussienne, dans laquelle il avait été blessé, avait interrompu sa carrière d'avocat et, à son retour chez lui, il avait décidé de revenir au sujet de son choix. Il avait étudié la philosophie à Halle et publié, sous l'anonymat, un petit livre d'aphorismes intitulé *Observations psychologiques* qui était à l'origine de son amitié avec Nietzsche. Ce dernier le qualifiait d' « homme très réfléchi et doué, un continuateur de Schopenhauer ».

Tous ceux qui entraient en contact avec Rée soulignaient sa bonté et sa générosité. Il était sans prétention et son sens de l'humour était doucement ironique. Il n'était pas d'apparence distinguée. Son visage arrondi aux traits un peu mous, dont le nez était le plus marquant, lui donnait un aspect ramassé, impression que renforçaient son cou épais et sa corpulence. Une auréole de tristesse l'entourait, même lorsqu'il semblait joyeux et détendu. Il était juif et souffrait d'une haine de soi intense, presque pathologique. Lou, qui en vint à le bien connaître, dit qu'il était presque effrayant de voir combien Rée était effondré lorsqu'on lui rappelait le stigmate de son origine.

« J'ai souvent observé des demi-Juifs qui souffrent de leur naissance mêlée, mais on ne pourrait guère qualifier leur souffrance de pathologique. Elle est presque plausible, comme celle d'un homme qui boite parce qu'il a une jambe plus courte que l'autre. Mais voir quelqu'un avec deux jambes normales boiter comme Rée est affreux et passe toute description. »

En tant que philosophe, Rée commença par suivre les traces de Schopenhauer, mais il alla bien au-delà du pessimisme de ce dernier. Nietzsche l'appelait « le penseur le plus hardi et le plus calme » qu'il connût. Rée s'intéressait surtout aux problèmes de l'éthique. Il soumettait la morale universelle à une analyse scientifique rigoureuse pour en venir à la conclusion qu'elle n'existait point. « Notre idée du bien et du mal est un produit de la culture et non de la nature », écrit-il. Il n'y a pas de sens moral inné. Dieu est une illusion et le Royaume céleste le reflet de l'image de l'homme et de la terre. Mais l'homme et la terre sont aussi des illusions. Ce sont des produits de l'esprit. L'objet n'existe pas. Toute chose objective s'avère être une chose subjective. Kant et Berkeley avaient raison : « Notre corps n'est qu'un composé de qualités ou d'idées qui n'ont pas d'existence distincte de ce qui est perçu par l'esprit [2]. » Mais ils avaient tort de présumer qu'il doit y avoir quelque chose, « une chose en soi », ou un « Dieu » derrière le monde phénoménal. Ils n'ont pas eu le courage de penser leurs pensées jusqu'au bout. Ils n'ont pas osé affronter le vide, le néant de l'existence. Rée a eu ce courage mais il l'a payé d'un terrible prix : il est arrivé à la conclusion que la vie n'a aucun sens et que le meurtre est un moindre crime que la création. Sa propre vie tragique (il devait faire une chute mortelle — ou s'agit-il d'un suicide? — dans la haute Engadine) résume sa philosophie et illustre ce point de vue de Lou que tous les systèmes philosophiques reflètent la vie personnelle des philosophes.

Comme Rée, conduit par sa maternelle amie, entrait dans le salon en ce soir historique de mars, il fut agréablement surpris de voir un nouveau visage parmi les dignes visiteurs de Malvida. Un jeune visage, pâle, mais de cette intéressante pâleur qui témoigne d'un tempérament exalté et d'une intelligence active. Lou et lui furent présentés l'un à l'autre et ils passèrent le reste de la soirée à parler. Quand Lou s'en alla pour regagner la pension où elle séjournait avec sa mère, Rée lui demanda la permission de l'accompagner. Lou y consentit tout de suite. Mais Malvida hésita avant de leur dire au revoir. Elle se demandait s'il était convenable que Lou acceptât si délibérément la compagnie d'un jeune homme qu'elle connaissait à peine. Malvida était troublée par la conduite de beaucoup de femmes émancipées. Elle déplorait leur attitude provocante et leurs gestes désordonnés. La dignité et le décorum, affirmait-elle, étaient aussi importants dans une société vraiment civilisée qu'une intelligence brillante. L'émancipation des femmes ne signifiait nullement un relâchement de la morale féminine et il ne pouvait y avoir là-dessus l'ombre d'un soupçon. Sur ce point, Malvida était intraitable.

Et pourtant, tandis qu'elle les regardait partir ensemble, Lou et son cher Paolo, une vague d'espoir se leva en Malvida. Elle se tourmentait depuis longtemps au sujet de Paul. Ses idées lui paraissaient fausses. Ses rêveries solitaires le menaient à des conclusions tout à fait inhumaines. Elle avait l'impression qu'il devait se marier. Il avait besoin de quelqu'un pour

2. Paul Rée, *Philosophie* (ouvrage posthume), Berlin, 1903, p. 11.

s'occuper de lui et l'égayer. Peut-être la Providence venait-elle à son secours en lui envoyant enfin la jeune fille qu'il fallait. Pour sa part, elle ferait tout ce qui était en son pouvoir pour aider la Providence, même si elle devait fermer les yeux sur quelques petites irrégularités. Il était assurément irrégulier qu'une jeune fille sortît le soir sans chaperon avec un jeune homme. Mais les temps changeaient et, en tout cas, il n'y avait pas grand chemin de sa maison dans la Via della Polveriera à l'hôtel de Mme von Salomé.

Mais après avoir quitté Malvida, Paul et Lou s'aperçurent qu'ils avaient encore beaucoup de choses à se dire, beaucoup trop pour une courte promenade. La nuit était belle, le ciel étoilé et il semblait dommage de rentrer directement chez soi. Ils décidèrent de continuer à marcher. Ils traversèrent la place San Pietro in Vincoli et dépassèrent le monastère des moines de Lébanon. Ils longèrent le Forum et le Colisée et regardèrent, dans le lointain, la lune silhouetter l'Aqua Paola, sur le Janicule. Et ils parlèrent, parlèrent sans arrêt, chacun s'efforçant de renchérir.

Leurs préoccupations étaient de même nature : tous deux étaient philosophes. Lou parla à Rée de ses études à Zurich, lui dit ce qu'elle avait appris de Biedermann et pourquoi elle s'intéressait aux spéculations métaphysiques. Elle lui raconta aussi sa rupture avec l'Église et sa recherche de Dieu. C'était là un sujet qu'elle avait toujours à l'esprit. Rée, qui considérait Dieu comme une illusion, avait peut-être un sourire amusé tandis qu'il écoutait les arguments passionnés de Lou. Ce qui l'intriguait n'était pas tant ce qu'elle disait que la façon dont elle le disait. Son visage, tout son corps, semblaient déborder de paroles. Il était évident qu'elle prenait tout cela à cœur et que ces problèmes la troublaient vraiment. Quel dommage d'avoir à la désabuser! Il lui dit que beaucoup de jeunes personnes sensibles qui croient en Dieu sont atterrées de découvrir qu'Il n'existe pas. Mais de tels chocs font nécessairement partie de la croissance. Notre foi enfantine est comme un cordon ombilical qui nous donne un sentiment de sécurité quand notre esprit n'est pas mûr et que le monde qui nous entoure est trop vaste pour notre compréhension. Dieu appartient au monde des enfants, comme les légendes et les contes de fées. Il n'y a pas de place pour Lui dans le monde des adultes. La croissance de la raison conduit inévitablement au déclin de la foi.

Il est peu probable que Lou ait été impressionnée par de tels arguments. Elle avait lu Kant, elle savait qu'il y a des limites à la raison. La raison ne peut expliquer le mystère de la vie. C'est pourquoi l'homme a besoin de la foi. Elle défia Rée d'expliquer le phénomène de l'*homo religiosus*, l'homme qui croit en Dieu parce qu'il en a fait l'expérience. La raison ne saurait nier la réalité de telles expériences. Ceci donna à Rée l'occasion d'exposer ses théories sur la façon d'examiner le phénomène de la religion. Il croyait que cela ne pouvait se faire qu'en sondant l'être intime. Une nouvelle science était nécessaire : la psychologie. Il dit à Lou qu'il avait fait quelques travaux dans ce domaine et écrit un livre sur l'origine de la morale.

Lou eut envie de le lire. Elle était toujours prête à explorer les voies nouvelles qui promettaient d'aller plus avant dans le mystère central de la vie. Rée s'offrit à lui expliquer ses observations psychologiques dans d'autres promenades. Il trouvait passionnante et stimulante la compagnie de cette intelligente jeune fille. Lou, pour sa part, préférait de beaucoup parler avec Rée que de rester assise parmi les dames d'un certain âge dans le salon de Malvida. Elle proposa une autre rencontre pour le lendemain soir. Se rendant compte que Malvida et Mme von Salomé réprouveraient des promenades sans chaperon, ils décidèrent de ne rien leur dire.

Une promenade fut suivie d'une autre et, au cours de ces excursions nocturnes clandestines, plusieurs choses survinrent. Lou vit de nombreux aspects de la vie romaine qu'aucune autre jeune femme de sa condition n'eût vus normalement. C'était donc là la vie nocturne d'une grande cité : élégance et misère, vertu et vice, amplifiés sous le manteau de la nuit. Marchands ambulants, piétons, noceurs en tenue de soirée, bourgeoises accompagnées de leur mari replet, bohémiens des deux sexes, soldats ivres, des amoureux sur les bancs des parcs, et partout d'anciens monuments proclamaient les splendeurs de la Rome Impériale, la *Roma aeterna:* le centre de la chrétienté. Ou Roma, lue à l'envers, Amor, la ville de l'amour.

Lou remarqua bientôt que la feinte indifférence de son compagnon, son détachement scientifique commençaient à changer. De toute évidence, Rée s'éprenait d'elle. Non qu'elle l'encourageât d'autre façon qu'en se promenant avec lui à cette heure de la nuit. Elle lui dit en termes très nets que le chapitre de l'amour était clos dans sa vie. Gillot avait été son seul et grand amour. Lui et Dieu. Il n'y avait de place pour aucun amant mortel. Elle était pourtant flattée par les attentions de plus en plus tendres de Rée. Si elle regrettait le tourment qu'elle lui causait, elle n'en dit rien.

Rée atteignit bientôt le point où il ne put supporter d'être aussi près de Lou, et pas assez pourtant. Puisque, comme elle le disait, l'amour était hors de question, il lui fallait la quitter. C'était pour lui la seule ligne de conduite honorable à suivre. Dans sa détresse, Rée se tourna vers Malvida et, à la grande horreur de Lou, lui raconta tout. Malvida, bien entendu, mit Mme von Salomé au courant. Le feu était maintenant aux poudres. Mme von Salomé fut outrée d'apprendre ce qui s'était passé et menaça de ramener tout de suite sa fille en Russie. Malvida, elle aussi, était scandalisée. Il lui semblait incompréhensible qu'une fille aussi intelligente que Lou se fût volontairement placée dans une situation aussi compromettante.

« Imaginez ma douloureuse surprise, écrivit-elle à Lou, quand Rée est venu à moi tout à fait bouleversé en disant qu'il lui fallait quitter Rome aussitôt dans votre intérêt et dans le sien. Je lui ai parlé très sévèrement et lui ai demandé de ne pas gâcher ainsi une agréable et innocente amitié. Et j'ai réussi à le calmer. Quand je vous en ai parlé pour la première fois, avant que je n'apprenne ces excursions nocturnes, vous paraissiez si peu embarrassée que je fus entièrement rassurée. Puis vous avez avoué ces sorties avec beaucoup de gêne, comme si vous désiriez garder un secret. Je savais que la réputation de plusieurs jeunes filles avait été entachée par des indiscrétions semblables et j'ai pensé à votre mère et à moi-même. Une fois déjà j'ai subi un gros ennui à cause de la conduite d'une jeune fille en qui j'avais toute confiance. Rée connaît cette affaire et j'ai été peinée que, dans son égoïsme, il n'y ait pas pensé. Puis il est venu me voir une seconde fois dans une agitation plus grande encore, m'a dit de nouveau qu'il partirait le lendemain et m'a demandé de dire à sa mère qu'il était malade. J'ai refusé, bien entendu, et lui ai dit finalement que s'il lui était absolument nécessaire de fuir, il n'avait qu'à partir.

« Mais vous comprendrez, ma chère enfant, que j'aie été très triste de voir échouer une fois de plus, parce que la juste mesure a été dépassée, ma tentative d'être l'artisan d'une innocente amitié intellectuelle. Il me semble étrange que vous puissiez agir ainsi, vous qui êtes si pondérée et qui, de votre propre aveu, avez éprouvé quelque chose de si pénible à cet égard. Vous auriez certainement dû savoir que ce n'est pas là le chemin qui mène au but que nous nous proposons toutes deux. Et vous le saviez bien, ma chère enfant, sinon vous n'auriez pas dit que personne n'avait besoin d'être informé de ces sorties nocturnes. Si quelqu'un de votre connaissance vous avait aperçue au milieu de la nuit, vous n'auriez pu le blâmer s'il avait trouvé cela très étrange. Et que Rée eût-il fait si un officier ou quelqu'un d'autre vous avait offensée? Se serait-il battu en duel? Plus fièrement nous voulons préserver notre indépendance, plus nous devons prendre garde à ne pas fournir des armes au reste du monde par des actes inconsidérés [3]. »

Des admonestations de cette sorte ennuyaient Lou. Elle ne voyait rien de mal à ce qu'elle avait fait. Si Rée était devenu amoureux d'elle, était-ce sa faute? Elle ne l'avait sûrement pas encouragé. Elle désirait que Rée fût son ami. Elle ne voulait pas l'épouser, ni lui ni un autre. Elle voulait rester libre. C'étaient là des arguments familiers à Mme von Salomé, mais ils étaient nouveaux pour Rée et il ne savait de quelle façon les prendre. Il aimait Lou. Comment pouvait-il être son ami? Il ne voyait pour lui qu'une seule issue : la fuite. Il lui fallait partir loin d'elle, très loin. Quand Lou apprit le plan de Rée, elle se mit en colère et le traita de lâche. Qu'avaient-ils donc, ces hommes? Étaient-ils incapables d'amitié avec les femmes? Ne pouvaient-ils être que des amants ou des maris?

Puis elle raconta à Rée un rêve qu'elle faisait souvent. Elle rêvait qu'elle partageait un grand appartement avec deux amis. Au centre, il y avait un cabinet de travail-bibliothèque plein de livres et de fleurs et des chambres à coucher de chaque côté. Tous trois vivaient et travaillaient ensemble en parfaite harmonie et le fait que c'étaient des hommes et qu'elle était une femme n'avait pas la moindre importance.

C'était un rêve remarquable qu'elle attribua plus tard à la naïveté tardive de son adolescence, mais qui devait plutôt tenir à une composante fortement masculine de son tempérament. Car si les rêves sont des accomplissements de désir, Lou désirait inconsciemment être un homme. Tout le mal venait de ce que, confondant le souhait de son rêve avec la réalité, sa « fraternité idéale » semblait une proposition à peine voilée d'un *mariage à trois*.

C'était cette sorte d'arrangement qu'elle proposait maintenant à Rée, qui n'en crut pas ses oreilles lorsqu'il en entendit parler pour la première fois. Suggérer une cohabitation avec deux hommes était fantastique de la part d'une jeune fille. Lou ne pouvait parler sérieusement. C'était pourtant le cas. Elle affirmait que c'était là l'un des rêves dont elle souhaitait la réalisation. Rée était alors trop épris pour être à même d'écarter la proposition avec son habituel et ironique haussement d'épaule. Il y réfléchit à fond. En fin de compte, il pensa

3. Podach, *op. cit.*, p. 135.

que cela pouvait se faire, à condition que le troisième membre d'un ménage aussi inaccoutumé (Lou, bien entendu serait la première, lui le second) fût un homme mûr, ou mieux encore une femme mûre comme Malvida. Mais cette dernière ne voulut pas en entendre parler. Elle était de plus en plus déçue par Lou. Et, de toute évidence, Mme von Salomé n'était pas disposée à participer à un projet aussi extravagant. Elle venait tout juste de prendre la décision d'appeler à l'aide un de ses fils « afin de ramener sa fille à la maison, morte ou vive ». Les discussions s'enflammaient et les relations étaient tendues tandis qu'autour d'eux le printemps romain déployait sa splendeur.

Dans cette impasse, Rée pensa à son vieil ami, Friedrich Nietzsche, auquel il avait récemment rendu visite à Gênes. Comme ancien professeur d'université, Nietzsche conférerait de la respectabilité à leur plan, à condition, bien entendu, qu'il fût disposé à y prendre part. Il se trouva que Nietzsche y était plus que disposé.

DEUXIÈME PARTIE

L'aigle et le serpent

1882-1883

CHAPITRE V

Semant le vent

Nietzsche : que d'émotions, de réflexions contradictoires fait naître ce seul nom! un des plus grands stylistes de la langue allemande, un virtuose de la nuance et du mot juste, une prose à la fois brillante et prophétique mais aussi le philosophe au marteau, qui glorifie la guerre, ridiculise la pitié et, tient la démocratie pour une imposture. Certainement faussées et prises hors de leur contexte, ces pensées ont servi d'arme intellectuelle à tous les *condottieri* et à tous les prétendus surhommes de notre temps. Nietzsche lui-même était convaincu que ses idées étaient de la « dynamite » et prophétisa qu'il y aurait des guerres que le monde n'avait jamais vues. Nous savons maintenant à quel point il avait raison, mais lorsqu'il disait ces choses dans les paisibles années de 1880, personne ne l'écoutait, personne ne le prenait au sérieux, ses amis moins que quiconque. Ils le considéraient comme un excentrique inoffensif, poussé au désespoir par sa solitude et sa souffrance, et, selon le cas, suivaient avec effroi ou compassion le cours de sa vie chaotique.

Nietzsche, professeur d'université en retraite et penseur solitaire : c'était là l'impression de Rée sur son ami lorsqu'en mars 1882, il se tourna vers lui pour l'appeler à son aide. A cette époque, Nietzsche avait trente-huit ans et était sur le point d'entrer dans la phase finale de sa carrière météorique.

Né en 1844, il était le fils unique d'un pasteur protestant et, de bonne heure, il montra ces dispositions studieuses qui sont les caractéristiques du futur savant. C'était un jeune garçon sérieux et solennel qui méritait bien ce surnom : « Le Petit Pasteur. » Sa compagne de jeu, sa confidente et sa meilleure amie était sa sœur Elisabeth, qui avait deux ans de moins que lui et l'adorait. A ses yeux, son « grand frère Fritz » ne pouvait rien faire de mal. Même lorsqu'il était étudiant, Nietzsche confiait ses pensées les plus intimes à Lisbeth, sa sœur bien-aimée, qu'il appelait affectueusement son « Fidèle Lama ».

Il tint ses promesses scolaires. A un âge où la plupart des jeunes gens sont encore étudiants, Nietzsche était déjà professeur. Il n'avait que vingt-quatre ans lorsque le gouvernement suisse le désigna à la chaire vacante de littérature classique à l'université de Bâle. Cet honneur inouï était presque comme si, dans l'armée, un sergent était promu général. Rien d'étonnant à ce que Nietzsche eût une haute opinion de lui-même et, en conséquence, une piètre opinion de la plupart de ses contemporains.

Cependant, il avait moins de chance dans sa vie personnelle. De santé délicate, il était sujet à des troubles digestifs douloureux, des crampes d'estomac et de violentes migraines. Il était obligé de passer de nombreuses journées prostré dans une chambre obscure, incapable de manger, incapable de dormir, espérant éperdument un salut quelconque qui le tirerait de cet enfer vivant. Ses efforts répétés pour trouver quelqu'un qui eût partagé sa vie solitaire étaient restés vains. Les femmes qu'il désirait épouser avaient refusé. La seule sur laquelle il pouvait toujours compter était sa sœur Elisabeth, également célibataire, qui tenait sa maison à Bâle et l'accompagnait dans nombre de ses voyages. De fait, Fritz et Lisbeth étaient aussi inséparables qu'un couple marié. Et leurs fréquentes querelles, suivies de réconciliations éplorées, évoquaient les scènes conjugales.

Un grand changement survint dans la vie de Nietzsche en 1879, lorsque, après dix ans seulement de professorat à Bâle, il fut forcé d'abandonner son poste. Sa santé s'était si rapidement altérée, surtout sa vue, qu'il ne pouvait plus exercer ses fonctions. Pourvu d'une petite pension par le gouvernement suisse, il quitta Bâle et devint un voyageur solitaire, allant d'une pension de famille médiocre à une autre dans Sils Maria, Nice, Gênes, Rome, Turin, toujours à la recherche d'un climat qui lui rendrait la vie supportable et d'une compagne dans sa solitude. Et, ne trouvant ni l'un ni l'autre, il échouait « dans la petite *chambre garnie*, petite, étroite, modeste, aux meubles froids, où d'innombrables notes, feuillets, écrits et épreuves sont empilés sur la table, mais ni fleurs ni ornements, juste un livre et rarement une lettre. Au fond, dans un coin, une laide et lourde malle de bois, son unique possession, contenant ses deux chemises et son autre costume usé. Il n'y avait d'autre que des livres et des manuscrits et, sur un plateau, une quantité de flacons, de pots, de potions : contre la migraine qui le laissait souvent prostré pendant des heures, contre ses crampes d'estomac, contre les vomissements spasmodiques, contre l'intestin paresseux, et surtout les terribles sédatifs contre l'insomnie, l'hydrate de chloral et le Véronal. Un redoutable arsenal de poisons et de drogues, les seuls secours pourtant dans le silence vide de cette chambre hostile dans laquelle il ne se repose jamais, sauf de courts sommeils artificiels. Enveloppé de son pardessus et d'une écharpe de laine (car le poêle misérable ne fait que fumer sans donner de chaleur), les doigts gelés, ses doubles verres tout près du papier, il écrit hâtivement pendant des heures, des mots que ses yeux embués peuvent à peine déchiffrer. Il reste assis de cette façon pendant des heures et écrit jusqu'à ce que les yeux lui brûlent [1] ».

Les idées, les aperçus, les conjectures, les prophéties qui jaillirent alors du cerveau fébrile de Nietzsche établirent sa réputation, faisant de lui l'un des penseurs les plus passionnants et les plus hardis que le monde eût jamais vus, mais seulement lorsque son esprit eût cessé de fonctionner. Ce n'est que lorsqu'il fut plongé dans les complètes ténèbres mentales, résultat d'une attaque de paralysie qui le frappa en janvier 1889, que l'on s'intéressa à lui et à ses écrits. Durant la phase la plus créatrice de sa vie, qui commença en 1882, l'année où il rencontra Lou, et qui dura jusqu'à son effondrement, en 1889, il fut complètement négligé. Aliéné inoffensif, il traîna pendant dix ans encore, soigné par sa mère et par sa sœur, ignorant complètement sa célébrité croissante et les milliers de disciples qui se ralliaient maintenant à son enseignement et proclamaient son culte du surhomme.

Les livres que Nietzsche écrivit pendant qu'il était professeur à Bâle avaient été acclamés par ses amis, sinon par ses collègues. Un homme aussi notoire que Wagner, dont Nietzsche était alors l'ami dévoué, avait salué le livre du jeune professeur, *La Naissance de la tragédie*, comme une œuvre géniale. Et Malvida von Meysenbug avait trouvé beaucoup de choses à louer dans *Considérations inactuelles*. Mais avec les livres qui suivirent, Nietzsche s'aliéna tous ceux qui l'aimaient. Wagner se sentit personnellement offensé par *Humain, trop humain* et raya son auteur de la liste de ses amis. Malvida elle-même, bien que beaucoup plus charitable que Wagner, hochait tristement la tête en lisant ses derniers livres. Pauvre Nietzsche! Il était certainement malade.

Rée, cependant, était enthousiasmé par *Humain, trop humain*. Il avait conservé le souvenir ému des six heureux mois qu'ils

1. Stefan Zweig, *Baumeister der Welt*, H. Reichner éd., 1936, p. 332.

avaient passés, Nietzsche et lui, à Sorrente, tandis que Malvida prenait soin d'eux avec sollicitude. Nietzsche avait écrit son livre en sa présence et Rée sentait qu'il reflétait le calme et la clarté de cette sorte d'analyse critique qu'il aimait. Il avait accepté volontiers l'invitation de Nietzsche de revendiquer la paternité de ce livre. C'était, en réalité, une œuvre de « Réealisme » selon le jeu de mots de Nietzsche. Ce n'est que plus tard que Rée commença à douter de la raison de son ami. Il y avait quelque chose d'étrange dans la manière dont Nietzsche lui avait dit, au cours de leur récente rencontre à Gênes, qu'il était sur le point de finir un nouveau livre qui contenait certains des mystères les plus profonds de la vie. D'une voix basse et tremblante d'émotion, il avait initié Rée à sa doctrine de l'« éternel retour ». Rée ne savait qu'en penser et il lui avait été difficile de garder son sérieux. Nietzsche croyait-il vraiment à de telles absurdités ou se moquait-il de lui? Rée avait quitté Gênes en hâte pour aller à Monte-Carlo, où il avait tenté sa chance à la roulette. Puis il avait quitté Monte-Carlo tout aussi vite pour chercher refuge auprès de Malvida.

Quelques jours après son arrivée à Rome, il écrivit à Nietzsche. Il disait à son ami où il était et lui racontait qu'il avait fait la connaissance d'une séduisante jeune fille russe. Nous ignorons ce qu'il dit de Lou, mais nous avons la réponse de Nietzsche, de Gênes, datée du 21 mars 1882. Il écrit, entre autres choses : « Salue cette jeune Russe pour moi si tu le crois bon. J'ai soif de ces sortes d'âmes. Je me propose d'en enlever une bientôt. Le mariage est une tout autre affaire. Je pourrais tout au plus consentir à un mariage de deux ans, et seulement en raison de ce que j'ai à faire dans les dix prochaines années. »

Rée, profondément amoureux de Lou lorsqu'il reçut la lettre de Nietzsche, dut méditer sur ces lignes. Mais, fort probablement, il les écarta comme un exemple de plus de l'excentricité de son ami.

Il est également possible que Rée, qui avait un sens de l'humour malicieux, ait dit à Nietzsche qu'il avait rencontré quelqu'un qui ferait pour lui un excellent disciple, à condition qu'il fût disposé à l'épouser, parce que c'était une jeune fille, et que Nietzsche, ne voyant pas l'ironie de la suggestion de Rée, ait pris la chose au sérieux. De tels malentendus n'étaient pas rares entre eux. Rée s'était souvent moqué des manières solennelles de Nietzsche et s'amusait de ce que le philosophe se plaignait constamment d'être sans disciples. D'autre part, Rée comprenait que Nietzsche était terriblement handicapé par sa cécité croissante et avait besoin d'une paire d'yeux pour l'aider. Mais en suggérant Lou comme candidate pour le double rôle d'épouse et de disciple, Rée n'avait pu être sérieux. Lui-même était sur le point de proposer à Lou de l'épouser.

A la lumière de la conduite ultérieure de Rée, il est plus probable que c'est dans l'esprit de Nietzsche que germa l'idée d'un mariage d'essai de deux ans. Il peut paraître singulier qu'un philosophe qui avait tant de choses amères à dire contre les femmes et le mariage ait pu songer à cette situation irrégulière. Mais Nietzsche écrivit nombre de ses invectives les plus vives après sa propre déception romantique. Le thème du mariage revient fréquemment dans sa correspondance, en particulier dans ses lettres à sa sœur, et s'y trouve discuté avec la plus grande franchise. Il y a également le cas de Mathilde Trampedach, une jeune Russe, comme Lou, à qui Nietzsche proposa le mariage quelques heures après l'avoir connue. On peut donc penser à coup sûr que l'idée d'épouser Lou vint à l'idée de Nietzsche dès qu'il entendit parler d'elle.

Lou, elle, avait entendu parler de Nietzsche au cours de ses longs entretiens avec Rée, à Rome. Il était parfaitement évident, pensait Rée, que la jeune Russe et son ami, le professeur, avaient beaucoup de choses en commun. Tous deux étaient préoccupés par la recherche d'une foi nouvelle, tous deux se refusaient à affronter la réalité d'un univers sans dieu. Il serait amusant d'entendre leurs discussions. Ce que Rée dit au sujet de Nietzsche éveilla la curiosité de Lou. Elle désira le rencontrer. Quand Rée suggéra que Nietzsche était la personne qu'il fallait pour leur *ménage à trois*, Lou fut tout à fait d'accord. Elle insista cependant sur le fait que la question devrait être bientôt réglée, car sa mère devenait impatiente et faisait des préparatifs pour leur retour en Russie. Si Nietzsche consentait à se joindre à eux, il y avait une chance pour que sa mère la laissât en Italie. C'était là son souci majeur. Rée acquiesça entièrement et essaya d'entrer de nouveau en contact avec Nietzsche à Gênes. Mais, cette fois, il n'obtint pas de réponse. Nietzsche était parti. Où se trouvait-il?

Rée n'était pas le seul à se poser cette question. Les parents et les amis de Nietzsche se demandaient ce qu'il était devenu. Il avait brusquement quitté Gênes pour aller en Sicile. A Gênes, il avait eu un accès d'intense exaltation. Comme Christophe Colomb, il avait entrevu un monde nouveau. Le rire et les larmes l'avaient secoué tandis qu'il avait contemplé son destin. Il était là à Gênes, seul et inconnu, mais il possédait un secret qui ferait trembler la terre. Il était là, *il santo tedesco*, sur le point de partir au bout du monde, vers ce « bord de la terre », où, selon Homère, règne le bonheur. Il avait eu envie de danser dans les rues, et parfois, lorsqu'il s'était regardé dans la glace, ses traits s'étaient crispés dans l'anticipation des choses à venir. Il avait ri, pleuré et grimacé et il avait eu envie de crier sur les toits qui il était, car s'ils savaient seulement, ces braves citoyens de Gênes, quelle dynamite il portait dans sa tête, ils tomberaient à genoux pour le vénérer. Mais il pouvait attendre, son temps viendrait. Dans cinq cents ans, ou dans mille ans, on érigerait un monument pour marquer l'endroit où il était passé. Colomb-Nietzsche-1481-1882. *Liberatores generis humanorum.*

Sur l'impulsion du moment, il avait décidé de suivre l'exemple du Gênois et de s'embarquer sur un petit cargo à destination de Messine. Pour célébrer cet événement, il avait écrit un poème dont il donna plus tard un exemplaire à Lou :

Ainsi parlait Colomb :
Ne crois plus un Gênois, ma chère.
Ce qu'il entend, c'est l'appel du ciel bleu,
Ce qui l'attire, ce sont les mers lointaines.

C'est le lointain que j'aime désormais.
Gênes n'est plus, Gênes est effacée.
Cœur, reste froid. Main, gouverne ou péris.
Devant toi est la mer... et la terre? et la terre?

Ce fut un terrible voyage. Le nouveau Colomb fut malade la plupart du temps. En atteignant enfin Messine, le 1er avril, il était plus mort que vif et dut être débarqué sur un brancard. Mais il reprit courage lorsqu'il s'éveilla pour se trouver confortablement installé dans une chambre spacieuse et aérée qui donnait sur la place de la Cathédrale avec des palmiers devant sa fenêtre.

Dans des lettres qui contiennent de mystérieuses allusions à son destin, il dit à ses amis qui il est. Peut-être est-il un roi voyageant incognito?

« Cette Messine est faite pour moi et les gens d'ici sont si polis et si obligeants que les pensées les plus étranges me viennent à l'esprit. Peut-être quelqu'un me précéda-t-il pour les soudoyer en ma faveur? »

Emporté par son euphorie, il écrit un certain nombre de poèmes qui reflètent son humeur gaie, presque frivole. Il les appelle *Idylles de Messine* et les envoie à sa sœur pour les faire publier. Certains d'entre eux sont des poèmes d'amour, *La Pieuse Beppa*, par exemple, où il loue Dieu en se moquant, parce que Dieu lui-même aime une jolie fille.

Tant que la beauté sera sur mon visage,
Pour la piété je serai.
Quand l'âge aura tué mes charmes,
Que Satan réclame ma main.

Dans une *Déclaration d'Amour,* le poète, hélas, tombe dans un gouffre et la *Chanson d'un Chevrier théocritain* est le triste récit d'un amour non partagé :

Étendu là, les entrailles brûlantes,
Les punaises s'en donnent à cœur joie.
Et là-bas... la musique, les lumières !
Je les entends danser...

Elle m'a promis de venir
En secret et d'être mienne.
Je suis là, couché comme un chien,
Sans aucun signe d'elle.

Elle m'a promis sur la croix.
Comment a-t-elle pu mentir?
Ou bien est-elle comme mes chèvres?
N'importe qui peut-il tenter sa chance?

D'où vient sa robe de soie?
Ah, mon fier sauveur,
A de nombreux boucs
Dispense tes faveurs.

Attendre, aimer en vain
Empoisonnent mon âme.
Ainsi croît dans l'étouffante nuit
Le champignon vénéneux de la douleur.

L'amour me nourrit, ma chérie,
Comme les sept péchés.
Je n'ai pas envie de manger :
Adieu, oignons !

La lune a sombré dans la mer.
Dans un ciel lassé, les étoiles
Contemplent l'aube grise...
Que je voudrais mourir !

L'amour et l'ironie inspirent ces poèmes. Lorsqu'il les écrivit, Nietszche était amoureux, amoureux de la vie, amoureux de son destin — *amor fati* — et, à son insu, amoureux d'une jeune fille qu'il ne connaissait pas encore.

« Mais peut-être », dit-il plus tard à son ami, Peter Gast, « avez-vous pensé qu'en tant que philosophe et poète à la fois, j'ai dû avoir une certaine prémonition de Lou? Ou est-ce le hasard? Cher, cher hasard! »

Il avait l'impression que la longue crise de sa vie était finie. Il avait traversé le tropique et son soleil se levait tandis que celui de son insigne rival, Richard Wagner, déclinait. Le monde verrait enfin qui était le plus grand des deux. Son soleil méditerranéen dissiperait le royaume brumeux des Nibelungen.

Nietzsche était dans ces dispositions lorsqu'une autre lettre de Rée, et plus urgente, lui parvint. « Personne, lui disait Rée, n'est aussi surpris et peiné de votre décision que la jeune Russe. Elle est devenue si impatiente de vous rencontrer qu'elle avait projeté de rentrer via Gênes, et elle est vraiment très ennuyée que vous soyez parti si loin. » Il ajoutait que la raison de l'impatience de Lou à rencontrer Nietzsche était due à « son désir de passer une année agréable en compagnie de gens intéressants. Elle pense que vous et moi et une personne d'un certain âge comme Mlle Meysenbug sont nécessaires pour réaliser un tel projet. Mais Mlle Meysenbug ne veut pas se joindre à nous ». Cette lettre forme le nœud de toutes les complications qui allaient suivre. Elle réfute ce que dit Lou dans ses Mémoires lorsqu'elle déclare que la décision de Nietzsche de les rejoindre était « inattendue ».

Cette proposition dut éveiller chez Nietzsche le souvenir de l'hiver qu'il avait passé avec Rée et Malvida à Sorrente. C'étaient d'agréables souvenirs, bien que son humeur actuelle fût très différente de son ancien scepticisme. L'idée de passer une année en compagnie de deux jeunes amis le séduisait, d'autant plus que l'un d'eux était cette Russe mystérieuse. Nietzsche-Colomb et Lou Salomé... en quelque sorte, ces deux images se confondaient dans son esprit. Il avait projeté de passer l'hiver à Messine, mais, au bout de quelques semaines, il s'était rendu compte que c'était impossible. La Sicile était bien trop chaude pour y être à l'aise et lorsque le sirocco se mettait à souffler, c'était insupportable. Il souffrait de nouveau de nausées qui, ajoutées à une pénible migraine, lui rendaient la vie misérable. Trois semaines à peine s'étaient-elles écoulées depuis son arrivée dans l' « île du bonheur » qu'il la fuyait, malade et déçu.

A Rome, Lou et Rée avaient, pendant ce temps, essayé de

vaincre les obstacles qui s'opposaient à leur projet d'études en commun. Pour Lou, la perspective d'un retour en Russie et d'une vie captive au sein de sa famille était inconcevable. Son désir d'être libre croissait en proportion de la détermination de sa mère de la ramener à la maison. Dans cette impasse, elle se tourna une fois de plus vers Gillot. Il lui était déjà venu en aide, peut-être voudrait-il l'aider de nouveau. Elle lui écrivit et, à son grand ennui, il lui répondit que ce projet était si fantasque qu'il lui conseillait de l'oublier. Il lui disait qu'elle n'était pas en mesure de juger des hommes comme Nietzsche et Rée, qui étaient beaucoup plus âgés qu'elle et avaient bien plus d'expérience. Elle devait se rappeler qu'elle était femme et avait certaines obligations envers son sexe et la société. Etant données les propres intentions de Gillot à son égard, qui n'étaient nullement platoniques, Lou fut, à juste titre, contrariée par son attitude « bien pensante ». Il raisonnait exactement comme Malvida et sa mère.

« Que diable ai-je donc fait? lui demanda-t-elle. Je croyais que vous me couvririez d'éloges, puisque je suis sur le point de prouver que j'ai bien retenu la leçon que vous m'avez apprise. » Quant à n'être pas à même de juger Rée et Nietzsche, il se trompait complètement. « Ce qui est essentiel chez un homme, on le connaît tout de suite ou pas du tout. » Elle convenait que Malvida était, elle aussi, contre son plan et elle le regrettait parce qu'elle aimait beaucoup Malvida. « Mais je sais que nous entendons des choses différentes, même quand nous sommes d'accord. Elle a l'habitude de dire "nous devons faire ceci ou cela", ou "nous ne devons pas faire ceci ou cela" et je n'ai pas la moindre idée de ce qu'est ce "nous". Sans doute est-ce quelque idéal ou quelque notion philosophique... C'est seulement de moi que je sais quelque chose. Je ne puis ni vivre selon un idéal ni servir de modèle à quelqu'un d'autre. Mais je puis très certainement vivre ma propre vie et je le ferai, quoi qu'il advienne. En agissant ainsi, je ne représente aucun principe, mais quelque chose de beaucoup plus merveilleux, quelque chose qui vit en moi, quelque chose qui est tout chaud de vie, plein d'allégresse et qui cherche à s'échapper. »

Rée, qui était alors complètement captivé par Lou, admettait qu'il était inimaginable qu'elle retournât en Russie. Il fallait trouver un moyen pour qu'ils pussent rester ensemble. Secrètement, il espérait encore qu'elle l'épouserait. Mais, pour le moment, il fondait ses espoirs sur Nietzsche. Si son ami voulait seulement venir à Rome et parler avec Malvida, qui avait pour lui un grand respect, et avec la mère de Lou, leur « sainte trinité », comme ils appelaient par raillerie leur plan d'études, pourrait encore être réalisée. A ce stade, ni Lou ni Rée ne semblent avoir pensé un seul instant à ce qui arriverait si Nietzsche refusait de jouer le rôle qui lui était dévolu. Ils ne prenaient assurément pas au sérieux sa proposition d'un mariage d'essai de deux ans, sinon ils ne l'eussent pas invité, car une telle proposition eût transformé une « sainte trinité » en un triangle dépourvu de sainteté.

En attendant l'arrivée de Nietzsche, Lou et Rée continuaient à explorer Rome. Ils passaient beaucoup de temps à Saint-Pierre. Rée avait découvert un coin tranquille dans l'une des chapelles latérales, où il pouvait travailler à son nouveau livre, dans lequel il voulait prouver la non-existence de Dieu. Ce choix d'une chapelle pour cabinet de travail amusait Lou énormément et elle l'y accompagnait souvent pour soutenir son point de vue. Un jour, alors qu'ils étaient ainsi occupés, Nietzsche parut soudain. Malvida lui avait dit où les trouver.

Il alla droit à Lou, lui tendit la main et dit avec un profond salut : « A quelles étoiles devons-nous d'être réunis ici? »

Lou, bien que déconcertée par le salut de cet étranger de taille moyenne et de mise discrète, recouvra vite ses esprits et dit que, pour sa part, elle était venue de Zurich. Tous deux se mirent à rire, et pourtant les paroles de Nietzsche, avec leur pointe de solennité, même dans cette ambiance solennelle, ne laissèrent de frapper Lou. Ou bien essayait-il d'être drôle? Dans ce cas, il n'avait pas réussi, car toute son attitude démentait la gaieté. Avec un sentiment de malaise, Lou avait l'impression que Nietzsche croyait à ce qu'il disait et que, en ce qui le concernait, leur rencontre n'était pas fortuite.

Elle écrivait que la première et forte impression que faisait Nietzsche était celle d'un personnage mystérieux, d'une « solitude cachée ». Elle trouvait que les yeux de Nietzsche le trahissaient. « Ce n'étaient pas les yeux de beaucoup de myopes. Ils ne vous regardaient pas fixement ni ne clignaient, ni ne vous embarrassaient en vous dévisageant de trop près. Ils paraissaient plutôt être les gardiens de ses propres trésors, des mystères sur lesquels un regard non initié n'avait pas le droit de s'arrêter. Sa vue déficiente donnait à ses traits une qualité de magie très spéciale en ne reflétant que ce qui se passait audedans de lui au lieu d'impressions extérieures changeantes. »

En même temps qu'elle était attirée par Nietzsche, Lou éprouvait pour lui une certaine répulsion. Il y avait dans son attitude quelque chose de forcé, une emphase qui l'ennuyait. Elle décida de rester sur ses gardes, et elle avait raison. Quelques jours plus tard, Rée lui dit que Nietzsche l'avait prié, lui, Rée, de lui demander sa main pour lui. La réaction de Rée à cette proposition n'est pas difficile à imaginer. Combien la situation était risible! Nietzsche lui demandait d'agir comme intermédiaire pour demander en mariage la jeune fille que lui-même aimait et voulait épouser. Était-ce drôle ou absurde? Si c'était drôle, c'était lui, ainsi qu'il était arrivé si souvent dans sa vie, qui faisait les frais de la plaisanterie.

Il n'était pas non plus difficile d'imaginer ce que pensait Lou de la proposition de Nietzsche. Elle venait tout juste de persuader sa mère que Rée avait été inoffensif. Qu'arriverait-il maintenant si sa mère entendait parler de Nietzsche? Elle croirait sûrement qu'il y avait une conspiration pour lui arracher sa fille. Quant aux raisons de Nietzsche, elles la faisaient bien rire. Ainsi, il voulait se marier pour sauver les apparences? Que c'était noble à lui, et combien bourgeois! Elle avait entendu dire qu'il se piquait d'être un esprit libre. Eh bien, il n'y avait rien de libre dans cette proposition. Tout cela lui paraissait trop humain. Son impulsion immédiate fut de jeter à la face de Nietzsche ce qu'elle en pensait.

Mais Rée lui conseilla la prudence. Il était inutile d'offenser Nietzsche. Il fallait agir avec diplomatie. Il suggéra de dire à son ami que Lou ne pouvait accepter son offre parce que, si elle se mariait, le gouvernement russe lui supprimerait sa subvention et, comme elle était sans fortune, il lui faudrait dépendre des revenus de son mari. Rée savait que les ressources de Nietzsche suffisaient à peine pour une personne et que, dans ces conditions, il s'était abstenu de faire une proposition précise. Cela adoucirait son refus. Il laisserait entendre qu'elle ne l'avait pas vraiment rejeté, mais avait simplement expliqué que, les choses étant ce qu'elles étaient, elle ne pouvait pas plus songer à prendre un mari besogneux que Nietzsche pouvait accepter une femme sans argent. Et l'histoire serait finie.

Il se trompait. Ce n'était que le commencement. Nietzsche n'était pas disposé à renoncer à Lou aussi facilement. Extérieurement, il se rallia à leur plan de travail en commun, mais, intérieurement, il réfléchit au moyen d'éloigner Lou de Rée. Il sentait, et à juste titre, que la présence de Rée l'empêchait d'établir avec Lou des relations intimes. Il voulait passer quelques semaines seul avec elle. Mais imbu comme il l'était des traditions bourgeoises de son éducation à Naumburg, il savait que ce ne serait possible que s'il trouvait un chaperon. Il pensa aussitôt à sa sœur. Il écrirait à Elisabeth et lui parlerait de Lou, mais de façon à ne pas l'alarmer. Il connaissait sa sœur. Si elle soupçonnait ses véritables sentiments pour Lou, il s'attirerait des désagréments. Il devrait paraître détaché et indifférent. Dans une lettre datée de Rome, il écrivait à la fin d'avril 1882 :

Ma Chère Sœur,

Ne t'évanouis pas de surprise. Cette lettre est de moi, et de Rome. J'ai demandé à Mlle von Meysenbug d'écrire l'adresse et, de plus, « personnel » pour que la lettre ne parvienne qu'à toi. Tu comprendras pourquoi...

Elisabeth comprit. Son frère et elle aimaient à laisser leur mère dans l'ignorance de ce qu'ils faisaient. Elle fut probablement plus étonnée d'apprendre qu'il était à Rome. Elle le croyait encore à Messine. Avec une engageante diplomatie, Nietzsche écrivait : « Ton vœu est devenu réalité. » Elle avait toujours souhaité qu'il trouvât un jeune assistant qui pourrait l'aider dans son travail Or, Mlle von Meysenbug, ou plutôt le Dr Rée lui avait trouvé quelqu'un. Hélas, ce n'était pas un homme, mais une jeune fille. Il était allé à Rome pour la rencontrer, pressé et par Malvida et par Rée. Mais il était déjà déçu, car :

... jusqu'ici, tout ce que j'ai pu observer, c'est que la jeune fille est sensée et a beaucoup appris de Rée. Afin de me faire d'elle un jugement précis, il me faudrait la voir sans Rée. Il lui souffle constamment ses paroles et je n'ai pas encore été à même de découvrir une seule pensée qui soit à elle. Ne pourrais-tu aller en Suisse et inviter cette jeune fille? C'est la suggestion de Malvida.

Il poursuivait en disant que Lou avait vingt-quatre ans (elle n'en avait en réalité que vingt et un) et n'était pas jolie. « Mais, comme toutes les filles laides, elle a cultivé son esprit pour être séduisante. » Il ajoutait en post-scriptum :

Le départ de cette lettre a été retardé. Entre-temps, Malvida m'a dit que la jeune fille lui a confié que, dès sa plus tendre enfance, elle a travaillé dur pour s'instruire et a tout sacrifié dans ce but. J'en ai été profondément ému. Malvida avait les larmes aux yeux en me le disant et je crois que Mlle Salomé a de grandes ressemblances avec moi.

Comme pour d'autres lettres que Nietzsche écrivit à sa sœur, l'authenticité de celle-ci a été mise en doute, mais il faut faire observer que, bien qu'il n'y ait aucun moyen de savoir si elle est exacte en tous points, le ton général semble assez vrai. C'est un chef-d'œuvre d'insinuation et d'indifférence étudiée. Et elle en révèle autant sur la nature de ses relations avec sa sœur que sur celles qu'il entretenait avec Lou. Il l'écrivit pour deux raisons très claires : pour parler de Lou à Élisabeth et pour dissiper tous les soupçons qu'elle eût pu avoir sur la soudaine apparition de cette jeune Russe.

Mais si Nietzsche croyait leurrer Élisabeth, il se trompait. Elle le connaissait beaucoup trop pour ne pas comprendre ce double jeu. Dès le début, Élisabeth flaira en Lou une rivale et cette idée répugnait au « Fidèle Lama ». S'il devait y avoir une autre femme dans la vie de son frère, elle voulait avoir son mot à dire. L'auréole de secret qui entourait toute l'affaire, le brusque voyage de son frère de Messine à Rome, l'écriture de Malvida sur l'enveloppe, la demande pressante de ne rien dire à sa mère : Élisabeth avait d'amples raisons d'inquiétude et de soupçon. Qui était cette jeune fille? Elle était déterminée à le savoir.

Pendant ce temps, sous le ciel bleu d'un printemps romain, Lou et ses deux prétendants faisaient des projets d'avenir. Ils passeraient l'hiver à Paris ou à Vienne, iraient à des concerts et à des conférences et goûteraient leur compagnie réciproque. En ce qui concernait Lou, la chose était réglée. *Honni soit qui mal y pense.* Une fois de plus, sa mère devrait céder à ses désirs. C'était sa vie, après tout, et elle était déterminée à la vivre comme il lui plaisait.

Un ami aime assurément son ami
Comme je t'aime, O vie, mystérieuse vie.

C'était là sa *Prière à la Vie* qui fit monter les pleurs aux yeux de Nietzsche quand elle lui en fit la lecture, la dernière strophe en particulier :

Millénaire à exister, à penser, à vivre!
Dans tes deux bras, serre-moi de toutes tes forces!
Si tu n'as plus de bonheur à me donner,
Donne-moi ta douleur.

CHAPITRE VI

Le mystère du Monte Sacro

A la fin d'avril, il commençait à faire chaud à Rome et Mme von Salomé décida de ramener sa fille en Russie en passant par la Suisse et l'Allemagne. La santé de Lou s'était améliorée, mais elle était encore loin d'être rétablie et on lui déconseillait de poursuivre ses études, du moins dans un avenir immédiat. Il n'y avait donc aucune raison de rester à l'étranger. C'était là la décision de sa mère, mais Lou avait d'autres plans. Elle avait l'intention de passer une année en compagnie de Rée et de Nietzsche et les deux philosophes accueillaient ce projet avec enthousiasme, chacun pour son propre mobile. Tandis que Nietzsche avait essayé de s'assurer le concours de sa sœur, Rée n'était pas resté inactif. Il avait écrit à sa mère et arrangé une entrevue entre elle et Mme von Salomé en Suisse. L'avenir de Lou devait être décidé entre les deux femmes. Rée espérait que sa mère deviendrait le chaperon de Lou et que Mme von Salomé pourrait retourner en Russie sans sa fille.

C'est là que les choses en étaient quand Lou et sa mère quittèrent Rome. Il fut convenu que Rée et Nietzsche partiraient un jour plus tard et les rejoindraient à Milan, puis ils se mettraient tous quatre en route pour la Suisse. Ils se retrouvèrent comme il avait été prévu, mais, sur la suggestion de Nietzsche, ils firent une excursion au lac Orta, l'un des plus petits, mais des plus beaux des lacs italiens supérieurs. Ce léger détour offrait à Nietzsche un grand avantage s'il était désireux de passer le plus de temps possible en compagnie de Lou. Et, de ce point de vue, c'était une inspiration.

Avec l'agrément de Mme von Salomé, le petit groupe arriva de bonne heure, un jour de mai, dans l'ancienne ville d'Orta, située dans une péninsule qui, de la rive est, s'avance dans le lac. En face, comme une perle qui émergerait, se trouve l'île de San Giulio et, exactement derrière elle, s'élevant en pente douce à une hauteur totale de neuf cent quinze mètres, une colline boisée dédiée à la mémoire de saint François et connue partout sous le nom de Monte Sacro. Le paysage est parsemé de vieilles maisons, d'églises et de monastères et de nombreux hameaux s'accrochant au flanc de la colline qui surplombe le lac.

C'est un décor superbe, paisible et majestueux, un site idéal pour une vie contemplative et calme. Pendant des siècles, les cloches de l'ancienne basilique, érigée dans l'île, ont appelé les fidèles à la prière, des pèlerins du monde entier ont visité le Monte Sacro et se sont agenouillés devant la châsse de saint François. L'air d'Orta lui-même semble imprégné de piété, comme si, au cours des siècles, des couches d'énergie spirituelle y avaient été déposées pour devenir une présence tangible.

Une telle ambiance exerce une influence profonde sur les tempéraments sensibles et en quête de certitudes. Elle éveille leurs sentiments les plus intimes, confirme leurs espoirs les plus chers. Tous leurs doutes sont apaisés et leur cœur déborde d'exaltation et d'amour. C'est aussi une atmosphère dangereuse parce qu'elle ensorcelle les imprudents d'un tourbillon émotionnel dont il leur est difficile de se dégager. C'est ce qui semble être arrivé à Nietzsche et à Lou.

A leur arrivée à Orta, ils décidèrent, comme la plupart des touristes, de commencer leur visite en passant la matinée dans l'île. La traversée en canot prit environ quinze minutes. Ils laissèrent derrière eux la charmante Piazza d'Orta et se dirigèrent vers San Giulio, dont l'ancienne tour carrée de pierre jaune rongée par les intempéries se reflète dans l'eau bleue du lac. Le mouvement du bateau les berçait et les emplissait d'un sentiment de paix et de sécurité. Ils débarquèrent et, avec des voix assourdies, entrèrent dans la vieille église et s'arrêtèrent, subjugués, devant la chaire magnifique de marbre noir d'Oira, sculptée par un maître artisan du XIe siècle.

C'est Mme von Salomé que la magie spirituelle de San Giulio toucha le moins. Elle n'avait jamais perdu la foi et ce qu'elle éprouva dans l'île ne fit que confirmer ce qu'elle avait toujours su. Pour Rée, ce fut différent. Il ne croyait pas et n'avait pas envie de croire. La force de ces sentiments irrationnels, qu'il sentait, lui aussi, l'irritait. Il voulait s'y soustraire. Nietzsche et Lou, d'autre part, étaient profondément émus. Tous deux étaient en quête — et c'est là le secret de leur affinité — d'une foi nouvelle, d'une foi qui affirmait la puissance et la gloire de la vie sans exiger la mortification de la chair. Ce mélange de beauté et de piété était-il une réponse à leur recherche? En tout cas, lorsque le groupe regagna Orta, Nietzsche et Lou décidèrent de poursuivre leur exploration. Ils voulaient gravir la colline jusqu'au Monte Sacro. Mme von Salomé et Rée dirent qu'ils en avaient assez vu et les attendraient au bord du lac. C'est ainsi que la chance de Nietzsche était enfin venue. Pour la première fois depuis qu'il la connaissait, il était seul avec Lou.

Personne ne sait ce qui arriva pendant cette promenade puisqu'il n'y avait pas de témoins. Mais que quelque chose soit arrivé, nous l'apprenons par ce qui s'ensuivit. « Il semble, écrit Lou dans ses Mémoires, que j'aie involontairement offensé ma mère en restant trop longtemps avec Nietzsche sur le Monte Sacro. Rée, lui aussi, poursuit-elle, qui lui tenait compagnie, en était très contrarié. »

Une promenade à pas mesurés jusqu'au Monte Sacro ne devrait pas demander plus d'une heure. Il est peu probable que Rée ou la mère de Lou eussent été fâchés si Lou et Nietzsche étaient revenus au bout de ce temps-là. Ils doivent donc être restés absents pendant bien plus longtemps. En guise d'explication, Lou dit qu'ils avaient prolongé leur promenade parce qu'ils voulaient voir le coucher de soleil sur Santa Rosa. L'ennui est qu'on ne peut voir Santa Rosa du sommet du Monte Sacro. Quelque chose d'autre doit les avoir retenus. C'était la première fois qu'ils se trouvaient seuls et dans une ambiance qui mettait en relief leur affinité. Peut-être avaient-ils découvert qu'ils avaient beaucoup à se dire et ne s'étaient pas aperçus que le temps passait. Mais si c'était là l'unique raison pour laquelle ils s'étaient attardés, pourquoi Lou, dans une conversation qu'elle eut avec Ernst Pfeiffer, l'ami de sa vieillesse, dit-elle avec un sourire subtil, presque gêné : « Je ne sais plus maintenant si j'ai embrassé Nietzsche sur le Monte Sacro. »

Et qu'entendait Nietzsche lorsqu'il disait à propos de cette promenade : « Je vous dois le plus beau rêve de ma vie. »

Enfin, pourquoi Rée, quelques mois plus tard, écrivait-il à Lou : « Je suis aussi un peu jaloux, cela va sans dire. Je me demande quelle attitude, quel ton de voix, quels gestes, quels regards accompagnaient vos paroles sur le Monte Sacro? » Pourquoi considérait-il nécessaire de « lui accorder un pardon général »? Qu'avait fait Lou?

Quoi qu'il se soit passé, sa répercussion sur l'esprit de Nietzsche fut désastreuse. Dans les lettres poignantes qu'il écrivit à Lou après leur rupture, et même dans d'incohérents brouillons de lettres dans ses carnets de notes, une phrase revient sans cesse : « La Lou d'Orta était un être différent. » Il se plaignait de souffrir du « temps d'Orta » et disait qu'y songer le rendait fou. La violence de la réaction émotionnelle de Nietzsche à la promenade sur le Monte Sacro est sûrement un indice de la force du bouleversement qu'il éprouva. Il n'est guère croyable qu'il eût réagi d'une telle manière s'il avait simplement passé quelques heures agréables de conversation intellectuelle avec Lou. Il est également improbable qu'il eût pu avoir cette attitude lorsqu'ils rentrèrent de leur promenade Il était plein d'entrain et d'allégresse et demeura ainsi jusqu'à ce que Lou l'eût déçu.

Quelques jours plus tard, le groupe se sépara. Lou, sa mère et Rée partirent pour Lucerne, tandis que Nietzsche allait rendre visite à ses amis, les Overbeck, à Bâle. Il resta cinq jours chez eux, toujours plein d'entrain. De fait, les Overbeck ne l'avaient jamais vu ainsi. Il parlait sans cesse, surtout au sujet de Lou. Il leur apprit son projet de revoir Lou à Lucerne, en apparence pour lui montrer l'ancienne maison de Wagner, mais en réalité pour faire sa seconde demande en mariage, personnellement, cette fois. Comme un homme qui a aperçu la terre promise, il partageait avec les Overbeck ses grands espoirs d'avenir. Alarmés, ses amis se demandaient quelle sorte de fille Lou était. Elle semblait avoir ensorcelé Nietzsche.

Pendant ce temps, à Lucerne, Lou commençait déjà à payer le prix de sa conduite impétueuse. Sa mère et Rée la réprimandaient et elle se demandait pourquoi ses gestes les plus spontanés avaient toujours des conséquences désastreuses. Si elle avait embrassé Nietzsche, elle n'y attachait sans doute aucune importance. Ce n'était qu'une expression d'amitié. Mais il était clair que les autres membres du groupe ne considéraient pas son geste sous un jour aussi innocent. Elle fut bouleversée et un peu effrayée quand elle se rendit compte de la façon dont Nietzsche interprétait son baiser. C'était l'étincelle qui avait embrasé son cerveau très inflammable. Les efforts de Lou pour se dérober lorsqu'elle eut compris la portée de son geste n'avaient fait que jeter de l'huile sur le feu.

Rée fut d'une franchise particulière dans ses critiques. Il avertit Lou que sa conduite avait été indiscrète et que si Nietzsche s'était mépris sur elle, c'était elle qui était à blâmer. Lorsqu'il apprit qu'ils devaient se revoir à Lucerne, il comprit pourquoi. Si Nietzsche la demandait en mariage, elle affronterait la situation elle-même. Rée lui demanda d'être ferme et de lui opposer un refus sans équivoque. Rien d'étonnant à ce que Lou se rendît avec appréhension au rendez-vous de Lucerne.

Nietzsche lui avait demandé de le rejoindre dans le parc, devant la statue du lion. C'était par un beau jour de mai. Le printemps était venu dans les montagnes suisses et l'air était parfumé des senteurs des fleurs et des arbres en pleine floraison.

L'amour était dans l'air. Tandis que Nietzsche attendait Lou, il voyait sa vie prendre forme. Tout autour de lui, la vie se renouvelait : peut-être sa vie, à lui aussi, serait-elle renouvelée. Avec Lou à son côté, ce serait le début d'une ère nouvelle. Peut-être auraient-ils un fils. Il désirait un fils, avait-il dit à Mme Overbeck. Tout prenait un sens, à présent : sa souffrance, sa solitude, sa longue attente d'un disciple. D'un seul coup, la chance allait combler tous ses vœux.

Qui sait le tumulte que souleva dans le cœur de Nietzsche l'approche de la silhouette élancée de Lou? Il scruta ardemment son visage pour y trouver un signe de sa tendresse du Monte Sacro. Mais il n'y en avait point. Lou était amicale, mais détachée. Nietzsche pensa qu'il n'y avait pas de temps à perdre. Il la demanda solennellement en mariage. Lou l'écouta, puis, avec la même solennité, lui dit qu'elle ne voulait pas se marier. Elle voulait rester libre, mais elle désirait également qu'ils pussent rester amis. Ce fut alors le tour de Nietzsche d'écouter et il remarqua, tandis qu'elle exposait ses plans pour l'avenir, que Rée y était toujours inclus. Il soupçonnait que la seule raison de Lou pour le repousser était Rée. Mais quelles que fussent la jalousie et la déception qu'il pouvait éprouver, il accepta le refus de Lou avec une bonne humeur apparente. Il sembla à Lou qu'il était presque soulagé lorsqu'elle eut décliné son offre. Elle s'était attendue à une scène, mais, à sa surprise, Nietzsche se conduisit avec un grand calme. Il songea peut-être à d'autres moyens de l'arracher à Rée, mais, apparemment, il acquiesça à tout ce qu'elle dit. Ils continueraient à préparer leur projet d'études. Partager Lou valait sûrement mieux que la perdre tout à fait. Quand l'entretien eut pris fin, Lou pensa qu'elle s'était parfaitement tirée de la situation. Ils revinrent ensemble à son hôtel où les attendait un Rée anxieux. Il ne fut pas nécessaire de dire à Rée ce qui s'était passé. Il le sentit et il sentit également que ce n'était pas le moment de poser des questions.

Ce fut Nietzsche qui suggéra que, pour célébrer leur trinité, ils se fissent photographier ensemble. Il connaissait justement l'homme qu'il fallait : Jules Bonnet, l'un des photographes les plus cotés de Suisse. Rée regimba d'abord à cette idée. De toute façon, il n'aimait pas se faire photographier et poser avec Lou et Nietzsche lui paraissait plutôt grotesque, étant données leurs relations tendues. Mais ni Lou ni Nietzsche n'acceptèrent son refus. Ils se sentaient en humeur de célébration et Rée dut les accompagner.

M. Bonnet avait un goût bourgeois irréprochable. Ses portraits d'hommes et de femmes solennels en costumes victoriens ou ses scènes familiales guindées avec des enfants vêtus comme des adultes et regardant fixement l'appareil avec une lassitude curieusement *fin de siècle* et peu enfantine, et même, parfois, un pékinois regardant l'objectif avec une expression d'indifférence ennuyée, étaient très en vogue parce qu'ils reflétaient l'esprit de l'époque : l'ennui et la solennité. Parmi les accessoires du studio de Bonnet, il y avait une petite charrette de ferme très commode pour les scènes rurales. Elle pouvait être photographiée tirée par des chiens ou des ânes, ou simplement figurer comme arrière-plan. Lorsque Nietzsche la vit, ses yeux s'allumèrent. Il demanda qu'elle fût placée au centre de la scène et que Lou s'y agenouillât, posture assez maladroite, pensa Bonnet, et convenant peu à une jeune demoiselle. Mais ses protestations furent ignorées. Nietzsche lui demanda alors une corde qui, passée à ses bras et à ceux de Rée, serait tenue par Lou comme des rênes. Les deux hommes seraient ainsi attelés à la charrette dans laquelle Lou était agenouillée. Passant outre aux protestations de Rée, Nietzsche proclama qu'aucune autre pose ne pouvait représenter leurs relations de façon plus appropriée. Lou, qui se sentait engourdie dans sa posture à demi agenouillée, leur dit de se dépêcher, mais Nietzsche n'était pas encore satisfait. Lou, étant leur cocher, devait avoir un moyen de renforcer son autorité. On découvrit un petit bâton auquel on attacha un bout de ficelle et l'on obtint ainsi un fouet que Nietzsche donna à Lou. Il y mit la dernière main en l'ornant d'une branche de lilas. Une seconde plus tard, on entendait le déclic de l'appareil et la photographie était prise.

Elle fut réussie. Certains rirent en la voyant et la prirent pour une farce. D'autres, comme Malvida, en furent choqués et trouvèrent qu'elle montrait chez Lou un sens de l'humour dépravé. Lou et Rée, qui en avaient honte, essayèrent de l'oublier. Mais elle existe. On ne peut ni lui donner de justification ni la chasser de la mémoire. L'appareil photographique de M. Bonnet a saisi l'expression d'extase de Nietzsche. Elle reste un grotesque et terrifiant témoignage de la façon dont travaillait son esprit, un esprit qui, quelques mois plus tard, lorsque son rêve d'épouser Lou fut brisé et que Nietzsche se retrouva seul une fois de plus, inventa cette phrase brutale : « Vous allez voir les femmes? N'oubliez pas le fouet. »

Après les événements de Lowengarten et du studio de M. Bonnet, le pèlerinage à l'ancienne maison de Wagner sur le lac de Lucerne fut une sorte de détente. Rée s'excusa. Il en avait eu assez pour ce jour-là et refusa de les accompagner. Une fois de plus, Nietzsche et Lou étaient seuls. Mais bien des choses étaient survenues depuis le Monte Sacro et tous deux étaient d'humeur sombre. Lou était mal à l'aise en présence de Nietzsche et ce dernier était accablé par les sentiments mêlés d'amour et de haine qu'il éprouvait pour Wagner : « J'ai tant souffert à cause de cet homme et de son art! Ce fut une longue, longue passion, je ne trouve pas d'autre mot pour cela. La renonciation, le retour nécessaire à moi-même sont l'une des épreuves les plus dures et les plus mélancoliques de ma vie. »

D'une voix assourdie, il raconta à Lou l'histoire de son amitié avec Wagner, rappelant les heures heureuses qu'il avait passées dans cette maison, dans ce jardin, au bord de ce lac. Richard et Cosima Wagner avaient été ses amis. Ils l'avaient compris et il les avait aimés. Encore à présent, il rêvait de ces heureux jours, mais ils avaient disparu à jamais. Et voici qu'il se trouvait de nouveau en compagnie de quelqu'un qu'il aimait et qu'il était condamné à perdre. Tandis qu'ils étaient assis au bord du lac, la voix de Nietzsche s'affaiblit en un murmure. Avec sa canne, il traçait des dessins dans le sable humide et, quand il leva les yeux, Lou vit qu'ils étaient pleins de larmes.

Éprouva-t-elle alors pour lui de la pitié? Est-ce la pitié qui lui fit se rendre à sa pressante prière de passer quelques semaines avec lui à Tautenburg? Elle savait qu'il était peu raisonnable de donner à Nietzsche de nouveaux encouragements. Elle le fit pourtant. Le spectacle de cet homme solitaire qui pleurait désarma-t-il ses soupçons? Etait-elle flattée par l'admiration de celui qui avait tant souffert? Ou croyait-elle lui devoir quelque chose pour avoir brisé son rêve du Monte Sacro?

CHAPITRE VII

L'Idylle de Tautenburg

A Lucerne, le groupe se dispersa. Nietzsche retourna à Bâle et, de là, dans sa famille à Naumburg. Rée accompagna les deux femmes à Zurich, où il les quitta pour rentrer chez lui à Stibbe, en Prusse occidentale. Lou et sa mère séjournèrent pendant quelques semaines chez des amis à Zurich et, de là, allèrent à Hambourg pour y retrouver des parents de Mme von Salomé. La question de l'avenir de Lou n'était pas encore réglée. L'appel à l'aide de Mme von Salomé avait amené son fils Eugène en Allemagne. Mais lui-même ne put que mener un combat en retraite. Lou avait décidé de ne pas rentrer en Russie et, peu à peu, elle parvint à user la résistance de sa mère. Il fut enfin convenu que son frère l'accompagnerait à Stibbe, où les Rée possédaient un grand domaine, et la confierait aux soins de Mme Rée. Lou passerait avec eux les mois d'été.

Les Overbeck remarquèrent une transformation chez Nietzsche lorsqu'il revint de sa courte excursion à Lucerne. Son exubérance avait disparu. Il était maussade et paraissait fatigué. Mais il ne signalait aucun changement dans ses projets et parlait de Lou avec le même enthousiasme qu'auparavant. Il dit à Mme Overbeck que Lou avait exprimé le désir de la voir et il la pria de parler de lui à la jeune fille « avec la plus entière franchise ». Aucun tiers ne serait présent en cette occasion, pas même son mari. Mme Overbeck était quelque peu embarrassée par cette demande et, pour apaiser ses craintes, Nietzsche lui écrivit quelques jours plus tard de Naumburg : « J'étais trop agité pendant notre dernière rencontre et je vous ai laissés inquiets, l'ami Overbeck et vous. Il n'y avait à cela aucune raison : c'était tout l'inverse. Le destin tourne toujours à mon avantage, du moins en matière de raison. Pourquoi donc aurais-je peur de mon destin, surtout s'il vient à moi en la personne absolument inattendue de Lou? [1]»

Dans la même lettre, il déclarait n'avoir rien dit de Lou à sa famille, ce qui, bien entendu, n'était pas vrai. Il en avait parlé à sa sœur. Seule sa mère avait été laissée dans l'ignorance. Et même cette simple femme eût pu se demander ce qu'Élisabeth et Fritz entendaient par leurs fréquentes et mystérieuses allusions à une comédie populaire intitulée : *Il faut que quelqu'un se marie.* Mais elle avait l'habitude d'être exclue du monde privé de ses enfants, que, de toute façon, elle ne comprenait pas.

Peu de temps après son arrivée chez lui, Nietzsche reçut une carte postale de Rée lui disant que tout avait enfin été réglé : Lou passerait l'été à Stibbe. Le lendemain, Nietzsche quitta Naumburg. Il dit à sa mère et à sa sœur qu'il voulait explorer les environs de Berlin. Un forestier suisse rencontré à Messine par un chaud après-midi lui avait parlé en termes chaleureux des bois magnifiques qui entourent la capitale prussienne. Il éprouvait soudain le besoin de voir le Grunewald. S'il s'y plaisait, il y resterait un certain temps; sinon, il rentrerait à Naumburg.

Là encore, ce n'était pas la vraie raison du brusque voyage de Nietzsche à Berlin. Il espérait y voir Lou avant son départ chez les Rée à Stibbe. Mais cet espoir fut déçu. Lou venait de faire la connaissance d'un autre jeune philosophe, Heinrich von Stein, et elle était très heureuse de visiter Berlin en sa compagnie. Nietzsche ne la vit point et lorsqu'il chercha refuge dans le célèbre Grunewald, il eut une autre déception amère. Il découvrit que ce n'était pas du tout une forêt. C'était un lieu d'excursion populaire envahi par les amateurs de pique-niques, les enfants et les chiens. Dégoûté, il rentra en hâte à Naumburg.

Il ne lui restait maintenant qu'à attendre. « Ce fut une étrange année, écrivait-il à son ami, Peter Gast. Toutes sortes de choses importantes sont arrivées ou sur le point d'arriver. J'observe ce jeu de dés singulier avec étonnement et j'attends, j'attends. Tout doit s'arranger pour le mieux. Je vis avec une résignation fataliste en la volonté de Dieu. » Il demandait à son ami de l'aider à relire les épreuves du *Gai Savoir.* C'était, disait-il, son dernier livre parce qu'en automne il commencerait ses études à l'université de Vienne.

Durant cette période d'attente, Lou et Nietzsche correspondaient avec Malvida au sujet de leurs plans pour l'hiver.

1. C. A. Bernoulli, *Franz Overbeck und Friedrich Nietzsche : eine Freundschaft*, Iéna, 1908, I, p. 337.

Malvida fut enchantée d'apprendre que Lou avait de l'amitié pour Nietzsche et elle était sincèrement heureuse « que ce pauvre homme se plaise en votre compagnie... Si vous ne retournez pas en Russie, mon vœu serait que vous alliez chez les Nietzsche et vous rendiez avec Elisabeth Nietzsche à Bayreuth [2] ». C'était exactement ce que Nietzsche avait en vue. Il voulait que Lou rencontrât sa sœur et espérait qu'Elisabeth la déciderait à les rejoindre dans leur villégiature thuringienne de Tautenburg, où il se proposait de passer les mois d'été. Nietzsche était reconnaissant à Malvida de son appui et lui écrivait qu'une ferme amitié l'unissait maintenant à Lou, « aussi ferme que n'importe quelle chose de ce genre que l'on peut conclure sur terre. Je n'ai pas fait depuis longtemps meilleure acquisition. Je vous sais sincèrement gré, à vous et à Rée, de m'y avoir aidé. Cette année qui, à nombre d'importants égards, marque une nouvelle crise dans ma vie (" époque" est le mot juste, un intervalle entre deux crises : l'une derrière et l'autre devant moi) m'a été rendue merveilleuse par le charme et la grâce de cette jeune âme vraiment héroïque. J'espère avoir en elle une élève et, si ma vie ne doit pas durer beaucoup plus longtemps, une héritière et un disciple » [3].

« A propos, ajoutait-il, Rée aurait dû l'épouser pour résoudre maintes difficultés dans la situation de cette jeune fille, et, pour ma part, je ne lui ai pas épargné mes encouragements. Mais cela me paraît maintenant sans espoir. Rée est, au sens fondamental du terme, un pessimiste incorrigible, et j'avoue que je le respecte pour être resté fidèle à lui-même en dépit de toutes les objections de son cœur et de ma raison. L'idée de perpétuer l'humanité lui est insupportable et il ne peut se résoudre à accroître le nombre des malheureux. A ce propos, il a, pour mon goût, trop de pitié et trop peu d'espoir. A titre confidentiel. »

En raison de ce que Malvida savait des sentiments de Rée pour Lou, cette lettre dut l'embarrasser. Elle l'eût plus embarrasée encore si elle avait connu les sentiments de Nietzsche pour la jeune Russe. Mais son embarras se changea en alarme lorsque Lou lui écrivit qu'ils avançaient dans la préparation de leur projet d'études à trois. Lou dit qu'elle espérait partager un appartement à Vienne avec Rée et Nietzsche.

« Vous ne pouvez vivre avec ces deux jeunes hommes, écrivait Malvida en réponse. Non seulement parce que ce serait

2. Podach, *Nietzsche und Salomé*, *op. cit.*, p. 137.
3. E. Baeumler, éd., *Nietzsche in seinen Briefen und Berichten der Zeitgenossen*, Leipzig, 1932, p. 268.

un soufflet à la face du monde (ce ne serait pas là le pire), mais à cause du très grave inconvénient d'une telle situation, de ses côtés vraiment choquants, dont vous ne vous apercevriez que plus tard. Je n'ai aucune idée de la façon dont vous imaginez de "vivre et travailler ensemble [4]". Une chose à considérer sérieusement me semble être le fait que ce serait de nouveau pour Nietzsche une erreur complète. Il lui est désormais aussi impossible d'assister à des conférences que d'en faire. Il y a aussi le très mauvais climat de Vienne, alors qu'il a des preuves définitives qu'il ne peut vivre que dans le Sud.

« Tout cela est parfaitement naïf et déraisonnable. La chose peut sembler possible dans un moment d'enthousiame, mais elle s'avérera bientôt absolument impraticable. Pauvre Nietzsche ! Je souhaiterais que ce fût possible pour lui, mais je crois qu'il est même présomptueux de l'envisager... Et finalement cette "Trinité". Peu importe la mesure dans laquelle je puis croire à votre neutralité, mais l'expérience d'une longue vie et ma connaissance de la nature humaine me permettent de dire qu'elle n'est pas possible sans blesser cruellement un cœur en mettant les choses au mieux et sans détruire une amitié en les mettant au pire. »

Malvida n'était pas la seule à émettre de tels avertissements, mais ni Lou ni Nietzsche n'y prêtaient attention. Lou avait gagné le dernier round de son âpre lutte avec sa mère. A contrecœur Mme von Salomé s'était rendue au désir de sa fille et aux arguments persuasifs avancés en faveur de Lou par Rée et par Nietzsche.

« Il est possible, écrit-elle à Nietzsche, et je ne le nierai pas, que mon point de vue, qui soutient que la vie et le champ d'activité d'une femme résident en d'autres préoccupations que l'élévation intellectuelle recherchée par ma fille, soit démodé et hors de saison. Mais les idées dans lesquelles on a grandi ne peuvent être changées comme une vieille robe, surtout pas avant que la valeur du point de vue opposé ne soit évidente... Seul l'avenir montrera si elle [Lou] trouvera le bonheur véritable dans sa vie parfaitement libre. Je le souhaite de tout mon cœur et compterai pour rien les nombreux sacrifices qu'il m'aura coûtés ni les longs et durs combats, et je serai satisfaite. »

Avec l'approbation tacite de sa mère, Lou faisait des projets pour assister au Festival de Bayreuth, en juillet, tandis que Nietzsche essayait de persuader sa sœur d'inviter Lou à passer le mois d'août avec eux à Tautenburg, bien qu'il eût dit aux Overbeck : « Quant à ma sœur, je suis déterminé à la tenir en

4. Podach, *op. cit.*, p. 138.

dehors de tout ceci, car elle ne ferait qu'embrouiller les choses (et surtout perdre la tête elle-même). »

Presque six semaines s'étaient écoulées depuis qu'il avait dit au revoir à Lou à la gare de Lucerne et avant qu'elle ne lui donnât directement de ses nouvelles. Elle lui écrivit du domaine des Rée à Stibbe. Il en fut enchanté. Il demanda à sa sœur d'écrire immédiatement à Lou pour l'inviter à les rejoindre. Elisabeth, qui le regretta amèrement plus tard, accéda au désir de son frère. Au bout de deux semaines d'attente, les plus longues que Nietzsche eût jamais connues, la lettre d'acceptation de Lou arriva. Il lui écrivit aussitôt :

Ma Chère Amie,

Maintenant, le soleil brille au-dessus de ma tête. Hier à midi, j'avais l'impression d'un anniversaire ! Vous m'avez écrit que vous veniez, et c'est le plus beau cadeau que quiconque puisse me faire à présent. Ma sœur m'a envoyé des cerises. Taubner m'a envoyé les trois premiers placards d'épreuves du Gai Savoir. *Pour couronner le tout, la dernière partie du manuscrit vient d'être terminée et, avec elle, le travail de six années (1876-1882), ma « libre pensée » complète. Oh, quelles années ! Quels tourments ! Quelle solitude et quel dégoût de la vie ! Et contre tout cela, contre la vie, contre la mort, pour ainsi dire, j'ai malaxé mon remède, c'est-à-dire mes pensées avec leurs petits, très petits aperçus de ciel sans nuages. Oh, ma chère amie, quand je pense à tout cela, je suis tout ébranlé et ne sais comment j'ai pu réussir. Je suis envahi par un sentiment de pitié de soi et de victoire. Car c'est une victoire complète... Ma santé elle-même est revenue, je ne sais d'où, et tout le monde me dit que je parais plus jeune que jamais. Dieu me préserve des folies !... Mais, désormais, lorsque vous me conseillerez, je serai bien conseillé et n'aurai plus besoin d'avoir peur.*

Quant à cet hiver, je songe sérieusement et exclusivement à Vienne. Les projets de ma sœur pour l'hiver sont tout à fait indépendants des miens et tout changement est exclu. Le sud de l'Europe s'est effacé de mon esprit. Je ne veux plus être seul, je veux apprendre de nouveau à être humain. C'est une leçon qu'il me faut apprendre depuis le commencement !...

Acceptez mes remerciements, chère amie. Comme vous le dites, tout ira pour le mieux. Mes meilleurs souvenirs pour l'ami Rée.

Entièrement vôtre, F. N.

Cette lettre est d'une naïveté pathétique. La première partie, où Nietzsche dépeint ses six années de tourment et de solitude, est, en vérité, pleine de « pitié de soi », mais la victoire qu'il proclame sonne plutôt le creux, comme quelqu'un qui siffle dans le noir pour se donner du courage, tout comme ce qu'il dit de sa bonne santé, alors que Lou savait qu'il n'allait pas bien du tout. Quant à sa curieuse vantardise — il paraîtrait beaucoup plus jeune — elle dut la faire sourire. Voulait-il lui faire comprendre qu'il était assez jeune pour elle? Assez jeune, en tout cas, pour toutes sortes de folies. Et que devait-elle penser de cette promesse de mettre en elle toute sa confiance? Lui, un homme mûr, un professeur d'université, recherchant les conseils d'une jeune fillle de vingt et un ans! Et que penser de cette phrase étrange : « Tout changement est exclu »? Voulait-il rassurer Lou et insinuer qu'il se contentait d'être son ami et n'avait pas d'autre intention? En ce cas, il promettait plus qu'il ne pouvait tenir.

Après avoir écrit à Lou, il attendit de nouveau sa réponse avec impatience. Mais Lou garda le silence. Elle avait consenti à retrouver Elisabeth à Bayreuth et à rejoindre avec elle Nietzsche à Tautenburg. Il était inutile de continuer de correspondre à ce sujet. De plus, elle passait de si bonnes journées chez les Rée et s'était si bien prise d'amitié pour Paul, qui faisait tout ce qui était en son pouvoir pour qu'elle se sentît chez elle, qu'elle ne s'apercevait guère de la rapidité avec laquelle les semaines s'écoulaient. Elle regrettait presque d'avoir promis à Nietzsche de le rejoindre à Tautenburg. Rée le regrettait, lui aussi. A peine pouvait-il supporter l'idée qu'elle allait le quitter. Ne recevant pas de réponse de Lou, Nietzsche lui écrivit de nouveau :

« Maintenant, ma chère amie, tout va merveilleusement bien et nous nous reverrons de samedi en huit. Peut-être ma dernière lettre ne vous est-elle pas parvenue? Je l'ai écrite il y a eu dimanche deux semaines. Si vous ne l'aviez reçue, j'en serais fâché. J'y décrivais un très heureux moment : nombre de bonnes choses me sont soudain arrivées et la meilleure de toutes est votre lettre d'acceptation...

« J'ai beaucoup pensé à vous et partagé avec vous en esprit tant de choses importantes et heureuses et de moments émouvants que j'ai vécu comme si j'étais en compagnie de mes amis. Si vous pouviez savoir comme cela paraît étrange à un vieil ermite! J'ai souvent ri de moi-même!

« Quant à Bayreuth, je suis ravi de n'avoir pas à y aller. Et pourtant, si je pouvais être près de vous comme un esprit, vous murmurant ceci et cela à l'oreille, je pourrais même supporter la musique de *Parsifal* (sinon, je ne puis la supporter). Avant que vous ne partiez, j'aimerais que vous pussiez lire mon petit livre, *Richard Wagner à Bayreuth.* L'ami Rée le possède peut-être... Les dernières paroles écrites pour moi par Wagner sont un envoi dans un bel exemplaire de *Parsifal* : A mon cher ami, Friedrich Nietzsche, Richard Wagner, Oberkirchenrat. Dans le même temps exactement, Wagner recevait mon livre, *Humain, trop humain.* Avec cela, tout était clair, mais aussi tout était fini.

« Combien souvent, en toutes sortes de circonstances, ai-je éprouvé juste ceci : "Tout est clair, mais aussi tout est fini."

« Et combien je suis maintenant heureux, Lou, mon amie bien-aimée, de pouvoir penser qu'en ce qui nous concerne, "tout commence et pourtant tout est clair". Croyez en moi! Croyons l'un en l'autre! »

La teneur de ces lettres n'est guère celle d'un soupirant repoussé et résigné à son sort et si Lou avait été plus mûre du point de vue émotionnel, elle eût réfléchi avant de consentir à rejoindre Nietzsche dans sa retraite de Tautenburg. Il attendait évidemment d'elle plus qu'elle n'était disposée à donner.

Lou, sans aucun doute, se passionnait pour les idées de Nietzsche et pour la façon dont il les exprimait. Peut-être avait-elle envie de voir jusqu'où elle pouvait aller sans se compromettre. Elle jouait en ce cas un jeu dangereux. Le silence qu'elle garda plus tard sur cette affaire et son refus de se défendre, même quand elle fut publiquement attaquée par la sœur de Nietzsche, provient peut-être d'un sentiment de culpabilité. Il se peut qu'elle ait compris plus tard que sa conduite avait été indiscrète et avait pu donner lieu à de graves malentendus.

Nietzsche se rendait certainement compte qu'on pouvait se méprendre sur ses relations avec Lou et protestait vigoureusement que ce n'était pas une affaire de cœur. Mais il protestait trop. Ainsi, que devait penser Peter Gast d'une lettre qu'il reçut de Nietzsche au milieu de juillet? Son ami l'y exhortait à écarter de son esprit toute idée selon laquelle lui, Nietzsche, avait une affaire de cœur avec la jeune Russe? Gast n'avait même pas entendu parler de Lou avant cette lettre et l'idée de Nietzsche amoureux d'une jeune fille de vingt et un ans dut lui paraître absurde. Pourquoi Nietzsche en parlait-il? Gast avait d'autres raisons d'être intrigué par la soudaine entrée de Lou dans la vie de Nietzsche. Au début de juillet, il avait reçu un poème écrit de la main de son ami, intitulé *Hymne à la Douleur*. Puisqu'il n'y avait pas de lettre d'accompagnement, Gast, bien entendu, avait supposé que Nietzsche était l'auteur du poème et l'en avait complimenté. Quinze jours plus tard, Nietzsche le détrompait :

« Ce poème, *Hymne à la Douleur*, n'était pas de moi. Il est de ces choses qui ont sur moi un complet ascendant. Il ne m'a jamais été possible de le lire sans verser des larmes. C'est, il me semble, une voix que j'ai toujours attendue, attendue depuis mon enfance. Ce poème est de mon amie Lou, dont vous n'avez pas encore entendu parler. Lou est la fille d'un général russe. Elle a vingt ans. Elle est aussi prompte qu'un aigle et aussi brave qu'un lion, et pourtant c'est également une jeune fille très enfantine qui ne vivra peut-être pas longtemps. Je la dois à Malvida von Meysenbug et à Rée. Elle séjourne actuellement chez les Rée et, après Bayreuth, elle viendra à Tautenburg. En automne, nous irons ensemble à Vienne.

« Je suis certain, mon cher ami, que vous avez assez d'estime pour nous deux pour écarter de votre esprit toute notion d'une affaire de cœur. Nous sommes des amis et je respecterai cette jeune fille et sa confiance en moi. En outre, elle possède une assurance incroyable et sait fort bien ce qu'elle veut sans en demander la permission au monde ni se soucier de ce que le monde pense d'elle. Tout ceci est pour vos seules oreilles et pour personne d'autre. »

Pouvait-il exister quelque chose de plus révélateur? Il proteste qu'il n'y a entre eux aucune affaire de cœur, mais il est évident que Lou, la jeune fille à l'esprit d'aigle et au cœur de lion avait sur lui un pouvoir absolu. Il est amusant et assez pathétique d'apprendre par Nietzsche lui-même que, jusque-là, la résistance de Lou s'était avérée plus forte que son désir. Mais il l'aurait bientôt près de lui et Rée ne serait pas là. N'était-il pas fondé à interpréter son acceptation de venir comme un présage de plus annonçant que son étoile se levait enfin?

Tandis que, plein d'espoir, Nietzsche attendait dans la solitude de la forêt de Tautenburg le moment décisif de sa vie, son rival, Richard Wagner, faisait des préparatifs pour la grande finale de son étonnante carrière, la première de *Parsifal*. Pendant des années, ses amis avaient supplié Wagner d'achever cette œuvre, commencée six ans auparavant, et de la présenter à Bayreuth. Et, pendant des années, Wagner avait hésité. Non parce qu'il ne se sentait pas à la hauteur de sa tâche, mais parce que monter *Parsifal* dans un théâtre contemporain lui semblait presque une profanation.

« Et, en vérité, un drame dans lequel on montre les mystères les plus sublimes de la foi chrétienne peut-il être produit dans des théâtres tels que les nôtres, devant des auditoires tels que les nôtres, comme faisant partie d'un répertoire d'opéra tel que le nôtre?[5] »

Mais Wagner céda enfin au désir de son roi et aux instances de ses amis et consentit à diriger la première représentation de *Parsifal* à Bayreuth au cours de l'été de 1882.

Ce fut un événement spectaculaire. Les wagnériens de tous les pays y assistèrent et, pendant la dernière semaine de juillet, la petite ville bavaroise fut le centre du monde musical. Les ennemis de Wagner eux-mêmes durent admettre que le vieux magicien avait, une fois de plus, remporté un triomphe complet. 1882 porta le nom d' « année de *Parsifal* ».

C'est dans cette atmosphère de wagnérisme fervent qu'Élisabeth Nietzsche fit la connaissance de Lou Salomé. Il serait difficile d'imaginer deux femmes plus différentes. Comme Kriemhild et Brunhild, elles venaient de mondes différents et représentaient des idéaux diamétralement opposés. L'une était hardie et ennemie des conventions, l'autre pharisaïque et mesquine. Elles devaient fatalement se heurter, même si elles s'étaient rencontrées en des circonstances plus favorables. Mais là, dans l'ombre du géant avec lequel Nietzsche poursuivait une vendetta personnelle, leurs relations furent tendues dès le commencement et atteignirent leur point de rupture quelques jours plus tard.

A cette époque, Élisabeth Nietzsche avait trente-six ans. Elle avait passé presque toute sa vie avec sa mère dans la petite ville compassée de Naumburg-sur-Saale, où son père avait été un pasteur protestant. Élevée dans un style conventionnel, elle était imbue de l'idéal de respectabilité de cette classe moyenne comme il faut, auquel la plupart des jeunes filles de son temps et de sa condition obéissaient aveuglément. Elle allait régulièrement à l'église, aidait sa mère, et plus tard son frère, aux menus travaux de la maison, avait une grande activité sociale, aimait à aller à des réceptions et était un membre populaire de la société de Naumburg. C'était une jeune femme attrayante avec son joli visage, sa charmante silhouette et son esprit vif. Et pourtant, à son âge, elle n'avait jamais aimé vraiment, était encore célibataire et, à part son affection pour son frère et son dévouement pour sa mère, elle n'avait formé aucun lien intime. Son vaste cercle d'amis et de connaissances était surtout important pour elle, on l'imagine, comme source de commérages. Car, à l'exemple de nombreuses filles qui prennent de l'âge et ne sont pas

5. E. Newman, *The life of Richard Wagner*, New York, 1946, vol. IV, p. 612.

encore résignées au célibat, Lisbeth Nietzsche songeait toujours au mariage et, en guise de substitut, prenait plaisir à commenter les aventures d'autrui. Elle éprouvait une grande satisfaction à trouver des défauts dans la moralité des autres, à les prendre par surprise et à découvrir ce que son frère appelait leurs défaillances « Humaines, trop humaines ».

Si Élisabeth Nietzsche avait fait un effort délibéré pour rencontrer quelqu'un devant inévitablement aviver son sentiment de frustration, elle n'eût pu trouver mieux que Lou. Ses habitudes peu conventionnelles, sa choquante liberté d'attitude envers les hommes, son indifférence à la propreté la plus ordinaire causaient à Élisabeth une répulsion presque physique. Comment son frère pouvait-il vouloir lier sa vie à celle d'une telle créature? Et Lou, sentant la réprobation instinctive d'Élisabeth à son égard, réagissait, ainsi qu'elle faisait toujours en pareille circonstance, en exagérant ses excentricités. Elle ne manquait pas d'occasions pour cela dans la société cosmopolite de Bayreuth.

Malvida von Meysenbug était une invitée d'honneur au Festival de Bayreuth. Il était bien connu qu'elle était l'une des amies les plus proches du compositeur. En tant que protégée de Malvida, Lou fut présentée au cercle intime de Wagner et devint très vite populaire dans l'entourage du Maître, surtout parmi les hommes. Les femmes étaient plus réservées à son égard. On la voyait souvent en compagnie d'un jeune Russe de talent, Joukovski, peintre et dessinateur de maquettes de théâtre, depuis longtemps ami intime de Wagner, à qui l'on avait confié les décors de *Parsifal*. Élisabeth avait dû être ulcérée de voir ces deux Russes folâtrer si près du trône du Maître, tandis qu'elle, à cause de l'inimitié entre son frère et Wagner, devait garder une certaine distance. Lou ne ridiculisait-elle pas son frère en s'associant si vulgairement avec ses ennemis? Et les histoires qu'on colportait sur cette fille! On racontait qu'elle avait ôté sa robe en public pour permettre à Joukovski, qui était aussi un remarquable dessinateur de modèles, de dessiner une robe sur elle. On disait aussi qu'elle avait assisté à des réceptions nocturnes où elle était la seule femme présente. Dieu sait ce qui s'y était passé! Il n'était pas difficile d'imaginer quelle sorte de fille était Lou. Plus Élisabeth voyait Lou et entendait parler d'elle, plus elle était alarmée et déterminée à ouvrir les yeux de son pauvre frère aveugle et à lui montrer ce qu'était en réalité son nouveau disciple.

Mais ce qui exaspéra vraiment Élisabeth, ce fut une scène qui se passa à la gare de Bayreuth. Elle y avait accompagné le Dr Bernard Förster, un jeune homme de sa connaissance, et bavardait gaiement avec lui sur le quai avant son départ de Bayreuth. Förster, un antisémite bien connu qui avait joué un rôle essentiel dans la campagne de 1881, pendant laquelle plus de 250 000 signatures furent recueillies pour envoyer une pétition à Bismarck en vue d'arrêter l'immigration juive en Allemagne, avait assisté au Festival de Bayreuth surtout parce qu'il vénérait Wagner en tant que partisan du germanisme pur et sympathisant du mouvement antisémite. Une autre raison pour la venue de Förster à Bayreuth était Élisabeth Nietzsche. Il la connaissait depuis un certain temps et en était devenu très épris. Il se peut qu'il l'ait demandée en mariage dans la semaine du festival. En tout cas, l'inattendu s'était produit. Tout à coup, dans sa trente-sixième année, Élisabeth aimait et était aimée. Peut-être était-elle secrètement fiancée à Förster, qu'elle épousa deux ans plus tard, lorsqu'elle l'accompagna à la gare de Bayreuth. Qu'on imagine son chagrin quand elle découvrit que Lou et son ami voyageaient ensemble dans le même train!

Lou avait décidé, sur l'impulsion du moment, de quitter Bayreuth un peu plus tôt qu'Élisabeth parce que, ainsi qu'elle l'admettait franchement, la musique de Wagner était pour elle lettre morte. Elles avaient convenu de se retrouver dans une maison amie à Iéna et, ensuite, de voyager ensemble jusqu'à Tautenburg. Élisabeth n'avait pas été fâchée de voir Lou quitter Bayreuth. Elle désirait parler à Wagner sans témoins pour essayer de faire la paix entre son frère et lui, mais elle ne voulait pas que son frère le sût. Elle craignait, et à juste titre, qu'il n'en fût irrité. Aussi longtemps que Lou serait restée à Bayreuth et intimement liée avec les amis de Wagner, il eût été évidemment difficile de garder le secret d'une telle entrevue. Lou en eût entendu parler et, pensait Élisabeth, mis son frère au courant. Elle avait donc été enchantée d'apprendre que Lou avait l'intention de partir. Mais son plaisir fut de courte durée. A son horreur, elle remarqua, tandis que le train se mettait en marche, que Lou était entrée dans le compartiment de Förster et engageait tout de suite avec lui une conversation animée. C'était scandaleux. Et là, debout, sur le quai, elle était forcée de voir cette « terrible Russe » faire des coquetteries devant son ami. Élisabeth décida aussitôt que Lou était une menace... et non seulement pour son frère. Plus tôt elle se débarrasserait de la jeune fille, mieux cela vaudrait pour tout le monde.

Lorsqu'elles se retrouvèrent à Iéna, Élisabeth eut l'occasion de dire à Lou ce qu'elle pensait d'elle. Cela commença assez innocemment. Élisabeth prit Lou à part et dit à sa « jeune sœur » que le bien le plus précieux d'une jeune fille est sa réputation. Hélas, elle est facilement endommagée et difficile à rétablir. Puis elle soupira et dit que Lou était peut-être trop jeune pour comprendre à quel point une jeune fille doit être prudente : un geste inconsidéré, un regard, une parole téméraire, et tout est perdu. A ces mots, Lou éclata de rire. Il était inutile que sa « grande sœur » poursuivît, car, si Élisabeth avait raison, tout était alors perdu. Mais Lou ajouta qu'elle n'avait aucun regret et qu'elle ne s'était pas ennuyée un seul instant.

Élisabeth la réprimanda sévèrement. Pour une jeune demoiselle, il était inconvenant de parler ainsi. De fait, elle considérait de son devoir de dire à Lou qu'elle avait été grandement choquée par sa conduite à Bayreuth. La façon dont Lou avait flirté avec Joukovski avait été un scandale public. C'était l'avis de tous. Malvida lui avait dit en confidence qu'elle regrettait maintenant d'avoir présenté Lou à ses amis de Bayreuth. Et elle, Élisabeth, avait été affreusement gênée lorsqu'on lui avait demandé s'il était vrai que Lou dût les rejoindre, son frère et elle, à Tautenburg. Lou ne comprenait-elle pas qui était son frère? Ne savait-elle pas que c'était l'un des plus grands penseurs actuels, un homme ayant les principes les plus hauts, presque un saint? Ne se sentait-elle pas honteuse de s'être publiquement commise avec ses ennemis?

Lou était consternée. Elle savait que les gens avaient parlé d'elle et de Joukovski, mais elle n'y avait prêté aucune attention. Elle méprisait complètement les commérages. Ce qu'elle faisait de sa vie ne regardait qu'elle. Quant à prendre parti dans la querelle de Nietzsche et de Wagner, cela ne lui était jamais venu à l'esprit. D'un ton mordant, elle répondit que personne ne se souciait moins de Nietzsche que le comte Joukovski. Il n'avait même jamais prononcé son nom.

Élisabeth fut piquée par les remarques de Lou. Joukovski était le favori de Wagner. Il occupait la place qui, dix années auparavant, avait été celle de Nietzsche. Il était blessant pour Élisabeth d'apprendre que le nom de son frère n'était même plus prononcé dans le cercle de Wagner. Pour Wagner, Nietzsche était mort. Elle répliqua avec véhémence que Joukovski était un charlatan dont le nom ne méritait pas d'être cité en même temps que celui de son frère. Lou, c'était évident, ne connaissait pas la différence qu'il y a entre un génie et un imposteur. Et puisqu'elles étaient en train de s'expliquer si franchement, elle pouvait tout aussi bien dire à Lou que sa proposition de partager un appartement avec son frère et Rée était tout à fait indécente. Pour des Russes, un tel arrangement, sous le couvert de l'amitié, était peut-être possible, mais non parmi les gens civilisés. Suggérer cela à son frère était une insulte.

C'en était trop pour Lou.

« Ne vous mettez pas dans la tête que je m'intéresse à votre frère ou que je suis amoureuse de lui. Je pourrais passer toute une nuit dans une chambre avec lui sans la moindre excitation. C'est votre frère qui, le premier, a souillé notre plan d'étude par les plus basses intentions. Il n'a commencé à parler amitié que lorsqu'il a compris qu'il ne pouvait m'avoir pour rien d'autre. C'est votre frère qui, le premier, m'a proposé "l'amour libre [6]". »

Lorsqu'elle entendit cela, Élisabeth eut une crise nerveuse. Toute secouée de sanglots, elle couvrit son visage de ses mains et, avant d'avoir pu gagner la salle de bains, se mit à vomir.

Lou était effrayée et furieuse. Quel début pour passer des vacances en commun! Elle souhaitait retourner à Stibbe, où Rée l'attendait. Elle n'aurait pas dû accepter l'invitation de Nietzsche. Rée avait raison : quand on fait quelque chose par bonté, cela finit mal. Mais il était maintenant trop tard pour de telles réflexions. Il lui fallait calmer cette sotte hystérique.

Le lendemain, les deux femmes se raccommodèrent tant bien que mal. Élisabeth dit qu'elle regrettait de s'être emportée. Elle suggéra qu'on ne parlât de l'incident à personne. Mieux valait oublier les choses désagréables. Mais elle espérait que Lou ne parlerait plus jamais de son frère de cette façon. Elle ne pourrait le supporter. Lou, c'était évident, avait de lui une impression complètement fausse. Peut-être Rée l'avait-il mal informée? Extérieurement, Élisabeth faisait montre d'amitié, mais son ressentiment contre Lou était encore grand. Il lui vint soudain à l'esprit que Rée était juif. Peut-être Lou était-elle juive, elle aussi? Cela expliquerait bien des choses : son manque de respect pour la tradition, sa conduite vulgaire, sa façon sournoise de saper l'autorité. Bernard Förster traitait les Juifs d' « éléments de décadence » et disait qu'ils corrompaient le peuple allemand. N'était-ce pas ce que Lou faisait à son frère? Elle surveillerait la jeune fille et avertirait Fritz. Il fallait qu'il sût combien elle était dangereuse et ce que les gens avaient dit d'elle. S'il n'était prudent, elle causerait sa ruine. C'est avec de telles pensées qu'Élisabeth emmena Lou à Tautenburg.

6. Erich Podach, *Deutsche Rundschau*, avril 1958, p. 364.

Nietzsche les attendait à la gare de Dorndorf. Il était de joyeuse humeur. L'arrivée de Lou mettait fin à sa longue attente. Son rêve du Monte Sacro était enfin revenu. Elle était ici avec lui et il avait presque tout un mois pour la conquérir. Il l'aida galamment à descendre du train, lui baisa la main et lui souhaita la bienvenue dans sa retraite forestière de Thuringe. Ses yeux brillaient, il souriait et bavardait gaiement, leur racontant les dernières rumeurs locales. Élisabeth observa avec consternation que les sentiments de son frère étaient dangereusement engagés. Elle ne l'avait jamais vu ainsi. « Fritz est follement amoureux de Lou », écrivait-elle à son amie d'Iéna. Il n'y avait pas de temps à perdre. Il fallait le désillusionner avant que quelque chose d'irréparable ne survînt.

Pendant que Lou s'installait dans la petite chambre du presbytère que Nietzsche avait louée pour elle, Élisabeth raconta brièvement à son frère ce qui était arrivé. Elle n'entra pas dans le détail. Certaines choses étaient trop pénibles à rapporter. Son accusation principale fut que Lou l'avait trahi en faisant cause commune avec ses ennemis de Bayreuth. C'était une attitude habile. Elle savait que si quelque chose pouvait rompre l'enchantement que Lou exerçait sur son frère, c'était le fait qu'elle l'avait ridiculisé à Bayreuth. Et elle avait raison. Nietzsche l'écouta avec une souffrance visible. Il se sentait blessé et humilié. Que Lou, justement Lou, l'eût trahi à Bayreuth, c'était plus qu'il n'en pouvait supporter.

Quand Lou revint, elle vit tout de suite que quelque chose n'allait pas. La joie de Nietzsche avait disparu. Il la regarda avec reproche et lui demanda pourquoi elle avait été si indiscrète. Avait-elle oublié ce qu'il lui avait dit à propos de Wagner et de lui? Il était peiné à la pensée qu'elle s'était moquée de lui devant ses ennemis de Bayreuth, surtout après avoir accepté son invitation. Il y eut une scène. Lou était irritée qu'on lui demandât compte de sa conduite. Nietzsche n'avait pas le droit de lui désigner les gens qu'elle pouvait fréquenter. Et, quant à accepter son invitation, elle était prête à partir sur-le-champ. Mais Nietzsche ne voulut pas en entendre parler. Il fit des excuses pour sa susceptibilité au sujet de Wagner et lui proposa d'aller faire une promenade. Il voulait lui montrer où les anciens du village projetaient de placer un banc en son honneur, un banc qui porterait cette inscription : *Le Gai Savoir*. Il était peut-être mort à Bayreuth, mais, à Tautenburg, c'était un écrivain célèbre.

Une fois de plus, Lou fut étonnée par le brusque changement d'humeur de Nietzsche. Plein d'amertume et de reproches une minute auparavant, il était maintenant plein d'allégresse. Avait-il été sérieux auparavant? Était-il sincère à présent? Elle n'eût pu le dire, mais elle consentit à sortir avec lui. Élisabeth s'excusa, disant qu'il lui fallait défaire ses malles. Une fois de plus, ils étaient seuls et leur malentendu était dissipé. Ils parlaient librement, avec aisance, comme s'ils se connaissaient depuis des années. Lorsqu'ils arrivèrent à l'endroit de la forêt où le banc commémoratif devait être placé, Nietzsche dit à Lou qu'il était encore le dindon de la farce car, selon une légende locale, un homme mort avait un jour été trouvé là et le lieu était encore connu sous le nom populaire de *Totter Mann*. Il semblait penser que c'était là une bonne plaisanterie et riait de bon cœur. Mais Lou frissonna... L'Homme Mort... c'était plutôt macabre. Comment pouvait-il plaisanter là-dessus? Mais Nietzsche ne lui donna pas le temps de réfléchir. Il continua de parler avec l'abandon d'un enfant qui rentre de l'école. Sa bonne humeur était si contagieuse que Lou se laissa gagner. Elle remarqua de nouveau qu'il était difficile de lui résister quand il était ainsi en verve.

Afin de noter ses pensées et ses sentiments pendant ses vacances à Tautenberg, Lou tenait un journal sous forme de lettres adressées à Rée, que l'idée de voir Lou séjourner un mois auprès de Nietzsche avait contrarié et qui voulait être constamment informé de ce qui se passait. Dans sa première lettre, datée du 14 août 1882, elle écrit :

« Nietzsche, qui, somme toute, possède une volonté de fer, est sujet à de violents et brusques changements d'humeur. Je savais qu'un jour nous en viendrions à nous connaître mutuellement, ce que nous n'avions pu faire au début à cause du tumulte de nos sentiments, et que nous découvririons bientôt, tous menus commérages mis à part, que nous sommes profondément semblables. Je le lui avais déjà dit en répondant à son étrange et première lettre. Et c'est bien ce qui est arrivé. Après une journée passée avec lui, durant laquelle je me suis efforcée d'être gaie et naturelle, nous retrouvâmes notre ancienne intimité. Il monta souvent dans ma chambre et, dans la soirée, il prit ma main, l'embrassa deux fois et commença à me dire quelque chose qu'il ne finit point. Durant les jours qui suivirent, il me fallut rester au lit. Il m'envoya des lettres dans ma chambre et me parla à travers la porte. Maintenant je n'ai plus de fièvre et je me suis levée. Hier, nous sommes restés tout le jour ensemble et, aujourd'hui, nous avons passé une journée merveilleuse dans un bois de pins calme et sombre, seuls avec les rayons de soleil et les écureuils. Élisabeth était à Dornburg avec des amis. A l'auberge, où nous avons déjeuné sous un gros tilleul branchu, les gens croient que nous sommes l'un à l'autre, tout comme vous et moi, si je porte ma toque et que Nietzsche arrive sans Élisabeth.

« Comme vous le savez, parler avec Nietzsche est passionnant. Mais c'est plus passionnant encore si l'on a des idées identiques, des sentiments identiques... nous nous comprenons parfaitement. Un jour, il m'a dit, plein d'étonnement : "Je crois que la seule différence entre nous est celle de l'âge. Nous avons vécu et pensé pareillement."

« C'est seulement parce que nous sommes si semblables qu'il réagit si violemment aux différences qui existent entre nous, ou ce qui lui apparaît comme des différences. C'est pourquoi il est si bouleversé. Quand deux personnes sont dissemblables, comme vous et moi, elles sont enchantées quand elles se découvrent des points de contact. Mais lorsqu'elles se ressemblent autant que Nietzsche et moi, elles souffrent de leurs différences.

« J'avais eu l'intention de prendre des notes sur nos conversations, mais c'est presque impossible parce qu'elles vont des plus proches aux plus lointains royaumes de la pensée et ne se prêtent pas à des formulations précises. Et, en réalité, la teneur de nos conversations n'est pas aussi importante que cette rencontre à mi-chemin de nos esprits. Nietzsche aime tant à parler avec moi qu'il m'a avoué hier que, même lors de notre première querelle à mon arrivée, et tout en se sentant misérable, il ne pouvait résister à une sorte de joie à cause de ma façon d'argumenter.

« Il a lu mon essai sur les femmes et a trouvé horrible le style de la première partie. Il serait trop long d'écrire ce qu'il a dit d'autre... Il m'a conseillé de continuer mon petit travail et m'a donné les titres de quelques livres qui me seraient utiles. J'ai été contente de l'entendre dire qu'il déteste toute œuvre créatrice à moins qu'elle ne soit excellente. Il ne m'eût pas conseillé de poursuivre mon essai s'il n'avait pu le faire avec une bonne conscience. Il a dit que je pourrais apprendre à écrire en une journée parce que j'étais prête pour cela.

« J'ai une très grande confiance dans sa capacité d'enseigner. Nous nous comprenons si bien l'un l'autre. Mais je me demande s'il est bon pour lui de parler avec moi tout le long du jour, du matin jusqu'au soir, au lieu de faire son propre travail. Je le lui ai dit aujourd'hui. Il a hoché la tête et répondu : "J'en ai eu si rarement l'occasion que j'y prends plaisir comme un enfant." Mais, le soir même, il a dit : "Je ne dois pas vivre trop longtemps près de vous."

« Des souvenirs de notre séjour en Italie nous reviennent souvent et, hier, tandis que nous longions un petit sentier, il a dit doucement : "Monte Sacro... Je vous dois le plus beau rêve de ma vie."

« Nous sommes très gais. Nous rions beaucoup. A la grande horreur d'Élisabeth (qui, par parenthèse, est rarement avec nous), ma chambre est immédiatement visitée par des « esprits frappeurs » quand Nietzsche y pénètre. Nous devons avoir en commun le don maudit de les provoquer. Je suis heureuse que l'expression de tristesse qui me faisait mal ait disparu de son visage et que ses yeux soient de nouveau clairs et brillants.

« Nous passons aussi des heures délicieuses à la lisière de la forêt, sur un banc près de sa maison de ferme. Comme il fait bon rire, et rêver, et bavarder dans le soleil, en fin d'après-midi, quand les derniers rayons tombent sur nous à travers les branches des arbres... »

C'était une existence idyllique, mais il y avait des moments où Lou se sentait mal à l'aise. Nietzsche avait une façon de parler de Rée qui lui déplaisait. Il le traitait de lâche et prétendait que c'était un candidat au suicide qui jouissait de la souffrance et portait toujours sur lui une fiole de poison pour le cas où la vie deviendrait insupportable. Bien qu'il plaisantât à demi, Lou se rendait compte que ces paroles étaient destinées à l'influencer contre Rée et elle en était irritée. Et, bien souvent, elle sentait que Nietzsche nourrissait encore des espoirs qu'elle croyait enterrés. Il lui prêtait trop d'attention, était trop empressé à lui plaire. Elle notait dans son journal que, dans leurs conversations, ils atteignaient souvent un territoire interdit.

« Si quelqu'un nous avait écoutés, il aurait cru entendre parler deux démons. » Et elle se demandait : « Sommes-nous réellement proches? Non, nous ne le sommes pas. Ces espoirs que Nietzsche caressait il n'y a que quelques semaines jettent une ombre sur mes sentiments et nous éloignent l'un de l'autre. Et, au plus profond de notre être, des mondes nous séparent. Comme une vieille forteresse, Nietzsche a en lui nombre de cachots noirs et de passages secrets que l'on ne voit pas tout d'abord et qui, peut-être, contiennent son véritable caractère.

« Chose étrange, l'autre jour, il me vint soudain à l'idée que nous pourrions plus tard nous affronter comme des *ennemis* [7]. »

7. Podach, *Nietzsche und Salomé*, p. 144.

Cette idée doit également avoir frappé Nietzsche, car il était évident que sa sœur détestait Lou cordialement. Il était aussi évident qu'elle essayait de le dresser contre la jeune fille. Que devait-il faire? Il avait espéré trouver en sa sœur une alliée, mais il lui fallait compter avec l'hostilité active d'Élisabeth. En essayant de gagner Lou, il risquait de perdre sa sœur. C'était un terrible dilemme. Élisabeth, après tout, était de la même chair, du même sang. Elle était plus proche de lui que quiconque. Ils avaient grandi ensemble et avaient vécu ensemble presque comme mari et femme. Élisabeth était beaucoup plus pour lui qu'une sœur. C'était son aide, sa confidente, son « Fidèle Lama ». Il était terrible d'être forcé de choisir entre elle et Lou, et pourtant il fit ce choix. C'est pourquoi Élisabeth ne pardonna jamais à Lou.

Il y a, dans les lettres de Nietzsche à Gast, des allusions à sa lutte entre son amour pour sa sœur et son amour pour Lou. Elles ne laissent aucun doute sur l'échec d'Élisabeth. Le 4 août, par exemple, il disait à Gast :

« Un jour, un oiseau vola près de moi et, superstitieux comme tous les solitaires qui se trouvent à un moment décisif, je crus voir un aigle. Tout le monde me dit maintenant que je me suis trompé et qu'il y a à ce sujet beaucoup de commérages européens. Quel est donc le plus heureux? Moi, celui qui a été "leurré", comme on le prétend, qui ai vécu durant tout l'été dans une sphère plus haute et pleine d'espoir grâce à cet oiseau de présage, ou ceux qui "ne peuvent être leurrés"? »

Et, dix jours après : « J'ai eu à traverser une rude épreuve et je l'ai traversée. Lou va rester ici deux semaines de plus. A l'automne, nous nous retrouverons (à Munich?). J'ai le don d'observer les gens. Ce que je vois existe, même si les autres ne le voient pas. »

Et de nouveau, le 20 août, une semaine plus tard : « Lou restera ici une semaine encore. C'est la plus intelligente des femmes. Tous les cinq jours, nous avons une petite scène tragique. Tout ce que je vous ai écrit à son sujet n'est qu'absurdité... y compris, probablement, ce que je viens d'écrire. »

Élisabeth observait Lou et son frère avec une indignation déguisée. Voir Fritz tomber sous le charme de la « terrible Russe » la rendait furieuse. Elle eût quitté Tautenburg si elle avait pu le faire sans provoquer un scandale. Lou et son frère se comportaient comme si elle n'existait pas, pour ainsi dire. La façon dont ils la traitaient était absolument insultante. Elle sentait qu'ils se moquaient d'elle derrière son dos. Et elle était choquée par la conduite de Lou, qui laissait son frère rester dans sa chambre la moitié de la nuit. La « discrétion » était un mot qui semblait ne pas exister dans le vocabulaire de Lou. Elle se faisait gloire de sa franchise. Sa franchise, en vérité! Aux yeux d'Élisabeth, la franchise de Lou n'était qu'un manque de modestie. Elle rougissait lorsqu'elle saisissait des bribes de leur conversation. Ils semblaient avoir perdu toute pudeur. Ils parlaient de tout : de Dieu, de la religion, de la morale, des questions sexuelles, avec une complète absence de la décence la plus élémentaire. Et mieux encore, dans la mesure où elle en pouvait juger, ils renversaient tout : la religion était un rêve enfantin, la douceur une faiblesse, Dieu un idéal créé par l'homme, l'amour un artifice de la nature pour se reproduire elle-même. Elle était horrifiée par de tels entretiens. Si c'était là la nouvelle philosophie de son frère, et Lou la sorte de disciple à qui elle plaisait, elle n'aurait plus rien à voir avec lui. Il pouvait périr dans son propre enfer!

Le ciel et l'enfer étaient les sujets principaux des entretiens entre Lou et Nietzsche. « Le trait que nous avons en commun dans notre personnalité, notait Lou dans son journal, est fondamentalement religieux. Peut-être est-il d'autant plus fort en nous que nous sommes des libres penseurs dans l'acception extrême du mot. Chez le libre penseur, le sentiment religieux ne peut se rattacher au-dehors à une divinité ou à un ciel auxquels les forces *formatrices de religion* (telles la faiblesse, la peur, l'avidité) peuvent être adaptées. Chez le libre penseur, le besoin religieux... comme rabattu sur lui-même, devient une *force héroïque de son être*, un désir de sacrifice à une noble cause. Dans le caractère de Nietzsche, il existe un tel trait héroïque. Cette part essentielle de lui-même assure une unité à toutes ses autres qualités et à ses pulsions et leur imprime sa marque. Nous le verrons pourtant devenir le prophète d'une religion nouvelle et il sera de ceux qui recherchent des héros pour disciples. »

Cette prescience, d'une perspicacité peu commune, du futur rôle de Nietzsche annoncé à une époque où il était encore tout à fait obscur, provoquait la dérision parmi les amis de Lou. Malvida trouvait presque comique de voir en Nietzsche le créateur d'une religion nouvelle et elle conseillait à Lou de ne pas perdre son temps en spéculations futiles. Mais, pour Lou, de telles spéculations n'étaient nullement futiles. Elle se rendait compte, anticipant encore sur des événements qui se déroulèrent au cours d'un demi-siècle, que la laïcisation croissante de la vie ne résoudrait pas le problème de la religion, tout comme, dans son propre cas et dans celui de Nietzsche, la perte de la foi ne signifiait pas qu'ils avaient trouvé la réponse à ce problème : comment vivre dans un univers sans dieu. L'homme aura toujours besoin de dieux et quand les anciens dieux mourront, ils en auront de nouveaux. Dans son premier livre, *Une lutte pour Dieu*, publié trois ans après sa rencontre avec Nietzsche, Lou traitait de nombreux problèmes qu'elle avait discutés avec lui. Et Nietzsche reconnut, bien que la douleur de l'avoir perdue fût encore cuisante, que Lou avait tiré un bon profit de son été à Tautenburg.

Le principal intérêt du livre réside dans le fait qu'il démontre la proximité entre l'exaltation religieuse et l'exaltation érotique. Imperceptiblement, le climat évolue de l'amour spirituel le plus pur aux formes les plus grossières de l'abandon physique. Dans une ambiance hautement intellectuelle, des actes licencieux s'accomplissent. Sous une grande tension spirituelle, les héroïnes du livre commettent toutes sortes de crimes : l'adultère, le suicide, l'inceste. Et les hommes sont mus par un sentiment de culpabilité à cause de la perte de leur foi. Le thème essentiel de l'œuvre est le moyen de trouver la paix de l'esprit après avoir perdu la foi en Dieu. Rudolf, un personnage du livre qui semble être modelé d'après Rée, la trouve en embrassant le bouddhisme. Il sent qu'il n'y a pas de vrai bonheur et que tout ce que nous pouvons espérer est la béatitude négative du nirvâna. Mais son frère aîné, Kuno, qui a certains des traits de Nietzsche, dit qu'il continuera à lutter pour les dieux mourants. Car le tombeau n'est pas la fin. La seule attitude digne d'un homme est une acceptation intrépide de son destin. *Amor fati :* je suis là et ne puis rien faire d'autre! Dans cet esprit, il trouve la réalisation et la paix.

Le livre de Lou, reflet de l'atmosphère de Tautenburg, tendue, pleine de spéculations et chargée d'émotion, offre un commentaire sur les sentiments de Nietzsche durant ce fatal été. Il explique l'état de surexcitation dans lequel il se trouvait. Il avait vécu toute l'année dans l'attente de grandes réalisations. Son âme s'était élevée à des hauteurs vertigineuses. La venue de Lou avait été l'apogée de tous ses espoirs. Elle était très proche de lui, plus proche que quiconque, plus proche même qu'Élisabeth. C'était une sensation étourdissante, comme si leurs esprits se fussent épousés. Emporté par son exaltation, Nietzsche écrivit à la mère de Lou qu'il se considérait secrètement fiancé à sa fille. C'est du moins ce que dit Lou. Elle dit également qu'elle ignorait que Nietzsche eût écrit une telle lettre et qu'elle en eût été choquée si elle l'avait su. Mais elle devait avoir connu les sentiments qu'elle avait éveillés chez Nietzsche, car elle écrit dans son livre : « Tandis qu'aucune route ne mène de l'amour sensuel à l'amour spirituel, de nombreux chemins mènent du second au premier. » Et, plus loin : « Tout amour est tragique. L'amour partagé meurt de satiété, l'amour non partagé d'inanition. Mais la mort par inanition est plus lente et plus pénible. » Ne savait-elle pas qu'elle condamnait l'amour de Nietzsche à cette mort lente et pénible?

L'hôte inconvié à l'idylle de Tautenburg était le dieu du sombre fleuve du sang, attiré à la surface par l'identité spirituelle que Nietzsche et Lou éprouvaient l'un pour l'autre, par leurs entretiens intimes, leurs promenades à travers bois, leurs longues veilles nocturnes. Lou doit avoir connu la cause de la tension de Nietzsche. Elle avait expérimenté récemment quelque chose de très comparable avec Gillot. Elle doit avoir su que, plus elle resterait auprès de Nietzsche, plus la tension de celui-ci grandirait jusqu'à ce qu'elle trouvât son apaisement naturel — et cette possibilité ne semble pas être apparue à Lou — ou se terminât par une explosion.

L'explosion se produisit. Elle aboutit à une rupture complète entre Nietzsche et sa sœur. Lou avait alors quitté Tautenburg en lui donnant, pour cadeau d'adieu, un exemplaire de son poème, *Prière à la Vie*, avec sa fin prophétique :

Si tu n'as plus de joie à me donner,
Donne-moi ta douleur.

CHAPITRE VIII

Retrouvailles et adieu

De Tautenburg, Lou se rendit à Berlin, où Rée l'attendait anxieusement. Il avait été inquiet de la voir passer un mois avec Nietzsche et lui avait conseillé, avant son départ, d'être sur ses gardes pour le cas où il y aurait un changement dans la « conduite physique » de Nietzsche envers elle. Il se rappelait les visites nocturnes et clandestines de la jeune Napolitaine que Nietzsche avait reçue durant leur séjour à Sorrente et avait des doutes sur les intentions platoniques du philosophe. Il fut heureux de voir Lou revenir de Tautenburg apparemment indemne de son séjour là-bas, mais il avait de graves appréhensions au sujet de leur plan de travail en commun auquel Lou croyait encore fermement. Rée était profondément épris de Lou, employait en lui parlant le « tu » familier et l'appelait « son petit escargot chéri ». Il avouait franchement être jaloux de Nietzsche.

La jalousie de Rée était sans fondement. Lou ne cachait pas qu'elle le préférait à Nietzsche et vivrait volontiers avec lui, pourvu qu'il n'insistât pas sur le mariage. Elle voulait être traitée par lui comme une sœur. Rée ne se voyait pas très bien dans ce rôle et craignait qu'il ne fût considéré par les autres avec plus de scepticisme encore. Il avait peur d'un scandale où non seulement Lou et lui-même seraient compromis, mais aussi leur famille. La présence de Nietzsche serait encore le moindre mal. C'est pour cette raison qu'il gardait ses doutes pour lui et que, lorsque Nietzsche écrivit en appelant Lou « sa sœur » (« après avoir perdu ma sœur naturelle, j'ai besoin d'une sœur surnaturelle »), il répondit sur le même ton : « Rien ne peut nous séparer, ni maintenant ni dans l'avenir, puisque nous sommes unis par une tierce personne à laquelle nous sommes soumis, à la ressemblance des chevaliers du Moyen Age. »

Nietzsche, lui aussi, proclamait que ses sentiments pour Lou étaient purement chevaleresques, mais il ne trompait personne, Élisabeth moins que quiconque. Quand Lou quitta Tautenburg, Élisabeth déversa sur son frère tous ses sentiments contenus. Toute cette affaire l'avait rendue si furieuse qu'elle refusa de rentrer à Naumburg avec lui. Inquiet sur ce qu'elle pourrait dire à leur mère, Nietzsche la pria d'oublier sa querelle avec Lou. Il lui rappela que ce n'était pas Lou qui l'avait provoquée et qu'elle avait autant de raisons qu'Élisabeth d'en être contrariée.

« Quant au reste, poursuivit-il, si je songe à l'avenir, il me serait pénible de penser que tu ne partages pas mes sentiments pour Lou. Nos idées et nos projets sont si semblables que bientôt nos noms seront unis, et que toute calomnie sur elle m'atteint également. »

Mais c'était inutile. Élisabeth avait des idées arrêtées au sujet de Lou et n'en voulait pas démordre. Elle écrivit à sa mère qu'elle refusait de rentrer à la maison tant que son frère y serait. Fritz était tombé dans les griffes d'une mauvaise femme et elle, Élisabeth, ne voulait plus rien avoir de commun avec lui. Cette nouvelle fut une surprise totale pour la pauvre veuve du pasteur. Avec un grand étalage de vertu luthérienne, elle dit à son fils, lorsqu'il arriva, qu'il était la honte de la famille et qu'à cause de sa conduite, son père, si pieux, se retournerait dans sa tombe. Blessé et furieux, Nietzsche quitta Naumburg, jurant de n'y jamais revenir. Il partit pour Leipzig, où il attendit Lou et Rée. Il ne s'était jamais senti plus misérable. Après sa rupture avec sa famille, il était maintenant vraiment seul. Les autres amis qui lui restaient se bornaient aux Overbeck et à Peter Gast. C'est auprès d'eux qu'il déchargea son cœur :

« Les semaines passées à Tautenburg m'ont fait grand bien, les dernières en particulier, et, somme toute, j'ai le droit de parler de rétablissement, bien que l'équilibre précaire de ma santé se rappelle encore à moi assez souvent. Mais j'ai besoin d'un ciel clair au-dessus de moi; sinon, je perds trop de temps et de force.

« ... Ce long et riche été fut pour moi une épreuve. J'en ai pris congé avec fierté et courage, car, pendant ce temps, l'horrible brèche habituelle entre l'intention et l'accomplissement semblait comblée. On a beaucoup exigé de ma personne et j'ai fait bonne mesure. J'appellerai cet intervalle entre l'habituel et l'inaccoutumé *in media vita.* Et le démon de la musique, après tant d'années, m'a visité de nouveau et m'a obligé à en parler au moyen des sons.

« Mais l'expérience la plus utile que j'aie faite cet été, ce sont mes conversations avec Lou. Nos esprits et nos goûts sont très semblables. D'autre part, ils offrent de si nombreux contrastes que nous sommes les sujets et les objets les plus instructifs d'observation mutuelle. Je n'ai jamais connu personne qui soit capable d'acquérir tant de connaissance objective par l'expérience, personne qui puisse tirer tant de pénétration de ce qu'elle a appris. Rée m'écrivait hier : "Lou a sûrement grandi de plusieurs pouces à Tautenburg"... eh bien, moi aussi, peut-être. Je me demande s'il a jamais existé une sincérité philosophique telle que celle qui existe entre nous... Je crains que sa santé ne dure pas plus de six ou sept ans. Tautenburg a donné un but à Lou. Elle m'a laissé un émouvant poème...

« Malheureusement, ma sœur est devenue l'ennemie mortelle de Lou. Elle a été pleine d'indignation du commencement à la fin et prétend savoir maintenant ce que signifie ma philosophie. Elle a écrit à ma mère qu'elle avait vu ma philosophie réalisée à Tautenburg. J'aime le mal, mais elle aime le bien. Si c'était une bonne catholique, elle entrerait maintenant au couvent pour racheter le mal qui en résultera. En un mot, j'ai la "vertu" de Naumburg contre moi. Il y a entre nous une véritable rupture. Ma mère elle-même s'est à tel point oubliée que j'ai fait ma valise et suis parti pour Leipzig un matin de bonne heure. Ma sœur, qui avait refusé de rentrer à Naumburg aussi longtemps que j'y serais, a fait ce commentaire ironique : "Ainsi commença le déclin de Zarathoustra." Elle se trompe, c'est le début du commencement.»

Cette attente dans une petite chambre meublée à Leipzig fut pour Nietzsche une véritable épreuve. Il savait que Lou était avec Rée et il désirait son retour, mais il n'y pouvait rien faire. Heureusement, il avait le poème qu'elle lui avait donné à Tautenburg et la musique qu'il avait écrite pour ces vers. Il lui ferait une surprise en le faisant publier. Il l'envoya à Gast et lui demanda de transposer sa musique. Puis il le montra au professeur Riedel, président de la Société musicale d'Allemagne en lui suggérant de le faire exécuter par le chœur Riedel. Si Riedel examina sérieusement la suggestion de Nietzsche, il n'en existe aucun témoignage, mais cela ne l'empêcha pas d'écrire joyeusement à Lou, de Leipzig, que son poème serait fort probablement chanté par le chœur Riedel, « l'un des meilleurs d'Allemagne. Ce qui, ajoutait-il de façon significative, ne serait pour nous qu'un petit moyen d'atteindre la postérité ensemble... d'autres moyens étant réservés. » Dans la même lettre, il lui disait :

« Votre idée de réduire tous les systèmes philosophiques à la vie personnelle des philosophes est vraiment l'idée d'une "âme sœur". C'est la façon dont j'enseignais moi-même à Bâle l'histoire des philosophes anciens. J'ai souvent dit aux étudiants : "Ce système est réfuté et mort... mais l'homme derrière le système est irréfutable, l'homme ne peut être réduit au silence, Platon, par exemple."

« Quant à votre "caractérisation de moi-même", qui est exacte, mes petits vers du *Gai Savoir* intitulés "Requêtes", me sont revenus en mémoire. Pouvez-vous deviner, ma chère Lou, l'objet de ma requête? »

Ce qu'il recherchait était quelqu'un « de plus proche que son plus proche ami », à mi-chemin entre son plus proche ami et lui-même. Entendait-il par là une femme? En tout cas, de mystérieuses allusions de cette sorte doivent avoir étonné Lou et Rée, car Lou montrait à Rée toutes les lettres qu'elle recevait de Nietzsche. Ne faisaient-elles pas supposer que Nietzsche espérait encore établir avec Lou des relations plus intimes qu'elle ne le désirait? Avait-il perdu l'esprit (comme Rée le soupçonnait) ou essayait-il simplement d'être amusant, comme Lou le croyait? Ils ne pouvaient conclure. Le dernier paragraphe donnait lieu à deux interprétations. Nietzsche y racontait à Lou un heureux après-midi qu'il avait passé la veille :

« Le ciel était bleu, l'air doux et pur. J'étais à Rosenthal, séduit par la musique de *Carmen*. Je suis resté assis pendant trois heures, j'ai bu le second verre de cognac de cette année en souvenir de la première (oh, quel goût affreux il avait!) et, en toute bonne foi, je me suis demandé si je n'avais pas quelque prédisposition à la folie. Après réflexion, je me dis finalement : "non". Puis la musique de *Carmen* a commencé et, pendant une demi-heure, j'ai marché, les larmes aux yeux, le cœur battant avec violence... Quand vous lirez ceci, vous direz probablement "oui" et ajouterez une autre note à ma caractérisation.

« Venez bientôt à Leipzig, je vous en prie. Pourquoi seulement le 2 octobre? Au revoir, ma chère Lou. »

Plus longtemps Nietzsche attendait, plus il devenait sombre. « Je n'ai jamais passé des moments aussi mélancoliques que pendant cet automne à Leipzig », confiait-il aux Overbeck. Et il écrivait à Gast : « Ah, mon ami, si je pouvais vous parler de la quintuple obscurité qui veut m'envelopper et combien rudement je dois lutter contre elle! Il faut éviter les gens. Des hommes comme nous sont de verre et se brisent facilement... C'est la fin. » Mais il ajoutait en post-scriptum · « Chapitre nouvelles : Lou arrivera ici le 2 octobre. Quelques semaines plus tard, nous partirons pour Paris... sur ma proposition. »

A maintes reprises, Nietzsche essaya d'obtenir de Lou des précisions sur l'endroit où ils étudieraient ensemble et sur la date de leur rencontre. Mais Lou éludait la question, soit parce qu'elle n'en savait rien elle-même, soit parce qu'elle avait des doutes sur la sagesse de laisser Nietzsche les rejoindre. Rien d'étonnant à ce qu'il devînt triste et irritable. Cependant, lorsqu'elle arriva enfin à Leipzig, il reprit vite courage et, de nouveau, il déborda d'idées et de projets. Paris lui faisait signe et il voulait que Lou l'y accompagnât. Il semblait avoir oublié que Rée entrait aussi en ligne de compte, et même que la mère de Rée projetait de les rejoindre. Il tenta de rétablir entre Lou et lui les relations intimes qui avaient existé — ou qu'il croyait avoir existé — à Tautenburg.

Rée, qui pouvait maintenant plus justement prétendre obtenir les faveurs de Lou (on racontait qu'ils vivaient ensemble à Leipzig, ainsi qu'ils le firent certainement quelques mois plus tard à Berlin), était profondément contrarié du refus persistant de Nietzsche de voir les choses en face. Il essayait de dire à son ami aussi doucement que possible que son attitude embarrassait Lou parce qu'elle ne partageait pas ses sentiments et ne l'avait jamais fait. Nietzsche ne voulait rien entendre. Lou ne lui avait-elle pas dit, à Tautenburg, que Rée était pris irrémédiablement dans les filets de son « réealisme » superficiel? Ne lui avait-elle pas dit qu'elle avait beaucoup plus de choses en commun avec lui qu'avec Rée? Ne l'avait-elle pas appelé son « frère en esprit »? Quel droit Rée avait-il d'insinuer que Lou le préférait à lui?

Nietzsche ne pouvait évidemment laisser de remarquer que Lou et Rée étaient en termes très intimes, mais le savoir ne faisait qu'accroître son ardeur. Sentant l'irritation de Rée, il croyait pouvoir lui arracher Lou en l'entraînant plus profondément dans les mystères de sa philosophie nouvelle. Chaque fois qu'il avait l'occasion de lui parler en particulier — ce n'était pas souvent le cas à cause de la présence vigilante de Rée — il faisait sombrement allusion à la répercussion que ses idées auraient sur le monde. L'éternel retour! rien que ces mots donnaient le frisson : ne pouvoir se libérer de la vie, y être enchaîné comme un galérien, renvoyé sans fin aux mêmes misères! N'était-ce pas suffisant pour faire reculer les plus braves? Quand le monde aurait compris la signification de l'éternel retour, il le crucifierait, ses amis mêmes le crucifieraient. Ou Lou croyait-elle que Rée pourrait supporter de telles pensées? Rée qui portait toujours sur lui une fiole de poison et croyait pouvoir disparaître furtivement comme un voleur dans la nuit. Non, Rée n'était pas fait pour sa philosophie nouvelle. Il manquait de courage et d'imagination. A quoi sert l'intelligence sans imagination? Avec un air de mystère, Nietzsche invitait Lou à explorer avec lui les profondeurs de l'âme au-delà des limites de l'intellect. « Quant à l'intellect, lui disait-il, que m'importe l'intellect! Que m'importe la connaissance! Je ne respecte que l'énergie et je jurerais que c'est cela que nous avons en commun. Essayez de voir à travers cette phase que fut ma vie de ces dernières années, regardez derrière elle. Ne vous laissez pas abuser sur moi. J'espère que vous ne croyez pas sérieusement que la "libre pensée" est mon idéal! Je suis... pardon, Lou, ma très chère! »

De telles confessions troublaient Lou. Elle ne comprenait que trop bien pourquoi Nietzsche méprisait le rationalisme de Rée. Elle avait des doutes là-dessus, elle aussi, et ne pouvait s'empêcher d'être séduite par l'appel de Nietzsche aux forces irrationnelles de la vie. Vaudrait-il la peine de vivre dans un monde dépourvu de crainte, de foi et de mystère?

« Un court espace de temps qui n'a pas de sens, sinon que nous nous y traînons à quatre pattes le matin, sur deux à midi et sur trois le soir... seulement pour mourir. »

Quelle base avait-on lorsque la raison avait triomphé de la foi? Le mystique pouvait au moins espérer trouver la paix en Dieu et cet espoir donnait un sens et de la couleur à sa vie. Mais sans cet espoir...? Évidemment, rien n'était plus désespéré que l'éternel retour de Nietzsche, et, de quelque façon, il réussissait pourtant à lui donner la fascination d'un glacier, d'un glacier silencieux, blanc et menaçant.

Mais il y avait toujours un point où Lou était fâchée contre elle-même pour s'être laissée entraîner par Nietzsche. Tandis que ses idées l'émouvaient, son esprit se rebellait contre elles. Il n'existait absolument aucune preuve de ce qu'il avançait. Rée avait raison, Nietzsche n'était pas un philosophe. C'était un mystique, et plutôt fumeux. Il était amusant d'écouter ses déclarations en style d'oracle et presque comique d'entendre ses commentaires sur la répercussion de ses idées qui devaient faire trembler le monde. De plus en plus souvent, surtout quand Rée était présent et écoutait les prophéties de Nietzsche avec un mépris non déguisé, Lou trouvait difficile de garder son sérieux. Ce qui avait paru convaincant dans le crépuscule de la forêt de Tautenburg semblait de moins en moins sensé dans une chambre de Leipzig éclairée au gaz.

Rée observait avec satisfaction le désenchantement croissant de Lou. Il avait depuis longtemps soupçonné que Nietzsche souffrait d'obsessions qui étaient à la limite de la folie des grandeurs et disait à Lou que la vanité de leur ami était devenue pathologique. Moins les gens le prenaient au sérieux, plus il essayait de les choquer. Toute sa philosophie visait à des effets de choc. C'était, en réalité, un mélange de folie et d'absurdité. Pour faire impression sur eux, Nietzsche, alternativement, émettait des commandements impérieux au nom d'une philosophie future ou faisait des allusions secrètes à la roue de l'éternel retour. Il se conduisait, pensait Rée, comme un écolier planté là, à la fois arrogant et embarrassé, théâtral et timide.

Lou, commençant enfin à avoir de la peine pour Nietzsche, faisait des remontrances à Rée quand elle pensait qu'il allait trop loin en ridiculisant leur ami. Nietzsche était une figure tragique. Il était cruel de se moquer de lui.

Rée décida que le meilleur moyen de prendre en main cette situation délicate était de faire comme si tout allait pour le mieux. Aussi longtemps qu'ils resteraient à Leipzig, il laisserait Lou et Nietzsche sous l'impression que leur plan d'étude à Paris pourrait se matérialiser, bien qu'il y fût maintenant décidément opposé. Il savait qu'il faudrait déployer beaucoup de tact et de diplomatie pour se dégager, ainsi que Lou, de Nietzsche. Nietzsche, lui, adhérait fermement au plan, cause de sa rupture avec sa famille. S'ils lui disaient qu'ils ne se joindraient pas à lui, de graves conséquences en pourraient résulter. Et l'on ne savait ce que Lou pourrait faire en cas de crise. Elle pourrait être émue par les arguments de Nietzsche et insister sur la réalisation de leur plan. Rée décida qu'elle devait, elle aussi, être tenue dans l'ignorance. Il lui laisserait croire qu'ils iraient retrouver Nietzsche à Paris, mais lui proposerait d'abord de retourner une fois encore à Stibbe, sous le prétexte de se préparer pour le semestre d'hiver. Ils ne fixeraient aucune date déterminée pour la rencontre à Paris. Ne les voyant pas venir, Nietzsche comprendrait que leur projet avait été abandonné. Ce plan assez machiavélique, pensait Rée, offrait la meilleure solution et la moins pénible pour tous les intéressés. Il était bien entendu très cruel, et Nietzsche avait raison de se sentir trahi.

A la fin d'octobre, Nietzsche semble avoir eu conscience de perdre Lou. Il ne pouvait retrouver ni l'ambiance du Monte Sacro ni leur intimité de Tautenburg. Il en blâmait Rée et, de plus en plus désespéré, il commença à faire sur Rée des remarques qui mettaient Lou en colère. Rée était un lâche et tout à fait incapable d'une pensée ou d'un sentiment profonds, un petit bourgeois avec une petite âme ricaneuse. Que Lou pouvait-elle lui trouver de bien? C'était la hauteur qu'avaient atteinte leurs pensées à Tautenburg qu'elle devait se rappeler, ces moments enivrants de véritable joie créatrice. Comment pouvait-elle hésiter? Lui qui lui offrait l'occasion de se développer, de participer aux plus profonds mystères de ce temps! Prenant la surprise de Lou pour de l'émotion, son langage devint de plus en plus lyrique. Il commença à faire allusion à son amour avec des images sensuelles. Et, de nouveau, Lou fut troublée. Elle nota dans son journal :

« Tout comme le mysticisme chrétien (tout mysticisme, en vérité) au plus haut degré de l'extase retourne à la grossière sensualité religieuse, l'amour idéal peut, lui aussi, devenir de nouveau sensuel, précisément à cause de son intensification émotionnelle de l'idéal. C'est un fait déplaisant que cette revanche du corps. Je n'aime pas les sentiments circulaires qui retournent là d'où ils sont partis, car c'est alors le faux pathos, la sincérité et la vérité de sentiment perdues. Est-ce cela qui, peut-être, m'éloigne de Nietzsche? »

C'est par un triste dimanche, le premier dimanche de novembre, que Nietzsche dit au revoir à ses amis à la gare de Leipzig. Il y avait entre eux bien des choses inexprimées, bien qu'extérieurement il n'y eût rien de changé. Ils se retrouveraient bientôt et vivraient ensemble, ainsi qu'ils l'avaient projeté, dans la parfaite harmonie de leur « sainte trinité ». Mais Nietzsche n'en était pas sûr. Des doutes sérieux l'emplissaient tandis qu'il regardait partir ses amis : Lou, gaie et détendue comme à l'ordinaire, Rée grave et réticent. Mais l'espoir a la vie dure et, juste avant le départ du train, Nietzsche donna à Lou un exemplaire de son *Gai Savoir* avec, pour dédicace, le poème « Le Nouveau Colomb ». Mais, dans la version de Lou, les deux derniers vers sont ceux-ci :

Courage! Car tu tiens le gouvernail,
Ravissante Victoria!

CHAPITRE IX

La naissance de Zarathoustra

Après le départ de Lou et de Rée, Nietzsche resta près de deux semaines encore à Leipzig. Il était abattu et ne savait de quel côté se tourner. Peter Gast était avec lui et tentait de l'égayer en lui jouant des passages de son opéra, récemment composé, *Matrimonio Segreto*. C'était une ironie que demander à Nietzsche d'écouter son œuvre dont le titre même lui rappelait sa perte. Gast comprit bientôt qu'il était inutile d'essayer de distraire son ami. Nietzsche ne pouvait chasser Lou de son esprit. Contre toute espérance, il espérait la revoir. Il dit aux Overbeck que Lou et Rée étaient allés à Berlin pour rencontrer la mère de Rée et que, de là, ils partiraient pour Paris, où il les rejoindrait. Il faisait encore semblant de le croire, bien qu'il ajoutât de façon significative :

« La santé de Lou est déplorable. Je lui donne maintenant beaucoup moirs de temps qu'au printemps dernier. »

Mais ce n'était pas la santé de Lou qui l'empêchait de revenir vers lui. Peu à peu, Nietzsche fut forcé de se rendre compte qu'elle ne reviendrait jamais. Ce fut pour lui un choc terrible, bien que (ou peut-être parce que) cela ne fût pas tout à fait imprévu. Il fut complètement ébranlé. Comme un animal blessé, sa réaction instinctive fut de fuir le monde. Il ne pouvait supporter la vue des gens. Lorsqu'il quitta Leipzig, au milieu de novembre, sa seule pensée fut de s'éloigner de tout cela, de l'Allemagne, surtout, où il avait été si affreusement humilié.

En route vers l'Italie, il s'arrêta à Bâle et fit une courte visite aux Overbeck, qui furent effrayés de son désespoir. Ils le supplièrent de ne pas se laisser gagner par le découragement et de ne pas se consumer dans la solitude. Ils l'invitèrent à demeurer chez eux, mais Nietzsche ne voulut pas en entendre parler. Il devait maintenant être seul, affirmait-il. Il irait jusqu'au point le plus extrême de la solitude.

Il retourna à Gênes, où il avait commencé son voyage fatal. Mais Gênes avait également changé. Le soleil du printemps avait disparu. Il y subit un hiver désespérant. Ne pouvant se procurer le confort le plus élémentaire, il frissonnait de froid dans sa chambre non chauffée et méditait sur son destin. Il parcourait, comme s'il était poursuivi, les rues vides et passait des nuits sans sommeil dans les pires tortures de l'esprit.

« Si je pouvais seulement dormir! se plaignait-il dans une lettre à Overbeck, mais les doses de narcotique les plus fortes ne me sont d'aucun secours, pas plus que six ou huit heures de marche... Je suis perdu, à moins que je ne réussisse à découvrir le secret de l'alchimiste pour changer cette boue en or. »

Presque jusqu'à la fin de l'année, il nourrit un espoir persistant que tout pouvait encore s'arranger. Même lorsqu'il apprit que Lou et Rée vivaient ensemble à Berlin et n'avaient aucune intention de lui demander de les y rejoindre, il leur écrivit en les priant de lui répondre clairement. Qu'avaient-ils l'intention de faire? Pourquoi toute cette méfiance? Il était du devoir de Rée de lui dire : « ce qui, maintenant, nous importe avant tout... ce qui nous sépare ».

Des lettres, et surtout des brouillons de lettres écrits sur l'impulsion du moment, révèlent la profondeur de son angoisse. Il souhaitait un ciel clair au-dessus d'eux. Il ne pouvait vivre dans cette atmosphère de duperie et de méfiance. Appelant Lou son « cher cœur », il la suppliait de soulever de son esprit le voile de la suspicion :

« Un solitaire souffre terriblement de douter des quelques personnes qu'il aime, surtout s'il craint qu'ils ne nourrissent un soupçon à l'égard de tout son être. Pourquoi n'y a-t-il jamais eu de gaieté dans nos relations? Parce qu'il m'a fallu user de trop de contrainte... Je parle de façon obscure. Lorsque j'aurai votre confiance, vous verrez que je trouverai les mots appropriés. Jusqu'ici, j'ai été souvent forcé de garder le silence. »

Il confiait à Malvida que sa sœur considérait Lou « comme une vermine nuisible qu'il faut détruire à tout prix, et elle s'y emploie. C'est un point de vue des plus exagérés et auquel je répugne complètement. Je voudrais l'aider [Lou], au contraire, autant que possible et de tout mon cœur, et mettre en relief ce qu'il y a de meilleur en elle. Que je puisse le faire, que j'aie été à même de le faire jusqu'ici, c'est une question à laquelle je n'ai pas envie de répondre. J'ai sincèrement essayé. Mais elle ne m'a témoigné que peu d'intérêt : pour elle, je suis, semble-t-il, plus superflu qu'intéressant. » Il qualifiait l'intelligence de Lou d' « extraordinaire » et ajoutait : « Rée pense que Lou et moi sommes les deux êtres les plus intelligents du monde actuel. » Il persistait dans ce pathétique effort de voir Lou associée à lui. Et que ce fût justement par l'entremise de Rée! Il demanda à maintes reprises qui était fautif. « Comment tout ceci est-il arrivé? » Et son amertume croissait lorsqu'il ne recevait que des réponses évasives.

« Ne m'écrivez pas de telles lettres, je vous en prie, reprochait-il à Lou. Souvenez-vous que je veux vous voir vous élever dans mon estime, pour que je n'aie pas à vous mépriser. »

Et, de nouveau : « Je ne vous fais aucun grief aujourd'hui, sinon que vous n'avez pas été honnête avec moi au moment où il le fallait... Que répondriez-vous si je vous demandais : "Êtes-vous loyale? Êtes-vous incapable de trahison?" »

Plus il méditait sur tout cela dans sa chambre morne et froide, plus la colère le gagnait.

« Prenez garde, écrivait-il à Lou, si je vous regrette à présent, c'est un terrible réquisitoire contre vous... qui peut vous fréquenter si vous donnez libre cours à tous les traits lamentables de votre nature?... Non seulement m'avez-vous causé du tort, mais à tous ceux qui m'aiment. Cette épée est suspendue au-dessus de vous. Je n'ai créé ni le monde ni Lou. Si je vous avais créée, je vous eusse donné une meilleure santé et, avant tout, quelque chose de bien plus important que la santé... peut-être aussi un peu plus d'affection pour moi (bien que ce soit là ce qui vous intéresse le moins)... Rappelez-vous ceci : ce méchant égoïsme qui est le vôtre, qui est incapable d'amour, cette absence de sentiment pour quoi que ce soit sont pour moi les traits les plus répugnants chez l'homme, pires que tous les maux... Adieu, ma chère Lou, je ne vous reverrai pas. Gardez votre âme de pareilles actions et dispensez aux autres, surtout à l'ami Rée, ce que vous n'avez pu me donner... Adieu, je n'ai pas fini votre lettre, mais je n'en ai déjà que trop lu. »

Mais ces lettres ne lui procuraient aucun soulagement. Si Lou était un homme, écrivait-il à Rée, il la provoquerait en duel. Elle l'avait honteusement trompé. Frustré dans ses tentatives de blesser Lou, qui ne voyait pas la plupart de ces lettres parce que Rée les lui cachait, l'amour déçu de Nietzsche se retourna contre lui. Il parlait de suicide. Il se traitait lui-même de fou et se vantait de prendre des doses trop fortes d'opium.

« Mes chers Lou et Rée, ne vous tourmentez pas trop au sujet de ces accès de paranoïa ou de vanité blessée. Même si, par hasard, dans une crise de découragement, je mettais fin à ma vie, il n'y aurait guère lieu de s'affliger. Que vous importent mes caprices... Vous ne vous êtes même pas souciés de ma vérité. Je veux que vous considériez que je ne suis, après tout, qu'un demi-fou torturé par des migraines et qui a été complètement détraqué par sa longue solitude. J'en suis arrivé à ceci, à cet aperçu, que je crois raisonnable, de ma situation après avoir pris, par désespoir, une énorme dose d'opium. Mais, au lieu de me priver de raison, la drogue semble, au contraire, me l'avoir rendue. En outre, j'ai vraiment été malade pendant des semaines et si je dis que j'ai eu pendant vingt jours le temps d'Orta, je n'ai pas besoin d'en dire davantage... Je vous en prie, ami Rée, demandez à Lou de tout me pardonner. Elle me donnera peut-être l'occasion de lui pardonner. Car, jusqu'ici, je ne lui ai pas pardonné. Il est beaucoup plus difficile de pardonner à ses amis qu'à ses ennemis. »

Vers la fin de décembre, il dit à Overbeck que son amitié avec Lou « est en train de mourir d'une mort pénible. Je le crois du moins aujourd'hui. Plus tard, s'il y a un plus tard, je dirai un mot là-dessus. La pitié, mon cher ami, est une sorte d'enfer ».

Qu'allait-il faire maintenant? Pouvait-il continuer à vivre? Ne valait-il pas mieux en finir? Le suicide... plus il y réfléchissait, plus il avait la conviction qu'il n'y avait pas d'autre issue. Comme un joueur qui a tout misé sur une carte et a tout perdu, il se trouvait devant la ruine de ses espérances. Ses amis étaient horrifiés des idées de suicide dont il parlait alors. « Peu de jours après son départ, écrivait Overbeck à Gast, commença une période au cours de laquelle j'ai reçu une série de lettres trahissant un déséquilibre alarmant. J'avais l'impression d'une lumière qui va s'affaiblissant et j'étais préparé au pire. »

La famille de Nietzsche était, elle aussi, préparée au pire, mais pour différentes raisons. Les deux femmes étaient offensées parce que Nietzsche ne leur avait pas dit où il était après son départ de Leipzig. Elles craignaient qu'il ne fût parti pour Paris avec Lou et ne vécût dans le péché avec l'aventurière russe. C'était, pour elles, un sort pire que la mort. Si c'était le cas, disait à Elisabeth la veuve du pasteur, son fils avait le choix entre trois possibilités : « Ou il épouse cette fille, ou il se tue, ou il devient fou. »

On a l'impression que la première de ces trois solutions était la moins acceptable pour les dames de Naumburg. Elles ne savaient pas ce qui était réellement arrivé : que ce n'était pas Lou qui courait après Nietzsche, mais le contraire. Ce malentendu fondamental dénaturait tous les comptes rendus sur l' « Affaire Lou » faits par la sœur de Nietzsche et par ceux qui tenaient d'elle leurs informations. A proprement parler, il n'y avait jamais eu d' « Affaire Lou ». Ce fut une « Affaire Nietzche » du commencement à la fin.

Lou n'en fut guère affectée, ainsi qu'on peut le voir par ce qu'elle inscrivit dans son journal à la fin de 1882. Résumant les événements de cette année décisive, elle ne parle que de Rée :

« C'était durant les premiers jours de janvier où je vins, malade et fatiguée, vers le soleil de l'Italie afin de faire provision de soleil et de vie pour toute une année. Comme il brilla, ce soleil, au cours de nos promenades et de nos conversations romaines, de l'idylle d'Orta avec ses promenades en bateau, son Monte Sacro et ses rossignols, du voyage en Suisse à travers le Saint-Gothard et des jours de Lucerne. Et puis, quand j'eus quitté ma mère pour vivre la vie que je venais de gagner, nous commençâmes cette amitié inaccoutumée sur laquelle a reposé jusqu'ici notre vie, une amitié pleine d'intimité et de réserve, comme il n'en existe peut-être nulle part ailleurs au monde. Ce n'est que rarement, ou peut-être jamais, que deux personnes sont entrées en relations si imprudemment et, en même temps, avec tant de prudence. Nous ne savions assurément ce qu'il en adviendrait quand j'arrivai à Stibbe ce soir-là, seule et inconnue, une étrangère parmi des étrangers. Stibbe, qui devint pour moi un foyer grâce à vous. Puis vint le jour où nous quittâmes Stibbe ensemble, la main dans la main, comme deux bons camarades qui entrent dans le vaste monde, avec l'assurance qu'on ne pouvait se méprendre sur nous. »

Ainsi qu'il advint, cette supposition était fausse. Quand Lou et Rée, un jeune homme et une jeune femme non mariés commencèrent à vivre ensemble ouvertement, des critiques s'élevèrent de tous côtés. Elisabeth Nietzsche était si indignée qu'elle trouva nécessaire d'attirer là-dessus l'attention de la police prussienne. Nietzsche, lui aussi, était outré.

« N'importe quel autre homme se serait détourné d'une telle fille avec dégoût, écrivait-il aux Overbeck, et, à vrai dire, j'en ai eu, moi aussi, le sentiment, mais je l'ai maintes fois surmonté. J'ai versé bien des larmes à Tautenburg, non sur moi, mais sur Lou. J'ai regretté la décadence d'un être si noblement doué. Cette pitié m'a joué des tours. J'ai perdu le peu que je possédais encore, ma réputation et la confiance des quelques personnes que j'aime. Peut-être vais-je même perdre mon ami Rée. J'ai perdu aussi toute une année à cause des affreux tourments dont je souffre encore aujourd'hui. Je n'ai trouvé en Allemagne personne pour me venir en aide et me voici maintenant exilé d'Allemagne. Et, ce qui me peine le plus, ma philosophie tout entière a été compromise. Pour ma part, je ne dois pas avoir honte de toute cette affaire. J'ai éprouvé pour Lou les sentiments les plus fous et les plus purs et il n'y avait rien d'érotique dans mon amour. J'aurais pu, tout au plus, rendre un dieu jaloux. Chose étrange, en revenant au monde et à la vie, je croyais qu'un ange m'avait été envoyé, un ange qui adoucirait ce qui était devenu trop lourd à porter dans la douleur et dans la solitude, et, avant tout, un ange de courage et d'espoir pour tout ce que j'avais encore devant moi. Mais ce n'était pas un ange. Pour le reste, je ne veux plus rien avoir à faire avec elle. J'ai perdu inutilement mon amour et mon cœur. Bah, à vrai dire, je suis assez riche pour cela. »

Ignorant complètement à quel point elle avait blessé Nietzsche, Lou commença l'année 1883 avec l'heureuse assurance que sa lutte pour l'indépendance avait pris fin. La vie qu'elle désirait vivre se dessinait. En compagnie de son « frère » Rée, elle évoluait librement dans un petit cercle de jeunes humanistes et hommes de science, prenait part à leurs discussions et à leurs travaux et était acceptée pour l'un d'eux. Elle prenait un immense plaisir à cette situation unique et si elle regrettait que Nietzsche ne se trouvât point parmi eux, elle le gardait pour elle.

A ce moment, cette crise dans la vie de Nietzsche avait atteint son point culminant. Un an exactement après ce glorieux *Sanctus Januarius* qu'il avait célébré dans *Le Gai Savoir* et qui avait donné lieu à tant de grandes espérances, il se trouva littéralement au bout de son rouleau. Il savait que seul un suprême effort de sa volonté créatrice pourrait le sauver. La trahison de Lou l'avait jeté dans un « véritable abîme de désespoir ». S'il ne pouvait s'élever au-dessus d'elles, il était perdu.

La première partie d'*Ainsi parlait Zarathoustra*, écrite au début de février 1883 en quelques jours de concentration intense, marque l'ascension de Nietzsche « en ligne verticale de cet abîme jusqu'à sa propre hauteur ». *Zarathoustra*, « un livre pour tous et pour personne », est le défi que Nietzsche lance à un monde qui l'a si cruellement déçu.

Son porte-parole est Zarathoustra, ce prophète perse légendaire, également appelé Zoroastre, qui est censé avoir vécu huit cents ou mille ans avant le Christ. Ce fut le premier moraliste, dit Nietzsche, le premier à voir que « le principe moteur, dans la marche des choses », est la lutte entre le bien et le mal. Mais Nietzsche pensait qu'il n'existe ni bien ni mal. « Les paraboles ne font que désigner le bien et le mal. Elles n'affirment rien et se bornent à agir. Bien fou qui cherche à les approfondir. » Il voyait dans la doctrine de Zarathoustra, d'une loi morale universelle, un système erroné, réfuté par l'histoire des trois derniers millénaires. « Zarathoustra a créé la moralité, la plus fatale des erreurs, écrivait Nietzsche, il doit donc être le premier à la reconnaître. » C'est pourquoi il l'avait ressuscité. Le Zarathoustra de Nietzsche est l'antithèse du Zarathoustra historique.

Dans un langage rhapsodique qui abonde en allusions bibliques, Zarathoustra prêche l'idéal du surhomme : « L'homme est quelque chose qui doit être surpassé. » C'est une corde tendue entre l'animal et le surhomme... une corde au-dessus d'un abîme. L'avenir appartient aux forts, à ceux qui sont impitoyables, vigoureux de corps et d'esprit. Débordants de santé, ce sont les créateurs de valeurs nouvelles. Ils aiment la terre et toute idée d'au-delà les fait rire, car ils savent que tous les dieux sont morts. Ils obéissent sans crainte aux commandements de leur volonté de puissance. Leur but est la grandeur et non le bonheur. Ils vivent dangereusement et acceptent sans sourciller la terrible vérité qu'il n'y aura jamais de libération de la roue de l'éternel retour. Ce sont les seigneurs de la terre qui méprisent le troupeau, les foules, les humbles, les malades et les pauvres d'esprit.

Si l'on réfléchit à la vision grandiose de Nietzsche du surhomme, et si l'on se rappelle la vie misérable du visionnaire (il était pauvre, malade et à demi fou de solitude et de déception), on comprend brusquement que le surhomme est tout ce que Nietzsche n'était pas. C'est la projection violente d'une brillante intelligence torturée au-delà de toute endurance, une protestation pleine de défi contre son destin. C'est Nietzsche inversé. Si l'on ne perd pas cela de vue, il est plus facile de comprendre la part de Lou dans la création de ce livre étonnant.

L'aigle et le serpent sont les animaux de Zarathoustra. « Prompte comme un aigle et brave comme un lion », avait dit Nietzsche de Lou. Mais Lou l'avait trahi. Ève et le serpent avaient trahi Adam. Zarathoustra, le porte-parole du nouvel Adam, s'assurerait le concours du serpent, l'animal le plus intelligent sous le soleil. La trahison de Lou avait provoqué l'insomnie. Zarathoustra avait entendu parler d'un sage qui savait beaucoup de choses sur le sommeil. « Heureux ceux qui vivent près de ce sage. Un tel sommeil est contagieux. »

Rée, lui aussi, l'avait trahi. Nietzsche était amèrement jaloux de Rée. Zarathoustra dit : « Celui que consume la flamme de la jalousie finit, comme le scorpion, par tourner contre lui le dard empoisonné. »

Élisabeth Nietzsche proclame que son frère était un saint et incapable de désirs charnels. Mais Zarathoustra réfute cette allégation. Le livre abonde en allusions érotiques et en images à peine voilées de la sexualité de Nietzsche. « Dois-je te conseiller la chasteté? demande Zarathoustra. La chasteté est une vertu chez quelques-uns, mais presque un vice chez beaucoup d'autres. »

N'ayant pas réussi à susciter l'amour de Lou, Nietzsche notait, irrité, que Lou souffrait d' « atrophie sexuelle ». Zarathoustra inverse la chose et dit : « Ne vaut-il pas mieux tomber entre les mains d'un meurtrier que dans les rêves d'une femme en chaleur? »

Délaissé par ses amis, Nietzsche avait fui vers la solitude. « Fuis vers la solitude, conseille Zarathoustra. Tu vis trop près des gens mesquins et malveillants. Fuis leur invisible vengeance. »

« Il est plus facile de pardonner à ses ennemis qu'à ses amis », dit Nietzsche. Et Zarathoustra : « On devrait honorer l'ennemi en son ami même. »

Zarathoustra dit : « La femme n'est pas encore capable d'amitié. Les femmes sont encore des chats et des oiseaux ou, en mettant les choses au mieux, des vaches. » Et Nietzsche notait que Lou avait « le caractère d'un chat, une bête de proie qui feint d'être un animal domestique ».

Dans son essai sur les femmes, dont elle avait discuté avec Nietzsche à Tautenburg, Lou écrivait : « La grossesse est la condition fondamentale qui a peu à peu, au cours des âges, déterminé le caractère des femmes. » Zarathoustra dit : « Chez les femmes, tout est énigme. Et tout ce qui concerne les femmes n'a qu'une solution : la grossesse. »

A Lucerne, Nietzsche avait donné à Lou un fouet à brandir au-dessus de lui et de Rée. La vieille femme dit à Zarathoustra : « Vous allez voir les femmes? N'oubliez pas le fouet. »

Gertrude Bäumer a établi qu'il n'y avait parmi les amis de Nietzsche personne qui eût les cheveux blonds et les yeux bleus, sauf la jeune fille qu'il aimait. « Sois sur tes gardes contre les assauts de ton amour! » avertissait Zarathoustra. Mais l'avertissement était vain. La sensualité lubrique que Nietzsche blâmait en Zarathoustra prenait sa revanche sur lui. Tourmenté par son désir pour une jeune fille blonde, son alter ego la transformait en une ardente image de « bête blonde ».

Dans quelle mesure la passion de Nietzsche pour Lou contribua-t-elle à la création de Zarathoustra, c'est là, évidemment, une question qui ne doit pas être exploitée uniquement sur le plan littéraire, mais aussi au point de vue psychanalytique. Il ne faut pas oublier qu'après l'achèvement du *Gai Savoir*, Nietzsche avait dit qu'il n'avait aucune intention d'écrire un autre livre dans un proche avenir. Il avait besoin de temps pour élaborer une présentation systématique de sa philosophie de l'éternel retour. Rien n'indiquait qu'il se hâterait dans le but de se faire imprimer, comme le prophète du Surhomme. Toute la teneur du livre, son érotisme exacerbé, son style quasi-biblique, ses prophéties religieuses, lui font une place à part dans les écrits de Nietzsche. A cet égard, il reflète la présence de Lou. Elisabeth Nietzsche a tout à fait raison lorsqu'elle dit que Zarathoustra est l' « œuvre la plus personnelle » de son frère. Ce qu'elle ne dit pas, ou plutôt ce qu'elle dément avec véhémence, est que c'est la rencontre de Nietzsche avec Lou qui fournit l'arrière-plan personnel de Zarathoustra. Des témoins moins prévenus qu'Elisabeth ont souligné ce fait. Mme Overbeck écrit qu'« en dépit de diverses impulsions qui ont abouti à Zarathoustra, Lou eut dans l'œuvre une parte directe en suggérant à Nietzsche de faire de cette affirmation philosophique et religieuse, moraliste et prophétique, un substitut de la religion et de la morale ». Et Peter Gast note ceci : « Pendant un certain temps, Nietzsche fut réellement enchanté par Lou. Il voyait en elle quelqu'un de tout à fait extraordinaire. L'intelligence de Lou aussi bien que sa féminité l'entraînaient au comble de l'extase. C'est de son illusion sur Lou que lui vint cette disposition d'esprit pour Zarathoustra. Cette disposition d'esprit revient, en vérité, entièrement à Nietzsche, mais, néanmoins, le fait que c'est grâce à Lou qu'il fut propulsé à une telle hauteur de sentiment nous oblige à rendre hommage à cette dernière. »

Enfin, Nietzsche lui-même reconnaît sa dette à l'égard de Lou lorsqu'il écrit à sa mère en 1884 : « Tu peux dire ce que tu veux contre cette jeune fille — et certes d'autres choses que celles que dit ma sœur — il n'en reste pas moins vrai que je n'ai jamais rencontré personne plus douée et plus réfléchie. Et bien que vous n'ayons jamais été d'accord, pas plus que je n'ai été d'accord avec Rée, nous étions heureux tous deux d'avoir tant appris après chaque demi-heure passée ensemble. Ce n'est pas par hasard que j'ai accompli ma plus grande œuvre en ces douze derniers mois. »

En écrivant la première partie de *Zarathoustra*, Nietzsche se trouva libéré de la tension qui s'était emparée de lui durant l'année 1882 et avait atteint un point culminant dans son conflit avec Lou. Mais écrire n'est pas le seul moyen de se libérer de la tension créatrice. A chacun de supposer ce qui fût arrivé si Lou avait accepté d'être la femme et disciple de Nietzsche. Son refus créa, ou aida à créer *Zarathoustra*. Nous ne savons quelle sorte de livre eût pu écrire Nietzsche si elle l'avait accepté. Mais il n'est pas douteux que l'acceptation de Lou eût, de façon fondamentale, altéré la vie de Nietzsche. Au lieu d'être seul, il eût eu une compagne. Au lieu d'être abattu, il eût été exalté. Est-il vraisemblable que de telles dispositions eussent donné naissance à *Zarathoustra?*

Nietzsche lui-même a toujours maintenu que tout système philosophique reflète la vie personnelle des philosophes. Par conséquent, sa philosophie eût été différente si son destin avait été différent. Étant données les conséquences fatidiques de la philosophie de Nietzsche, surtout sa doctrine du surhomme, qui parvint à une si puissante domination sur la pensée allemande et devint la « bible du fascisme », le fait qu'en 1882 le cours de la vie de Nietzsche était subordonné au oui ou au non d'une jeune fille de vingt et un ans a de quoi dégriser ses adeptes. *Incipit Tragœdia :* Ici Commence la Tragédie, c'est ainsi qu'il intitule le dernier aphorisme de son *Gai Savoir*, qu'il rédigea quelques mois avant de rencontrer Lou. Comme s'il avait eu le pressentiment de ce qui allait arriver, il conclut par ces paroles prophétiques : « Vois! Cette coupe veut une fois encore être vidée et Zarathoustra veut redevenir un homme. » Mais c'est précisément ce qui lui fut dénié et c'est de son désespoir que naquit une nouvelle forme humaine.

Écrire *Zarathoustra* fut aussi une sorte de thérapeutique qui permit à Nietzsche de surmonter sa désillusion et de penser à Lou avec un plus grand détachement. Il n'avait pas mis fin à ses jours. Il avait, au contraire, créé son fils, Zarathoustra, et cet acte créateur mettait fin au « chapitre Lou » de sa vie.

Mais ce n'était pas ainsi qu'Elisabeth entendait voir l'affaire se terminer. Lorsqu'elle apprit que son frère avait rompu avec la « terrible russe », elle s'en réjouit, et maintenant que son frère et elle étaient réconciliés grâce aux bons offices de Malvida, elle voulait se venger. Lou l'avait mortellement offensée. Elle lui avait aliéné l'affection de son frère et devait en être punie. De plus, n'était-elle pas pour son sexe une honte vivante? Il ne devait pas lui être permis d'afficher en public son immorale façon de vivre. La cohabitation était un acte délictueux. Elisabeth trouvait que la police prussienne devait être informée de ce qui se passait à Berlin. Il y avait des moyens de se débarrasser d'étrangers indésirables. Elle veillerait à ce que Lou reçût une leçon qu'elle n'oublierait pas.

Avec une volonté et une détermination dignes d'une meilleure cause, Elisabeth Nietzsche déclencha une action qui eut des répercussions dans diverses parties de l'Europe. Soutenue par Malvida, qui était également outrée par la conduite de Lou, Elisabeth écrivit un certain nombre de lettres, extrêmement préjudiciables, à la famille de Lou et à la mère de Rée. Elle faisait ressortir la nature immorale des relations de Lou et de Rée, menaçait de mettre la police au courant et demandait que Lou fût renvoyée en Russie. Ses lettres firent sensation. Elles mettaient en vive lumière nombre de rumeurs sans fondement et transformaient des commérages privés en accusation quasi publiques. Si elles manquèrent leur but, elles réussirent à éveiller beaucoup d'animosité contre Lou. Il y eut à Saint-Pétersbourg de pressantes conversations entre Mme von Salomé et ses fils. A Stibbe, la famille de Rée fut également alarmée. Mme Rée envisagea de forcer Paul à rentrer à la maison en lui coupant les vivres. Elle trouvait dur de partager son fils avec quiconque, et plus encore avec une créature aussi peu conventionnelle que Lou. Et, dans une Rome lointaine, Malvida von Meysenbug se joignit aux attaques épistolaires contre Lou et Rée.

L'une de ses lettres à Elisabeth tomba par accident entre les mains de Nietzsche. Elle rouvrit l'ancienne blessure. A sa grande horreur, Nietzsche apprit que ce n'était pas Lou qui l'avait trahi, mais son ami Rée. Rée avait dressé Lou contre lui. Rée avait répandu l'affreuse rumeur que Nietzsche avait des desseins ultérieurs sur la jeune fille. Rée avait ridiculisé sa philosophie, qu'il appelait « les divagations d'un fou ». C'était plus qu'il n'en pouvait supporter. Son honneur avait été offensé. Il provoquerait Rée en duel. Mais Elisabeth apaisa son frère. Elle insista pour que ce fût « sa guerre à elle » et qu'elle luttât avec ses propres armes. Nietzsche dit avec amertume aux Overbeck que sa sœur était résolue à se venger de Lou, mais que, jusque-là, il avait été sa seule victime. « J'en ai enduré davantage, cinq fois davantage, que ce qui eût poussé un être normal au suicide, et ce n'est pas encore la fin. »

Les Overbeck s'apitoyèrent sur son sort et lui conseillèrent de ne pas se laisser entraîner par la haine de sa sœur. A leur surprise, il se retourna contre eux et répondit : « Ma sœur à tout à fait raison dans cette affaire. Elle est tout aussi offensée, plus que moi peut-être, et si elle veut que Lou soit renvoyée en Russie, elle fait probablement plus de bien (si elle réussit) que moi, avec ma charité qui veut s'élever contre toute vengeance. L'an dernier, ma sœur avait bien trop d'égards pour moi. N'est-ce pas à rendre fou que je n'aie connu les faits les plus graves de cette vilaine affaire qu'il y a trois mois?... Voici Rée brusquement démasqué. Il est terrible d'avoir à reviser si complètement son opinion sur quelqu'un avec qui on se croyait lié pendant des années dans l'affection et la confiance... Peut-être y aura-t-il un petit duel cet automne. »

Une fois de plus, Nietzsche se remit à méditer sur cette affaire. Dans son esprit, Rée jouait maintenant le rôle de Méphistophélès, dont le cynisme froid et calculateur avait détruit son amitié avec Lou. Il fallait faire quelque chose. Il ne pouvait assister en simple spectateur à la bataille que sa sœur livrait pour son honneur. Il lui fallait se joindre à la bataille. Il dit à Elisabeth qu'il avait écrit quelque dix lettres à Rée, mais n'en avait envoyé aucune de crainte que Rée ne se tuât en les recevant. Il se décida finalement à écrire au frère de Rée, Georges.

Comme nombre de lettres écrites par Nietzsche à cette époque, celle-ci en dit beaucoup plus long sur son état d'esprit que sur les faits en cause. Il avait découvert, tout à fait par hasard, disait-il, que Lou n'avait été que le porte-parole des propos diffamatoires de Rée contre sa sœur et lui :

« C'est lui qui me traite de vil personnage et de misérable égoïste, lui qui essaie de tout exploiter pour ses propres desseins. C'est lui qui me reproche d'avoir nourri, sous le couvert d'un idéal, les plus noires intentions sur Lou Salomé. Il me fait tout un prêche sur elle, comme si elle était trop bien pour ce monde, une martyre de la connaissance depuis sa plus tendre enfance, absolument désintéressée, comme si elle avait sacrifié à la vérité tout son bonheur et toute sa joie de vivre. Eh bien, monsieur Rée, une fois, une seule fois au cours de longs siècles, un être humain comme cela est né en ce monde, et je ferais le tour du globe pour le connaître. J'ai rencontré cette jeune fille et j'ai tenté obstinément de retenir le dernier vestige de cette description d'elle. Impossible! Sa propre mère m'avait prévenu contre elle. J'ai été simplement déçu. Peu importe le nombre de fois où j'ai exprimé à votre frère les doutes sérieux que j'avais sur le caractère de cette jeune fille, mais croyez-vous qu'il ait jamais eu un mot d'excuse pour elle? Il se bornait à répéter : "Vous avez tout à fait raison au sujet de Lou. Mais cela ne change en rien mon sentiment pour elle." Dans une lettre, il l'appela un jour son "destin". *Quel goût!* Ce petit singe maigre et sale, et nauséabond, avec sa fausse poitrine... un destin! »

C'est ainsi que Nietzsche devint de nouveau entraîné dans cette farce tragique. « Depuis que cette affaire a recommencé, je vis dans un état de démence et ne trouve de paix ni jour ni nuit. » Poussé par la fureur d'Elisabeth et par son propre sentiment de frustration et d'offense, il demeura pendant des semaines au bord de l'effondrement complet.

Les Overbeck suivaient tout cela avec une indignation impuissante. Ils n'avaient jamais été très bien disposés à l'égard de Lou, mais ils trouvaient malgré tout que la campagne de haine d'Elisabeth était impardonnable. Pour se venger, elle détruisait la tranquillité d'esprit de son frère et causait un tort grave à sa réputation. Mais ils savaient que toute intervention de leur part les irriterait. Même leur appel à la modération avait été repoussé. Elisabeth Nietzsche ne voulait pas se laisser détourner de sa guerre d'extermination. Lou devait être punie, même au risque de la vie de son frère.

Toutefois, quand la querelle prit fin, Elisabeth n'eut guère lieu de se réjouir. En Lou, elle avait trouvé son maître. Demeurant très calme au milieu de la tempête qui faisait rage autour d'elle, la jeune Russe para tous les coups dirigés contre sa liberté. Elle ne retourna pas à Saint-Pétersbourg. Elle ne renonça pas à son mode de vie anticonventionnel. Ni les menaces d'Elisabeth, ni les appels insistants de sa famille, ni l'ostracisme social auquel elle était en butte, ne lui firent abandonner son intime amitié avec Rée. Elle avait résolu de vivre sa vie selon son intention et sans se soucier des règles établies. C'était sa vie. Le reste était sans importance. Devenir de plus en plus elle-même, se développer selon la loi et le rythme de sa propre nature... c'était cela qui, elle en était convaincue, était sa tâche suprême. Elle déterminait ses actes et expliquait son obsession de liberté. Car il faut être libre pour devenir soi-même. C'est ce que la liberté représentait pour Lou : la réalisation de soi.

« Elle [la liberté] se déclenche en nous dans les grands moments de notre vie, non lorsque notre conscience de soi dit : "Je pourrais"... mais : "Je suis là et ne puis rien faire d'autre." »

Cette obéissance aux lois de sa propre nature écartait pour elle la possibilité de devenir le satellite d'un homme. Poussée, comme Nietzsche, par son démon, elle ne pouvait s'adapter à un mode de vie opposé au sien. C'est en cela que résidait la tragédie de la rencontre Lou-Nietzsche : comme deux étoiles, ils évoluaient dans la même orbite. Leur rencontre devait fatalement produire un choc.

Le répercussion de ce choc sur Lou fut profonde, bien qu'elle prît la chose à la légère et tentât de l'oublier. En premier lieu, l'exemple de Nietzsche lui montra à quel point l'équilibre de l'individu créateur est précaire et combien ténue est la marge qui sépare le génie de la folie. Cette expérience attira son attention sur les problèmes de la psychopathologie, qui devaient occuper plus tard une place si importante dans sa vie. Nietzsche lui avait appris que ce qui compte pour la vie humaine n'est pas l'intellect, mais les pulsions cachées et inconscientes. En travaillant avec Freud, elle eut la confirmation de cette intuition. La rencontre de Lou avec Nietzsche prépara la voie vers Freud : telle est son importance majeure.

Lou profita d'une autre façon de son association orageuse avec Nietzsche : celle-ci lui fournit des matériaux pour son travail d'écrivain. Nietzsche avait encouragé ses premières tentatives de noter ses pensées et elle décida qu'elle pourrait acquérir son indépendance en faisant une carrière littéraire. Elle poursuivit ce but avec sa détermination coutumière, mais elle dut pour une large part son succès immédiat en tant qu'écrivain à l'ascension rapide de la célébrité de Nietzsche. Tandis que le philosophe agonisait à Weimar, durant cette atroce et longue période qui alla de son effondrement en 1889 jusqu'à sa mort en 1900, le monde commença alors à lui prêter attention. Des interprétations de son œuvre furent soudain très recherchées et, se sentant aussi qualifiée que quiconque, Lou écrivit un certain nombre d'articles de journaux, puis même un livre sur Nietzsche. La famille et les amis de Nietzsche furent choqués, et à juste titre, de ce qu'ils appelaient l' « exploitation journalistique » de Lou de ses relations personnelles avec le philosophe. Étant donné que Lou rendit publiques un certain nombre de lettres privées que Nietzsche lui avait écrites, donnant à ses lecteurs l'impression qu'elle avait été en termes intimes avec lui, il y a une bonne part de vérité dans cette accusation. Il était de mauvais goût, pour n'en pas dire plus, de publier des extraits de lettres de Nietzsche alors que le philosophe était encore vivant. Étant un jeune auteur inconnu, Lou tira indubitablement profit de ces divulgations, non seulement en gagnant une certaine notoriété, mais même du point de vue financier. Elle fut bien payée pour les séries d'articles qu'elle écrivit en 1891 par l'édition du dimanche de la *Vossische Zeitung* et de la *Neue Rundschau.* Et si son livre, publié en 1894, ne lui rapporta pas beaucoup d'argent, il ajouta certainement à son renom. C'est un livre intéressant, riche en aperçus, et, bien qu'il n'ait provoqué que des commentaires mêlés lorsqu'il parut, il mérite une place dans les nombreuses éditions critiques sur Nietzsche.

Dans ses déclarations prophétiques, Nietzsche avait dit qu'avec la *Prière à la Vie* de Lou et la musique qu'il avait écrite pour elle, ils atteindraient ensemble la postérité. Il avait raison. Ils atteignirent ensemble la postérité, mais non grâce au poème de Lou. Le destin tragique de Nietzsche rejaillit sur la jeune fille qui l'avait rejeté. Car, tout le reste de sa vie, Lou porta le fardeau d'avoir été l'amie de Nietzsche. Ce fut un lourd fardeau qu'elle porta sans se plaindre; mais elle en tira un enseignement : elle se conduirait désormais avec plus de circonspection ou, tout au moins, avec plus de discrétion.

TROISIÈME PARTIE

Les années du canard sauvage

1883-1897

CHAPITRE X

« *Frère* » *Rée*

En 1883, Lou et Rée habitaient ensemble à Berlin, tandis que Nietzsche, en Italie, se rongeait le cœur dans la solitude. La « sainte trinité » dont ils avaient parlé si joyeusement quelques mois plus tôt était devenue un duo quelque peu inaccoutumé. Car, tout en partageant le même appartement et vivant sur un pied d'intimité, ils n'étaient pas amants. A force de volonté, Lou contenait l'ardeur de son « frère ». Le fait qu'il souffrait de ce célibat forcé et que sa propre réputation était désespérément compromise par cet arrangement singulier ne la troublait nullement. Ils avaient convenu de vivre ensemble comme frère et sœur tout le reste de leurs jours. Et ils le firent pendant cinq ans. Et ces cinq années furent parmi les plus heureuses de la vie de Lou. Elle était jeune et elle était libre. Le chèque qu'elle recevait chaque mois de chez elle assurait son indépendance financière. Elle avait un protecteur et un ami loyal, et vivait dans une ville qui fournissait mille aliments à son esprit chercheur. Tout s'était passé exactement comme elle l'avait projeté. La vie était magnifique. Elle la vivrait pleinement.

Rée était un bon et prévenant compagnon dont le plus grand défaut était l'opinion peu flatteuse qu'il avait de lui-même. Cela lui faisait suspecter les mobiles d'autrui, surtout en ce qui le concernait. Il ne croyait pas aux actes désintéressés et était tourmenté parce qu'il doutait de lui et souffrait d'un sentiment d'infériorité profondément enraciné. Le fait que Lou, qu'il adorait, l'avait choisi pour associé était pour lui une source d'émerveillement perpétuel. Il ne savait ce qu'il avait fait pour mériter ce choix et soupçonnait qu'elle avait besoin de lui pour des desseins ultérieurs.

Pour apaiser ses doutes, Lou devait lui donner des preuves constantes de son affection sincère, ce qu'elle faisait de son mieux. Sans le souvenir de l'affaire Gillot, qui, affirmait-elle, écartait toute possibilité de liaison, leur amitié eût pu s'épanouir en amour. Il dut y avoir, durant les heures d'intimité qu'ils passèrent ensemble, de nombreux moments où elle s'était demandé si elle ne devait pas devenir la femme de Rée et, par ce seul acte, lui faire don d'un amour qui eût mis son esprit en repos. Ce n'étaient certes pas des scrupules d'ordre moral qui l'empêchaient d'accéder à son désir. Mais, indépendamment de l'invisible présence de Gillot, il semble également qu'il y avait dans la personne physique de Rée quelque chose qui répugnait à Lou. En tout cas, l'intimité de leurs relations ne l'empêchait pas de dormir, à l'encontre de Rée, qui passait souvent la nuit à parcourir fébrilement les rues désertes de Berlin. Il savait que toute tentative de violer sa confiance serait fatale. Il ne pouvait qu'espérer que son amour ferait enfin vibrer en elle une corde sensible. En attendant, la seule solution était de la laisser tranquille. C'est ce qu'il avait voulu faire à Rome lorsqu'il avait confié à Malvida son amour pour Lou. Et c'est ce qu'il essaya de faire une ou deux fois ensuite.

« Je crains qu'il ne faille nous séparer, lui écrivait-il au début de leur association, car, bien que je sois votre protecteur et votre soutien, vous êtes trop honnête pour me vouloir dans ce rôle s'il s'est produit le moindre changement dans l'intime et profonde sympathie qui existe entre nous. Et ce changement s'est produit. Car, d'une part, je suis un faible. La faiblesse est la clé de tout mon être, c'est du moins ce que je suis devenu dans ces quatre, cinq ou six dernières années... J'étais, en réalité, déjà mort. Vous m'avez ramené à une pseudo-vie. Mais une pseudo-vie répugne à un mort. D'autre part, je ne puis me débarrasser d'un sentiment de défiance à cause d'un trait qui m'est propre et que vous n'aimez pas, cette défiance qui me fait craindre de vous être antipathique, de faire quelque chose qui vous déplaise. Prenons donc pour toujours des chemins différents. »

« Non! répliqua Lou, certes non. Nous vivrons ensemble et lutterons ensemble jusqu'à ce que vous ayez rétracté ce que vous venez d'écrire. »

L'assurance de Lou eut sur Rée un effet apaisant. Il accepta peu à peu le rôle qu'elle avait choisi pour lui et parut même y prendre plaisir. Leurs amis l'appelaient la « demoiselle d'honneur de Lou ». Elle mentionne joyeusement cette épithète sans se rendre compte que c'est une critique accablante sur la virilité de Rée. Peut-être traitait-il cela, lui aussi, comme une farce, dont il payait le prix pour avoir la permission d'être auprès d'elle. En ce cas, il dut sentir plus d'une fois qu'il était le dindon de la farce.

Dans ce même cercle de leurs amis de Berlin, un groupe de jeunes humanistes, philosophes et hommes de science, Lou était appelée « Son Excellence ». Cette appellation est également révélatrice. Elle montre combien elle influait sur ceux qui lui étaient proches. Ils admiraient sa force de caractère, son mépris souverain pour toutes les petites vertus, son indifférence pour la moralité bourgeoise tout autant que ses qualités d'esprit inaccoutumées et son origine distinguée. Bien qu'elle fût la plus jeune parmi les membres du groupe, et souvent la seule femme présente, elle en était le centre vital, fourmillant d'idées, hardie dans ses spéculations et entièrement dégagée de toute hypocrisie, de toute prétention, de tout préjugé. Étant donné les tabous sociaux de l'époque, de telles vertus, peu communes parmi les hommes, étaient inconnues chez les femmes. Il n'est pas étonnant que cette Russe, exotique et brillante, les fascinât tous et qu'ils en devinssent amoureux l'un après l'autre.

Rée, qui tenait officieusement le compte des conquêtes de Lou, avait beaucoup de peine à les dépister toutes. Il lui demanda plus d'une fois avec une grande anxiété s'il était vrai qu'elle eût accepté une proposition de mariage. Elle emprunta un jour un réveil à un jeune homme de leurs connaissances à la condition que si elle ne le lui rendait pas à une certaine date, il pourrait en conclure qu'elle l'épouserait. Elle oublia vite et le réveil et la condition et fut horrifiée lorsque Rée, tout abattu, lui dit au revoir, puisqu'elle allait devenir la femme d'un autre.

Parmi les soupirants passionnés de Lou à cette époque, il y avait Ferdinand Tönnies et Hermann Ebbinghaus. Lou considérait le premier, qui devint l'un des plus grands sociologues d'Allemagne, comme l'homme le plus brillant, après Nietzsche, qu'elle eût rencontré. Le rival qui lui disputait les faveurs de Lou, Hermann Ebbinghaus, enseignait la psychologie expérimentale, domaine auquel Lou s'intéressait particulièrement. Ces deux hommes lui étaient très proches, plus proches que Rée dont la mentalité utilitariste lui apparaissait souvent prosaïque. C'était pourtant avec Rée qu'elle vivait et vers qui elle revenait toujours. Elle suivit toute sa vie cette ligne de conduite. Elle se laissa courtiser par d'ardents soupirants, vécut et voyagea avec eux pendant un certain temps, puis rentra au bercail, son bercail à elle, comme elle disait, vers le refuge et la protection d'abord de son ami Rée, puis de son mari, Andreas. Le trait distinctif des amitiés de Lou et de ses affaires de cœur est qu'elles ont toujours débuté sur un plan intellectuel élevé. Car, bien que ce fût une femme très séduisante, c'était toujours son esprit et le rayonnement de son être, sa vitalité et sa ferveur, qui attiraient les hommes. L'ami de Nietzsche, le philosophe Paul Deussen, qui appartenait au cercle berlinois des jeunes intellectuels et fut l'un des premiers auxquels Lou donna un exemplaire de son livre, *Une lutte pour Dieu*, lorsqu'il parut en décembre 1884, écrivait : « Je dois avouer que mon amour pour Lou s'est brusquement enflammé en lisant son livre. Mon ami Ebbinghaus l'a appelé "Fantaisies d'une nonne", mais j'ai trouvé dans ce livre beaucoup d'esprit et c'est de cet esprit dont je suis tombé amoureux. »

Il devait être pénible pour Rée, auquel elle avait dédié son livre, et qui était très susceptible quant à son aspect, de nourrir le soupçon, justifié ou non, que la véritable raison du refus de Lou d'être à lui était de le trouver sans attrait physique. Il faisait tous ses efforts pour ne manifester aucune jalousie des faveurs qu'elle accordait aux autres, bien qu'il n'y ait pas raison de supposer que, tandis qu'elle vivait avec Rée, Lou ait donné à d'autres ce qu'elle lui refusait. Mais, à certains moments, la maîtrise de Rée l'abandonnait et il se laissait aller à des remarques sarcastiques. Ludwig Hüter, un jeune homme qui assista à certaines de leurs réunions sans être de leur groupe, rapporte que, dans une conversation, Lou parla un jour de la « jolie bouche » de Nietzsche. Rée parut piqué et lui demanda avec son ironie coutumière : « Comment le savez-vous? La bouche de Nietzsche est cachée sous une énorme moustache. » Lou répondit en souriant : « Oui, mais quand il ouvre la bouche — et je lui ai souvent parlé — on peut parfaitement voir ses lèvres. »

Hüter conclut que Rée était jaloux, « ce qui est compréhensible, car Lou Salomé est belle et ravissante. Si elle flirte, elle le fait inconsciemment, mais elle plaisante néanmoins avec des hommes sérieux et plus âgés et le fait qu'elle dit toujours ce qu'elle pense n'est pas entièrement anodin. Car avec de telles remarques, qui ont peut-être une intention esthétique, mais frisent la sensualité naïve, elle peut jeter deux rivaux l'un contre l'autre. »

Extérieurement, le ménage Rée-Lou était assez heureux. Ils avaient loué à Berlin un appartement de trois pièces, non sans se heurter à certaines difficultés. Comme ils n'étaient pas mariés, leurs logeuses soupçonnaient qu'ils vivaient dans le péché, état de choses qui n'était pas encouragé dans la capitale prussienne. A Vienne, où Lou et Rée avaient également vécu pendant un certain temps, la situation était juste l'inverse. Leurs logeuses viennoises, présumant qu'ils étaient amants, s'écartaient de leurs habitudes pour être serviables et accommodantes. Lou trouvait les deux attitudes amusantes et elle divertissait souvent ses amis en leur racontant d'une manière vivante leurs expéditions à la recherche d'un gîte. Elle aimait à choquer la bourgeoisie, à observer les expressions consternées sur les faces des lourdes ménagères allemandes lorsque, après leur avoir dit qu'elle désirait louer un appartement pour elle-même et son ami, elle arrivait avec Rée. C'était impayable. Ou vous étiez mariés, ou vous étiez amants, c'est tout ce qu'elles pouvaient envisager. Eh bien, elle ne permettrait pas à de mesquines âmes bourgeoises de diriger sa vie. Elle vivrait à sa guise.

En compagnie d'un petit groupe d'amis avec qui elle avait des goûts en commun, elle vivait vraiment à sa guise dans la capitale de l'Allemagne de Bismarck. C'était une existence pleine de stimulant. Ils allaient à des concerts et à des conférences, discutaient des pièces et des livres nouveaux, organisaient un groupement d'étudiants dans la maison du métaphysicien Ludwig Heller, faisaient des excursions, des promenades en bateau sur les lacs des environs de Berlin et poursuivaient d'interminables successions de dialogues socratiques. L'air intellectuel de Berlin était surchargé. Les grands systèmes de philosophie post-kantienne étaient remplacés par des mouvements positivistes et darwinistes. L'esprit scientifique s'imposait à des portions de plus en plus larges de l'esprit humain. La tendance de l'époque était critique et analytique. Lou la qualifiait de « période héroïque ». Les valeurs religieuses, philosophiques, sociales et économiques subissaient de profondes transformations. Tout était soumis à un changement continuel. Toutes les traditions étaient sujettes à de rigoureux examens scientifiques. Une fois de plus, l'intellect avait la prédominance sur le cœur. C'était un climat rude et peu féminin, mais Lou s'y trouvait à l'aise. Ses ennemis essayaient en vain de découvrir un point faible dans son armure intellectuelle ou morale. Ayant demandé un rapport confidentiel sur ce qui se passait à Berlin, Malvida reçut de Hüter la réponse suivante :

« Dans votre dernière lettre, vous m'avez demandé quelle impression j'avais eue de Lou Salomé. Vous la connaissez très bien et il vous sera facile de voir si je la juge correctement. Je vous dirai simplement tout tel que je le vois. Elle a fait sur moi une très forte impression sur laquelle il m'a d'abord fallu réfléchir, car cette jeune fille sort trop de l'ordinaire pour être aisément comprise. J'ai trouvé en elle une sorte de femme absolument différente de celles que j'ai rencontrées jusqu'ici. Mais laissez-moi vous dire tout de suite que j'en suis venu à la comprendre et à la respecter. Je crois que votre anxiété est peut-être exagérée. S'il existait une double façon de comprendre le monde, une mâle et une femelle, je dirais que Lou Salomé le comprend comme un homme. C'est ce qu'il y a en elle de frappant et d'intéressant. L'intellect croit qu'il peut tout faire, mais il n'est rien sans le sentiment. Tous deux gouvernent l'humanité. L'homme crée les formes, construit la maison, et la femme lui donne de la chaleur et du contentement. Je rencontre donc là une créature vraiment féminine, charmante, séduisante, qui renonce à tous les moyens qu'une femme a à sa disposition et se sert, au contraire, avec une rigoureuse exclusivité, des armes qu'un homme manie dans la lutte pour la vie. Il n'y a en elle aucune trace de jugement prématuré ou irréfléchi, comme chez la plupart des femmes. La précision et la clarté caractérisent, au contraire, chaque parole qu'elle prononce. Mais plus son caractère est précis d'un côté, plus il semble unilatéral de l'autre. Il y a, évidemment, des conversations sur la musique, l'art et la poésie, mais ils sont jugés d'après un étrange critère : non par la pure joie de la beauté, l'enchantement de la forme, l'entendement d'un texte, le plaisir poétique de ce qui est donné avec le cœur et l'âme... Non, au lieu de tout cela, de froides discussions philosophiques, souvent, hélas, négatives et même destructives. Et, derrière elle, se tient le Dr Rée, comme Merk derrière notre grand poète, un personnage quelque peu méphistophélique, disséquant tout, rationalisant tout.

« Et pourtant, je ne puis croire que Lou Salomé se perdra dans cette sorte de critique. Elle n'est pas encline à ce qu'on appelle argumentation. Avec sa merveilleuse clarté d'esprit, elle essaie de prêcher l'idéal de tous les hommes. Elle est mue par l'amour de la vérité et non par la joie d'argumenter. Vous craignez que son esprit critique ne prenne la préséance sur ses idéaux. Son esprit critique et ses expressions sont, il est vrai, presque inquiétants. Mais souvenez-vous qu'elle est trop charmante, trop généreuse et bienveillante pour que sa froide intelligence supprime son humanité. Je la crois sur la bonne voie, mais je pense aussi que, tôt ou tard, une réaction se produira contre le côté unilatéral avec lequel elle s'est engagée dans cette voie. Si cela amène l'épanouissement de ses caractéristiques féminines, quelque chose d'excellent adviendra de cette jeune fille richement douée. »

Malvida semble n'avoir pas été impressionnée par ce rapport élogieux. Elle gardait l'impression que Lou avait trahi non seulement le pauvre Nietzsche, si malade, mais elle également. La façon de vivre de Lou offensait son sentiment de la propriété et elle prêtait une oreille complaisante aux sinistres accusations d'Elisabeth Nietzsche. Les hommes, c'est l'évidence même, sont mauvais juges du caractère féminin, sinon comment expliquer que tous chantaient ses louanges? Plus tôt la jeune fille serait renvoyée en Russie, mieux cela vaudrait pour tous les intéressés. Si elle ne quittait volontairement l'Allemagne, il faudrait faire pression sur sa famille.

Il advint que ce fut Rée qui eut à supporter le plus fort de l'attaque lancée contre Lou par l'infatigable Elisabeth et ses alliées, Malvida et Mme Rée. Ce fut pour lui un coup amer lorsque sa mère se joignit aux forces anti-Lou. Il para ce coup en faisant appel à l'aide et à la compréhension de son frère Georges. Ce dernier semble avoir été beaucoup mieux disposé envers Lou que le reste de sa famille. Il constatait que Lou exerçait une sérieuse influence sur son jeune frère, financièrement irresponsable. La passion de Paul pour le jeu se trouvait contenue. Il n'envoyait plus de ces demandes d'argent urgentes qui avaient été si souvent une saignée dans les finances familiales. A cet égard, l'influence de Lou était favorable. Rompre une association qui, en dépit de ce que pouvaient dire les autres, était financièrement saine, serait de la folie. Georges enjoignit à sa mère de cesser de se mêler des affaires de Paul, qui était assez grand pour savoir ce qu'il faisait.

Au cours des mois critiques du printemps et de l'été de 1883, où la campagne d'Elisabeth contre Lou battait son plein, l'appui de Georges Rée s'avéra inestimable. Mais il restait encore le danger que Mme von Salomé, alarmée par les invectives lancées contre sa fille, lui ordonnât de rentrer à Saint-Pétersbourg. Elle pouvait supprimer la pension de Lou ou demander à l'un de ses fils de la ramener à la maison, de force si c'était nécessaire. Il fallait faire quelque chose pour convaincre la famille de Lou qu'elle ne faisait pas que s'amuser à Berlin — cela, elle pourrait le faire à Saint-Pétersbourg, et sur un plus grand pied — mais qu'elle était occupée à des études sérieuses qui ne pouvaient être menées à bien en Russie. Il fut décidé qu'un livre serait la réponse. Si Lou écrivait un livre, sa famille aurait la preuve que les accusations d'Elisabeth étaient sans fondement.

Quant à sa possibilité d'écrire un livre, elle ne faisait aucun doute. Une seule question se posait : pourrait-elle l'écrire à Berlin, au milieu des distractions d'une grande ville? Puisque sa santé était encore précaire, Rée suggéra d'aller quelques mois dans le Sud. Tous deux adoraient voyager et, étant financièrement indépendants — chacun d'eux recevait chaque mois 250 marks de sa famille, somme importante en ce temps-là — ils pouvaient se permettre de vivre où il leur plaisait. Il pouvait y avoir pour Rée une raison supplémentaire de suggérer de quitter Berlin. Il trouvait qu'un trop grand nombre de ses amis faisaient la cour à Lou. Elle avait, il est vrai, repoussé toutes les propositions, mais Rée eût été moins qu'humain si la perspective de jouir de la compagnie non partagée de Lou ne l'avait enchanté. Ils partirent pour Gries-Meran, dans le Tyrol, station climatique autrichienne d'une situation idyllique. Là, environnés de montagnes, de forêts et de rivières, ils s'installèrent pour écrire leur livre, Lou son roman psychologique, *Une lutte pour Dieu*, et Rée son traité de philosophie, *L'Origine de la conscience morale*.

Regardant plus tard en arrière, Lou trouva amusant que son premier livre, écrit sur commande pour impressionner sa famille, eût de meilleurs comptes rendus que tous ceux qui suivirent. Même des critiques de Berlin aussi blasés que les frères Hart s'y laissèrent prendre. Ils ne virent pas que c'était un mélange de deux ingrédients : ses notes de Saint-Pétersbourg sur les problèmes religieux et métaphysiques et une histoire d'amour assez emphatique, écrite en vers à l'origine. Le lecteur d'aujourd'hui admettra avec Lou que la valeur littéraire d'*Une lutte pour Dieu* est mince, mais en tant que document reflétant les pensées de Lou, c'est un livre d'un intérêt considérable. Comme tous ses livres, il contient une composante autobiographique indubitable : il pose le problème de ce qui arrive quand l'homme perd sa foi en Dieu. Elle présente son livre, assez naïvement, pensait Nietzsche, sous la forme du journal d'un vieillard.

Une lutte pour Dieu commence par un bref récit de l'enfance du narrateur dans un presbytère allemand. Son nom est Kuno et il est entièrement sous l'empire de son père, un vieux pasteur austère. Il a pour camarade de jeux la fille d'un commerçant, Jane, à laquelle l'attache un amour profond fondé sur leur commune ferveur religieuse. La foi de Kuno est presque morbide : « Dur, froid, obstiné, doué d'une grande volonté, il n'avait rien d'aimable dans le caractère », dit-il de lui-même, et il convient qu'il avait cessé de croire dès son jeune âge. « Il n'y a pas eu une seule période de ma vie où, chez moi, la croyance et la pensée se soient donné la main, pas une seule fois où le lieu de leur rencontre ne soit devenu le théâtre d'un conflit. Si, au commencement, la pensée avait été bannie, paralysée par mes sentiments et ma ferveur naïve, son premier jaillissement devait être d'autant plus dangereux : dès l'abord, elle se présenta comme un élément hostile, contraire à la foi; dès l'abord, l'opprimé devint l'oppresseur... Ma ferveur même fut la cause première de sa chute rapide... J'ai perdu mon Dieu à l'instant précis où j'ai perdu le Dieu de mon enfance, c'est-à-dire un dieu entièrement créé par moi. » Et, aussitôt, Kuno se sentait abandonné et coupable, car « pouvait-il exister pour moi un crime plus grand, un acte plus horrible que ce sacrilège détachement de Dieu? Mieux encore, que ce véritable meurtre de Dieu dans ma conscience? » Il se demande, inquiet, s'il est vraiment responsable de ce crime ou s'il a été commis contre lui par quelque puissance démoniaque. Et il se sent envahi par la peur d'être prédestiné au Mal.

Le thème central du livre, traité en divers épisodes et discours philosophiques, est le trouble que cause à Kuno le sentiment que la perte de sa foi est une aberration morale plus qu'intellectuelle. Comment un homme peut-il vivre dans un univers sans Dieu? Quelles sont les coordonnées morales sur lesquelles il peut bâtir sa vie? Kuno n'est pas certain du tout que les sables mouvants de l'intellect humain puissent fournir un substitut assez sûr à la « forteresse de Dieu ». Mais qu'y a-t-il d'autre pour un homme possédant son honnêteté intellectuelle, qui est également sceptique quant à l'ancienne foi en Dieu et quant à la foi moderne en la raison? Rien, répond son jeune frère, Rudolf. Il lui faut affronter cette vérité que la vie n'a aucun sens, qu'il n'y a pas de salut, ni religieux ni séculier, et que notre meilleur espoir est de surmonter la chose en embrassant l'idéal bouddhiste du nirvâna. Mais Kuno est passionnément opposé à la doctrine de la résignation. Assiégé par le doute et l'inquiétude morale, il affirme encore la magnificence et la grandeur de la vie et se résout à en faire « le plus haut moyen d'un but élevé ».

Quand son frère proteste que toutes les religions ne considèrent la vie que comme un mal nécessaire, Kuno réplique que nous pouvons apprendre de la religion, en dépit de ses échecs, un sincère amour de la vie et l'espoir encourageant de durer pour la réalisation de ses idéaux. Il cite en exemple l'agonie de Jésus dans le jardin de Gethsémani. Ce n'est pas, affirme-t-il, la peur de la mort qui oblige Jésus à s'écrier : « Éloigne de moi cette coupe! » mais l'amour de la vie. Il voulait vivre parce que, dans son cœur, un monde d'énergie chaleureuse, passionnée, demandait à vivre et à s'exprimer. Mais Rudolf n'est pas convaincu. Le temps viendra sûrement, dit-il, où les grandes révélations de toutes les religions nous apparaîtront comme certains rêves oubliés de notre enfance. Si cela est vrai, répond Kuno avec passion, reculons ce temps-là, « luttons pour les dieux mourants ». Il proclame que l'idéal de l'athée moderne est « une attitude héroïque devant la vie, et non la résignation ou le désespoir ».

En opposant Kuno, le sceptique passionné, et Rudolf, l'agnostique résigné, Lou dépeint le contraste des attitudes de Nietzsche et de Rée, donnant nettement sa sympathie à Nietzsche. La vie et les actes de Kuno sont d'un intérêt particulier, mais il serait assurément absurde de faire un parallèle entre la vie et les pensées de Lou et celles de son héros. La parenté entre auteur et héros dans une œuvre de fiction est toujours complexe. Dans un roman semi-autobiographique, l'auteur transfère souvent ses problèmes à son héros, comme Gœthe le fit dans *Werther*, et, en agissant ainsi, les résout. Alors que les problèmes sont les mêmes, les solutions sont tout à fait différentes.

Le dilemme moral que Kuno doit affronter est exposé en trois situations critiques, à trois périodes différentes de sa vie, lors de ses rencontres avec trois femmes : son amie d'enfance, Jane, une jeune fille dont il fait la connaissance lorsqu'elle est étudiante, Margherita, et sa fille, Mary. Chacune de ces femmes possède certaines caractéristiques qui nous sont familières dans la vie de Lou. Là encore, les éléments fiction et biographie sont intimement mêlés.

Jane, jeune fille pâle, mais passionnée, est une extrême idéaliste. Elle éprouve fortement le besoin d'admirer, de vénérer, de s'agenouiller devant un idéal, de le déifier. C'est ce qu'elle appelle la religion d'une femme. Le besoin de Margherita est la liberté personnelle. Elle devient étudiante parce qu'elle veut vivre une vie plus pleine et plus libre. Enfin, Mary, la fille de Kuno, qui vit dans un monde à elle parmi les merveilleuses créations de sa vive imagination, est une enfant timide et sensible. Bien qu'elles soient différentes, les trois femmes ont un sort commun : lorsqu'elles rencontrent Kuno, la tragédie entre dans leur vie.

Jusqu'à ce qu'il fasse la connaissance de Margherita, Kuno a mené une vie austère et ascétique, vouée à ses études et à la recherche de la connaissance avec un zèle faustien. Il se montre l'ami de Margherita parce qu'il est intrigué par sa façon de vivre inaccoutumée. Il veut savoir pourquoi elle l'a choisi. Elle lui explique que ce n'est que comme étudiante qu'elle espère s'émanciper des chaînes qui assujettissent son sexe au cercle étroit du foyer et du mariage. Kuno émet des doutes sur la sagesse de son choix. Au cours de longues conversations intimes, ils discutent des problèmes qu'une femme doit affronter lorsqu'elle essaie d'entrer en compétition avec les hommes dans le domaine des idées. Kuno croit que, pour une femme, le seul chemin à suivre pour atteindre la grandeur est l'amour. Margherita ne le nie pas, mais rejette l'exclusivisme de cette affirmation. Tout comme les hommes, les femmes ont le droit de vivre leur vie jusqu'à l'extrême degré de leurs facultés, intellectuellement aussi bien qu'émotionnellement. Elle méprise le double standard de moralité qui maintient les femmes dans un état d'infériorité et réclame une véritable égalité pour son sexe.

Même lorsqu'il est en désaccord avec elle, Kuno est charmé par sa vivacité, son intelligence et sa sincérité. Mais il est déterminé à ne pas s'engager dans une affaire sentimentale avec elle et essaie de maintenir leur amitié sur un plan platonique élevé. Il désire rester son ami et son camarade. Toutefois, ils atteignent bientôt un point où un puissant élément sensuel s'insinue dans leurs relations, qui deviennent de plus en plus intimes. A sa grande horreur, Kuno sent monter en lui un désir passionné qui semble « s'échapper de lui comme une bête sauvage ». La nuit, l'ascète devient un libertin. Dans de telles dispositions, il séduit Margherita, action qui l'emplit aussitôt de dégoût et de remords. Il se rappelle l'avertissement de son père : « Les passions qui ne sont pas protégées et dirigées par le Seigneur conduiront au péché. » Avec un grand effort de volonté, il s'arrache à Margherita, qui est tout à fait disposée à rester sa maîtresse, en lui disant brutalement : « Vous devez savoir qu'une femme possède deux sortes de charme. Ou elle est innocente et enfantine dans sa pureté, ou c'est une mondaine séduisante versée dans tous les arts de la coquetterie. Mais vous n'êtes qu'une débutante timide et inexperte qui a perdu son innocence. » L'épisode finit de façon mélodramatique : Margherita s'empoisonne après avoir repoussé la proposition de mariage, tiède et tardive, de Kuno.

La tragédie de la rencontre de Kuno avec Jane, son ancienne amie d'enfance, se place sur un plan plus élevé. Lorsqu'ils se retrouvent, Jane est malheureusement mariée à un époux lourd et grossier qui méprise l'idéalisme de sa femme et ne se sert d'elle que comme moyen de jouissance. Le fait que leur mariage est resté sans enfants le rend plus pénible encore pour Jane. Kuno est profondément ému lorsqu'il sent à quel point elle est affamée d'affection. Elle-même est pleine d'amour et de pitié lorsqu'elle constate l'inquiétude morale intense de Kuno, venant de la perte de sa foi. Sa réaction spontanée est de le réconforter. Avec une jubilation presque méphistophélique, le mari de Jane observe leur intimité croissante. Il attend le moment où leur noble idéal s'effondrera sur leurs têtes. Pour empêcher cela et préserver la spiritualité de son amour, Kuno décide de quitter Jane. Mais il est trop tard. Lorsqu'au moment de partir il lui dit au revoir, l'amour est alors le plus fort. Jane s'offre à lui et il n'a pas la force de résister. Une fois de plus, la chair se montre plus faible que l'esprit. En essayant de justifier sa faiblesse, Kuno déclare : « Ce n'est pas moi qui ai séduit Jane, c'est elle qui m'a séduit. » Mais il sait que c'est une pauvre excuse et, de nouveau, il est plein de honte et de remords.

Quand Jane comprend ce qu'elle a fait, elle est désolée et connaît « la plus solitaire de toutes les solitudes qui peuvent étreindre un cœur humain, l'abandon de celui qui a trahi l'idéal le plus haut de sa vie : l'abandon de soi ». Elle avoue son adultère à son mari, qui ne fait que se moquer d'elle. Il a maintenant l'impression qu'ils sont vraiment égaux. Mais Jane ne peut se pardonner. Tourmentée par un profond sentiment de culpabilité, elle comprend que le salaire du péché est la mort. « La légende chrétienne a raison de dire que l'enfer commença avec un ange déchu. » A la fin de l'été, elle donne naissance à un enfant et meurt peu de temps après.

Le comble de la tragédie dans la vie de Kuno survient lorsqu'il décide de prendre chez lui Mary, la fille de Jane, qui ignore que Kuno est son père. Après la mort de sa mère, Mary a été élevée par une vieille paysanne dans un village de montagne éloigné. Tourmentée par ses compagnes de classe à cause de sa naissance illégitime, elle est devenue une enfant timide et renfermée. Kuno la retire de l'école du village et lui donne des leçons particulières, à la grande horreur de la vieille femme, qui a tenté de l'élever dans la foi stricte de l'Église catholique. Elle craint que, Kuno étant sans Dieu, cela ne porte malheur à Mary. Il y a de longues discussions entre Kuno et son frère Rudolf, qui vit également avec eux, sur la meilleure façon d'élever la petite fille. Kuno veut lui épargner le conflit entre la foi et la raison, contre lequel il a lutté toute sa vie. Il croit qu'en ne l'obligeant pas à accepter un Dieu tout fait, mais en encourageant sa faculté d'admirer et en lui inculquant le respect de la vie, il lui permettra de rester capable de sentiments religieux, débarrassés des dogmes et du credo. Il veut qu'elle livre bataille avec un « défi prométhéen » pour ses propres idéaux et oblige la vie à les accepter. Le mot « Dieu » sera alors pour elle plus qu'une idée vide, ce sera le nom qui lui viendra aux lèvres dans les plus grands moments de sa vie.

C'est dans cet esprit qu'il élève sa fille. Elle prend autant de plaisir que lui aux leçons qu'il lui donne et il la trouve intelligente et sensible. Sur un seul point, elle est la fille de sa mère et typiquement femme : « Quand elle aime, elle n'a pas envie de réfléchir. »

Une ombre tombe sur les heureuses relations entre les deux frères et la jeune fille lorsqu'ils observent qu'en prenant de l'âge Mary aspire à une intimité plus grande encore avec Kuno. Ce dernier se propose de lui révéler, à son dix-septième anniversaire, qu'il est son père, mais il ne peut s'y résoudre parce qu'il redoute de faire à son enfant une confession humiliante. Pendant ce temps, la vieille paysanne est choquée lorsqu'elle s'aperçoit que Mary adore son père. Elle craint que la jeune fille ne recueille l'amère récolte d'une éducation sans Dieu. Le récit atteint son point extrême lorsque Mary, assise au lit de mort de la vieille femme, qui a eu une congestion cérébrale, lui dit qu'elle espère devenir la femme de Kuno. Horrifiée, la vieille femme se dresse sur son séant, pousse un cri terrible — « Seigneur Jésus, Ton Jugement » — et tombe morte. Plus tard, ce soir-là, Kuno demande à Mary de l'appeler Père. Elle comprend tout à coup, s'écrie « Père! » et s'évanouit. Le soir même, elle se noie.

La tragédie du suicide de Mary force les deux frères à réfléchir une fois de plus sur le sens de la vie et de la mort. Rudolf, qui confie maintenant à son frère qu'il aimait Mary, ne peut surmonter sa mort. La vie, qui ne lui a toujours semblé qu'un mal nécessaire, est devenue pour lui vide et dépourvue de sens. Il tombe malade et veut mourir.

« La mort signifierait pour moi la libération. Sa paix, que les autres redoutent, correspond à mon désir le plus profond : le désir du néant. »

Mais Kuno répond passionnément : « La tombe n'est pas la fin. De la tombe de ceux que nous aimons le plus et où, avec ceux que nous aimons le plus, sont enterrés toutes nos impulsions et nos désirs égoïstes, nous devons tirer la force de nous consacrer entièrement et sans réserve au grand objet de notre vie : Voilà ma religion. »

Dans les dernières pages du livre, Kuno, devenu vieux, résume ses pensées sur la vie : « Je n'ai pas trouvé la paix dans la vieillesse, mais seulement l'immense et douloureuse insatisfaction de l'esprit créateur... Plus longtemps, plus farouchement un homme livrera la bataille de la vie, plus il avancera, par-delà les malheurs les plus profonds, dans cette marche de Dieu vers Dieu. »

Le livre reflète nettement le thème qui revient toujours dans la vie de Lou : ses préoccupations touchant le problème de la foi aussi bien que sa connaissance des dangers qui se tiennent en embuscade sur le chemin de l'athée. Son héros, Kuno, figure nietzschéenne avec son scepticisme passionné et son affirmation de la vie tout aussi passionnée, projection de ses propres convictions les plus profondes, est une force élémentaire qui apporte la destruction à tous ceux qui l'aiment. Il est directement responsable de la mort de Jane et du suicide de Mary et de Margherita. Il le sait, éprouve du remords pour ses actes, mais, poussé par une insatisfaction faustienne, il poursuit son chemin, incapable de changer le cours de sa vie. Avec une suprême indifférence pour les souffrances qu'il cause, il continue ses recherches — tout comme Lou — luttant avec Dieu comme Jacob avec l'ange, tandis que ceux qui l'aiment périssent au bord de la route. Sombre lecture que cette histoire d'un homme si dominé par ses idéaux que cette « marche de Dieu vers Dieu » est marquée par les tombes des êtres qu'il a aimés. Puisqu'il reflète les propres idéaux de Lou, le livre jette une ombre sinistre sur le cours de sa vie.

Lou écrivit *Une lutte pour Dieu* lorsqu'elle avait vingt-trois ans. Bien que ce ne soit guère un chef-d'œuvre littéraire, le livre répond au but dans lequel il a été écrit : aux yeux de sa famille et du monde, elle était devenue un écrivain et avait droit à sa liberté. C'était tout ce qui importait. Lorsqu'on cessa de parler de son premier livre, elle était bien trop occupée par sa vie sociale pour perdre d'autre temps à écrire. Il fallut cinq années et un autre moment critique de sa vie avant qu'elle ne commencât sérieurement sa carrière littéraire.

Au cours des mois qu'elle passa à écrire *Une lutte pour Dieu*, il y eut dans la santé de Lou une amélioration remarquable. Elle dit qu'elle emporta de Meran un corps différent, plus fort et plus résistant. Les évanouissements et les accès de toux qu'elle avait eus durant la plus grande partie de son adolescence avaient disparu. De son point de vue personnel, le livre eut un grand succès, indépendamment des comptes rendus favorables des critiques de Berlin, qui louèrent sa « pénétration psychologique » et la hardiesse avec laquelle il traitait le vieux conflit entre la foi et la raison. Ils eussent été plus étonnés encore s'ils avaient su que son auteur était une jeune femme. Pour préserver sa famille et parce qu'elle sentait qu'un livre écrit par un homme aurait plus de chances de succès, Lou publia *Une lutte pour Dieu* sous le pseudonyme de Henri Lou.

Nous ne savons ce que Rée pensait du livre ni s'il se voyait reflété dans le personnage du plus jeune frère de Kuno, Rudolf, dont le désir de mourir était plus fort que la volonté de vivre. Nietzsche remarque que, tandis que tous les éléments formels dans le « semi-roman » de la « *sœur inséparable* » de Rée sont presque comiques, « la matière a de la consistance, même de l'élévation, bien que ce ne soit certainement pas l'éternel féminin qui provoque l'élévation chez cette jeune fille, mais peut-être l'éternel masculin! »

Rée était probablement trop occupé avec son propre livre pour prêter beaucoup d'attention à celui de Lou. Il l'avait écrit, lui aussi, dans un but précis. Il espérait qu'il lui ouvrirait les portes de quelque poste académique. Depuis qu'il avait obtenu son doctorat en philosophie, il avait eu l'ambition de devenir professeur d'université. Cela signifiait qu'il lui fallait s'assurer le *venia legendi*, le droit d'enseigner, en soumettant une dissertation à la Faculté de philosophie d'une université. Si elle était acceptée, une carrière académique lui serait ouverte. Rée avait de nombreux amis parmi les jeunes philosophes de son temps et peut-être avait-il pensé que s'il pouvait surmonter son doute de soi et écrire le livre dont il avait défendu la thèse dans d'innombrables discussions, il obtiendrait son admission dans le monde académique. Mais il se trompait. Partout où il soumit son livre, après son retour de Meran avec Lou pendant l'été de 1884, il se heurta à un refus poli, mais ferme. Nietzsche le qualifia de « vide, ennuyeux et erroné ». Lou elle-même dit qu'il ne comptait guère.

En raison du succès immédiat du livre de Lou, son propre échec dut tourmenter Rée. Lorsqu'il fut finalement refusé par la Faculté de philosophie de Strasbourg, il abandonna tout espoir de devenir professeur d'université et décida d'étudier la médecine. Il n'avait pas l'intention de pratiquer pour gagner sa vie, puisqu'il était financièrement indépendant. Il voulait offrir ses services à ceux qui ne pouvaient se permettre de consulter un médecin, les pauvres et les délaissés. Il se consacra à cet idéal tout le reste de sa vie avec un altruisme et une constance qui forment un contraste marquant avec ses convictions philosophiques. En tant que philosophe, il maintenait qu'il n'existe pas d'acte désintéressé : « Tous les hommes sont égaux, c'est-à-dire également égoïstes, jaloux et vaniteux. » Mais, en tant que médecin, son dévouement désintéressé pour les pauvres devint légendaire. Aux yeux de ses patients, cet homme tranquille et modeste qui se dérangeait pour leur venir en aide, bien qu'il semblât souffrir lui-même d'une tristesse incurable, atteignait la stature d'un saint. Ils remarquaient qu'il était toujours seul, qu'il évitait la société humaine et passait ses loisirs en promenades solitaires. Ce qu'ils ne savaient pas, c'est que Rée pleurait la perte d'une sœur qui avait juré d'être toujours avec lui et l'avait abandonné. Il ne comprit jamais pourquoi elle avait fait cela et ne lui pardonna jamais. Et Lou eut beaucoup de mal à se pardonner à elle-même.

Peut-être leur amitié prit-elle réellement fin à Meran ou à cause de la fortune différente de leur livre. L'échec des espoirs de Rée d'une carrière académique et sa décision d'étudier la médecine rendit inévitables certains changements dans leurs habitudes. Ils trouvèrent qu'il n'était plus pratique pour eux de partager le même appartement. Rée devait se concentrer sur ses études et avait moins de temps et de goût pour les discussions philosophiques. D'autre part, Lou était plus recherchée que jamais, résultat des comptes rendus favorables sur son livre. Elle savourait la gloire d'être un jeune auteur à succès. Ils convinrent que Rée prendrait une chambre près de l'université, où il pourrait travailler sans interruption, et ne passerait chez Lou que les fins de semaine. Puisque leur amitié durerait toute la vie, ils trouvaient que cette petite séparation était sans importance.

Et c'eût peut-être été le cas si un événement n'était venu causer dans la vie de Lou un changement décisif : sa rencontre avec Friedrich Carl Andreas. Bien entendu, Rée n'ignorait pas que Lou pourrait un jour rencontrer un homme qui revendiquerait sa possession et auquel elle ne pourrait résister. Et pourtant, lorsque cela survint, il n'y était pas préparé. Elle se borna d'abord à lui dire qu'elle avait fait la connaissance d'Andreas et que, s'il n'y voyait pas d'objection, elle continuerait à le voir. Rée acquiesça. Sans doute espérait-il qu'elle reviendrait finalement à lui, comme elle l'avait toujours fait. Mais lorsqu'elle lui dit un jour qu'elle s'était fiancée à lui et l'épouserait, bien qu'elle affirmât n'avoir accepté la proposition d'Andréas qu'à la condition qu'il n'interviendrait pas dans leur amitié, Rée se sentit abandonné et trahi. Il n'était pas dans sa nature de faire une scène. Il la quitta calmement, mais son départ laissa dans l'esprit de Lou une impression indélébile :

« Il s'en alla tard dans la soirée et revint au bout de quelques minutes, parce qu'il y avait, dit-il, une telle averse. Au bout d'un certain temps, il partit de nouveau et revint encore pour prendre un livre. C'était déjà l'aube lorsqu'il partit définitivement. Je regardai par la fenêtre et fus toute saisie : au-dessus des rues où il n'y avait pas la moindre trace de pluie, de pâles étoiles s'attardaient encore dans un ciel sans nuages. Me détournant de la fenêtre, j'aperçus, à la lumière de la lampe, une petite photographie de moi lorsque j'étais enfant et que j'avais donnée à Rée. Près d'elle, sur un papier plié, il avait écrit : « Soyez bonne. Ne me cherchez pas ! »

Après cette nuit-là, Lou ne revit jamais Rée, sauf dans ses rêves où il apparaissait fréquemment avec une expression de tristesse infinie. Elle en raconte un particulièrement horrible, un cauchemar qui fait songer à Kafka :

« Je me trouvais en compagnie de nos amis qui s'écrièrent joyeusement que Paul Rée était là. Je regardai autour de moi et, ne le voyant pas, je me retournai vers le vestiaire où ils avaient suspendu leurs pardessus. Mon regard tomba sur un gros homme étrange tranquillement assis, les mains croisées, derrière les vêtements. Son visage était à peine reconnaissable sous les épais replis de graisse qui lui fermaient presque les yeux et lui recouvraient la figure comme un masque de mort.

« "Ne pensez-vous pas, dit-il avec satisfaction, que personne ne me trouvera ici?" »

Le 28 octobre 1901, un ouvrier le retrouva dans l'Inn. D'une falaise escarpée, il était tombé dans la rivière, près de l'endroit où Lou et lui avaient passé, plus de quinze ans auparavant, leurs heures les plus heureuses.

CHAPITRE XI

Andreas

La soudaine et discrète entrée en lice d'un autre homme prétendant aux faveurs de Lou causa un choc non seulement à Rée, qui ne s'en remit jamais, mais à tous ses amis et admirateurs de Berlin. Lou elle-même fut déconcertée par la véhémence des avances de l'étranger. Pour la première fois de sa vie, elle éprouvait la fascination totale de se trouver en présence d'un homme dont la détermination surpassait la sienne. Sa réaction instinctive fut de se tourner vers frère Rée pour lui demander son aide. Mais Rée n'était pas à la hauteur de la tâche. S'il avait dit non lorsqu'elle lui avait demandé si elle devait continuer à voir Andreas, il eût pu sauver leur amitié, il eût même pu gagner son amour. Ne recevant aucun secours de Rée, Lou se résigna à ce qui lui apparaissait comme un coup du destin (non pas destin en ce sens que, dans sa vingt-sixième année, elle avait enfin trouvé l'amant irrésistible, l'homme qui la délivrerait du célibat qu'elle s'était imposé — elle affirme qu'elle n'était pas entraînée par un brusque désir physique), mais destin en tant que tragique engagement dans la vie d'un autre, force élémentaire indéniable. Même dans la rétrospective d'une longue vie, elle frissonnait en se rappelant la contrainte qu'elle avait éprouvée en acceptant la demande en mariage d'Andreas. Elle avait senti que c'était un pas irrévocable qui la séparait non seulement de son ami Rée, mais d'elle-même.

L'homme qui sonna un jour à sa porte de façon inattendue et se présenta comme étant Friedrich Carl Andreas ne frappa pas Lou, à première vue, comme un messager du destin. Il semblait plus doux qu'énergique et avait le maintien sérieux d'un savant avec l'aspect physique d'un moine. Son visage avait quelque chose d'exotique. Il était encadré d'une épaisse barbe noire, de cheveux noirs et illuminé par de brillants yeux bruns. Mais son aspect n'était guère imposant. C'était un homme court et trapu, plus petit qu'elle de quelques centimètres, et la cape noire qu'il portait lui donnait l'air d'un oiseau. Peut-être est-ce cette première impression d'un oiseau étrange atterrissant brusquement sur son seuil qui l'incita à le faire entrer. Elle répondait toujours aux actes spontanés avec sa franche spontanéité à elle et était toujours surprise lorsque, après de telles impulsions, elle se trouvait entraînée dans de sérieuses difficultés. Qu'elle fût engagée à cet étranger pour le reste de sa vie lui paraissait, vu avec un certain recul, absolument incroyable. Elle ne pouvait expliquer la chose qu'en présumant que la conduite d'Andreas et la sienne n'avaient rien à voir avec le dénouement. C'était un décret du destin.

Andreas était venu de loin pour la voir, presque de l'autre bout du monde. Tandis qu'il lui racontait l'histoire de sa vie, Lou devait avoir l'impression d'écouter un conte des Mille et Une Nuits. Il venait des Indes orientales hollandaises, où son grand-père maternel, un médecin très doué du nord de l'Allemagne, s'était installé au début du XIXe siècle, prenant pour femme une belle et douce Malaise. La mère d'Andreas, née de cette union exceptionnellement harmonieuse entre l'Orient et l'Occident, avait épousé le rejeton d'une ancienne famille persane de sang royal, les Bagratuni. Sa branche de la famille avait été défaite dans des dissensions familiales et avait dû renoncer à ses noms et titres. On les appelait par leur prénom, Andreas. Le petit garçon, doté de cet exotique et riche héritage, était né à Batavia, dans l'île de Java, en 1846. Il y avait passé les six premières années de sa vie. Puis la famille était rentrée en Allemagne pour s'installer à Hambourg.

Après avoir reçu une certaine instruction privée, le jeune Andreas fut envoyé dans un internat à Genève, réputé pour l'excellente éducation qu'on y dispensait. Il s'avéra bientôt qu'il avait un don peu commun pour les langues. Il avait appris l'allemand et l'anglais chez lui, et sans doute aussi un peu de hollandais. A Genève, il se perfectionna en français et étudia le latin et le grec. Mais l'intérêt qu'il prenait aux langues n'était pas seulement philologique. Il comprenait tout le domaine de l'histoire, la géographie, l'ethnologie et les facteurs économiques qui forment un type culturel. Le langage est la clé qui vous ouvre la vie d'un peuple. C'est une clé précieuse qui doit être maniée avec le plus grand soin, avec la plus grande précision, mais ce n'est pas une fin en soi. Si elle ne vous ouvre des horizons plus vastes, elle est de peu de valeur.

C'est dans cet esprit qu'Andreas s'était consacré à ses études linguistiques dans les universités de Halle, d'Erlangen, de

Göttingen et de Leipzig après avoir obtenu ses diplômes au Gymnase de Genève. Il se spécialisa dans le perse, la langue de ses ancêtres, et obtint son doctorat à l'université d'Erlangen avec une dissertation sur le système d'écriture phonétique du perse moyen. En outre, il étudia la biologie et acquit une certaine formation médicale qui lui fut d'un grand secours durant ses derniers voyages en Orient. Après l'achèvement de ses études normales, il passa deux ans au Danemark à lire des manuscrits perses inédits à la Bibliothèque de Copenhague et acquit des vues plus profondes sur le développement historique de l'écriture perse. Il entra également en étroites relations personnelles avec d'importants orientalistes danois tels que Wastergaard, Fausboll, Trenckner et Thomsen, et fit la connaissance de Georg Brandes, qui l'initia aux langues et aux littératures scandinaves.

La guerre franco-prussienne l'obligea à rentrer en Allemagne. Il fut mobilisé et combattit à la bataille du Mans. A la fin de la guerre, il entra à l'université de Kiel, où il espérait commencer sa carrière académique en publiant ses recherches sur la langue pahlavi. Il était maintenant tout à fait familiarisé avec tous les problèmes de texte et de linguistique qui se posent à celui qui étudie les langues orientales anciennes, et la somme de ses connaissances dans le domaine où il était spécialisé était probablement inégalée. Et pourtant, au bout de deux ans d'un travail ininterrompu, il hésitait encore à confier ses recherches à l'impression. Il hésitait non parce qu'il sentait qu'il n'en savait pas assez, mais, au contraire, parce que ses connaissances surpassaient sa faculté de prouver ce qu'il savait. Il se heurta alors et pour le reste de ses jours à cette tragique dualité qui, assez souvent, fait échouer des savants d'une intelligence particulièrement brillante, la dualité entre le savoir et le moyen d'expression, entre la pénétration acquise par la force synthétisante de l'esprit et l'exposition graduelle de tous les faits qui ont abouti à cette pénétration.

A ce stade, Andreas put sortir de l'impasse grâce à un événement qui promettait d'ajouter une expérience véritable à ses vues théoriques. Le ministère prussien de la culture annonça qu'il allait envoyer une expédition en Perse pour faire des observations astronomiques sur le passage de la planète Vénus. Andreas sollicita du ministère son admission dans l'équipe des savants qui avaient été choisis pour cette expédition. Son exposé expliquant l'importance d'une investigation de première main des inscriptions sassanides en perse moyen était « un travail d'une telle clarté et d'une telle pénétration que même aujourd'hui, où ces investigations sont très avancées, il pourrait constituer une introduction utile à leur étude [1] » et eut l'effet désiré. Désigné comme représentant archéologique de l'expédition, l'occasion fut donnée à Andreas de visiter sa patrie ancestrale.

Le voyage s'avéra plus hasardeux qu'il ne l'avait prévu. En juillet 1875, il s'embarqua pour la Perse via l'Inde, mais une grave épidémie de choléra l'obligea à passer plusieurs mois à Bombay. Pendant ce temps, il étudia les coutumes religieuses des Parsis, les descendants de ces Perses qui s'enfuirent vers l'Inde aux VIIe et VIIIe siècles pour échapper aux persécutions mahométanes. Lorsqu'il atteignit enfin la Perse, en janvier 1876, les travaux de l'expédition étaient presque achevés, les rapports qu'il envoya au ministère prussien à Berlin furent mal compris et on lui ordonna de rentrer. Sa réponse fut un non de défi. Bien que presque sans fonds, il décida de rester en Perse pour son compte. Pendant six ans, il subsista comme il put en enseignant les langues étrangères, en pratiquant la médecine et même en acceptant de temps à autre des fonctions officielles. C'est ainsi qu'il fut pendant un certain temps Ministre des Postes et Télégraphes de la Perse.

Ses nombreux voyages le conduisirent dans toutes les régions du pays et lui fournirent l'occasion de faire des observations sur les divers dialectes persans, qu'il nota minutieusement et qui, plus tard, s'avérèrent inestimables pour son travail sur l'évolution historique de la langue perse. De pair avec ses études linguistiques, il se livra à un grand nombre de recherches historiques, archéologiques et scientifiques. Une vie active en plein air le mit en étroit contact avec la flore et la faune du pays. Il devint une sorte d'expert en matière de reptiles. Il en collectionna maints spécimens rares et les emporta en Allemagne.

Il existe de nombreux récits sur sa façon peu orthodoxe de pratiquer la médecine. Il sauva un jour de la cécité un enfant qui souffrait de ces maladies des yeux fréquentes dans le Moyen-Orient grâce à un audacieux remède qui consistait à brûler avec du nitrate d'argent le pus visqueux qui avait formé sur les deux yeux une couche épaisse. Une autre fois, dans le Baloutchistan, il avait guéri un prince d'une maladie vénérienne en lui administrant une médication préparée chez lui et dont la base était une variété de poivre orientale. Grâce à de telles guérisons, il était révéré comme un sage et souvent consulté par les membres des familles régnantes, qui l'invitaient parfois à passer une soirée dans leur jardin de roses pour écouter un chan-

1. H. Lommel, *Erinnerungen an Friedrich Carl Andreas und Lou Andreas-Salomé* (inédit).

teur hafiz ou regarder les danseuses. La poésie et la splendeur de l'âge d'or de la Perse revivaient alors. Avec une absence totale d'effort, les problèmes de l'interprétation disparaissaient et l'esprit de ses ancêtres royaux s'éveillait dans le cœur d'Andreas. Il cessait de se raccrocher à des connaissances fragmentaires. Il vivait le passé de son peuple.

Orienté vers l'Occident, son esprit était fortement impressionné par l'unité mythique de l'homme et de la bête. Lorsqu'il voyait un homme chasser des lions en les traquant hors de leur tanière montagneuse, et, seulement armé d'une dague, les provoquer en combat mortel, Andreas se rappelait de semblables scènes sur les bas-reliefs assyriens. En présence de ce chasseur de lions, qui étalait avec fierté les balafres qu'il avait gardées de cette poursuite mortelle, il sentait la force de l'ancienne égalité qui avait jadis existé entre l'homme et le monde animal. Adaptant son propre mode de vie à celui de l'Oriental, Andreas apprit à vivre simplement et naturellement et développa cette mystérieuse faculté d'imiter les cris des animaux. Plus tard, il émerveilla souvent ses amis en se glissant à travers son jardin à l'aube avec les souples mouvements d'une créature à moitié homme, à moitié bête, et, par ses appels, éveillant de leur sommeil une armée d'oiseaux. Ou bien, pour éprouver le flair de son chien de garde, il ôtait ses vêtements et essayait de l'approcher sans être vu, « ressemblant à une bête qui en traque une autre ». Quand le chien, bien qu'embarrassé parce qu'il n'avait jamais vu son maître nu, ne faisait aucun mouvement pour l'attaquer, mais se contentait de gronder et de reculer, Andreas riait de bon cœur et serrait l'animal surpris dans une affectueuse étreinte.

Ces sortes de scènes lui gagnaient l'affection de ses amis, mais n'accroissaient pas sa réputation de savant. Lorsque après six années passées en Perse, il rentra enfin en Allemagne, en janvier 1882, comme compagnon de voyage du prince Ihtisam-ed-daule, il se trouva, dans la force de l'âge, sans emploi et sans relations académiques. Le soleil intense auquel il avait été exposé dans le Moyen-Orient avait gravement endommagé sa vue, l'obligeant à subir une période de repos prolongée avant de reprendre ses travaux d'érudition.

A son retour, Andreas s'installa à Berlin, gagnant une maigre pitance en donnant des leçons particulières de turc, de persan et d'arabe aux officiers et négociants prussiens. Il fut aussi employé pendant un certain temps par l'Académie militaire pour enseigner l'allemand aux officiers turcs, et on lui demanda d'écrire une étude sur le potentiel économique du Moyen-Orient, étude qui fut bien accueillie par les experts. L'intérêt croissant de Bismarck pour cette région stratégique et son insistance pour y envoyer des représentants diplomatiques et militaires de bonne formation aboutit, en 1887, à la création d'un Institut pour les langues orientales à Berlin. On offrit à Andreas un poste de professeur de persan et, plus tard, de turc. Son avenir semblait enfin assuré. Il avait alors quarante et un ans.

Puis il rencontra Lou. Si leur rencontre fut fatale à Lou, elle fut également fatale à Andreas. Nous ne savons ce qui lui fit la rechercher. Peut-être avait-il lu son livre, ou peut-être, parmi ses amis de Berlin, quelqu'un lui avait-il parlé de cette jeune fille d'une intelligence peu commune dont le mode de vie peu orthodoxe exerçait sur les hommes qui la connaissaient une séduction irrésistible. Comme Nietzsche avant lui et comme des douzaines d'autres après lui, Andreas fut déterminé à l'obtenir dès l'instant où il posa les yeux sur elle. Rien de ce qu'elle dit de son opposition au mariage ni de ses relations avec Rée ne le détourna de poursuivre son but. Au contraire, plus elle résistait à ses avances, plus il la courtisait avec zèle. Il accepta même sa condition que si elle l'épousait, elle resterait libre de continuer son amitié avec Rée. Homme fier et passionné et, de plus, imbu de la tradition orientale qui exige une complète soumission de la femme à la volonté de son mari, Andreas devait avoir fait preuve d'une grande abnégation en acceptant une telle condition. Mais il était amoureux de Lou et croyait fermement qu'il se ferait aimer d'elle en fin de compte.

C'était une conviction tragique, presque monstrueuse, écrit Lou dans ses Mémoires, et qui devait avoir des conséquences tragiques car, en un geste désespéré pour imposer son amour à Lou, Andreas commit un acte par lequel il la gagna tout en la perdant à jamais : il attenta à sa propre vie.

« Plus tard, dit Lou dans ses Mémoires, il m'est souvent venu à l'idée qu'à l'avant-veille de nos fiançailles, j'eusse fort bien pu passer pour une meurtrière. Dans ses longues courses nocturnes pour regagner son logis lointain, mon mari avait l'habitude de porter sur lui un court et lourd couteau de poche... Il était resté sur la table en face de laquelle nous étions assis. D'un geste calme, il le saisit soudain et le plongea dans sa poitrine. A demi folle, je me précipitai dans la rue, courant de maison en maison à la recherche d'un médecin... Quand j'en découvris un, il me demanda, sur le chemin de mon appartement, ce qui était arrivé. Je répondis que quelqu'un était tombé sur son couteau. Tandis qu'il examinait l'homme inconscient qui gisait sur le parquet, son coup d'œil et quelques paroles m'indiquèrent clairement qui il soupçonnait de s'être servi du couteau. »

Bien qu'il se fût infligé une profonde blessure triangulaire qui mit beaucoup de temps à guérir, la vie d'Andreas fut sauvée parce que la lame s'était brusquement refermée quand le couteau était tombé de sa main.

On ne nous dit pas pourquoi Andreas tenta de se tuer. Le seul indice est que la chose arriva la veille de ses fiançailles. Lou affirma toujours qu'il la força à l'épouser. Venait-elle de prononcer le non final lorsqu'il se poignarda? Quelle qu'en soit la raison, sa tentative de suicide fit accepter à Lou sa demande en mariage. Mais, en même temps, elle renforça sa résolution de ne pas devenir sa femme. La chaîne forgée par un trait sanglant les lia en une indissoluble union qu'ils ne purent briser ni l'un ni l'autre. De nom, Lou resta la femme d'Andreas pendant plus d'un demi-siècle. De fait, elle résista à toutes ses tentatives de consommer leur mariage.

Son refus fit de leurs premières années de mariage un véritable enfer. Elle parle de moments où, touchant le fond du désespoir, tous deux envisageaient d'y mettre un terme. Andreas avait un caractère emporté. Au début, il tenta d'affirmer son droit marital et par la persuasion et par la force. Lou dit qu'un jour où elle dormait profondément, il essaya, sur une brusque impulsion, de la soumettre par la force. Encore à demi assoupie, elle lui serra étroitement la gorge de ses mains jusqu'à ce que son halètement l'éveillât. Lorsqu'elle ouvrit les yeux, elle vit, à son horreur, qu'elle était en train de l'étrangler.

Si l'on essaie de comprendre l'extraordinaire refus de Lou d'avoir des rapports intimes avec son mari, une explication doit être immédiatement écartée : ce n'était en aucun cas une femme frigide ou prude. L'amour sexuel lui paraissait l'aboutissement très naturel de l'amour. La raison pour laquelle elle ne pouvait s'y livrer avec son mari doit être attribuée en partie au choc que lui avaient causé ses tentatives violentes de la subjuguer et au fait qu'elle voyait en lui un père plus qu'un mari. Elle resta toute sa vie la fille de son père. Andreas, qui avait quinze ans de plus que Lou, eût pu, en vérité, être son père, et il avait peut-être d'autres traits de caractère et de tempérament en commun avec le général von Salomé. Dans son journal intime, Lou nous dit que son mari l'appelait souvent *Töchting* (ma petite fille), alors qu'elle usait à son égard de l'épithète *Alterchen*, le « petit vieux », ce qui trahit l'ambivalence de ses sentiments. D'une part, elle éprouvait pour lui une affection sincère et ne voulait pas le blesser, mais, d'autre part, ses avances éveillaient en elle quelque chose d'assez semblable à la crainte de l'inceste. Son refus de se donner à lui ne doit pas être considéré comme une simple obstination de sa part, non plus que du sadisme, ainsi qu'on l'a souvent donné à entendre. Il était causé par une peur si profondément enracinée dans son subconscient qu'elle défiait toute solution raisonnable.

On pourrait se demander pourquoi Andreas, admettant enfin sa défaite, n'avait pas consenti au divorce. Mais cette possibilité semble ne jamais lui être venue à l'esprit.

« Je ne pourrais jamais ne pas savoir que tu es ma femme », dit-il lorsque Lou le lui suggéra. Elle affirme qu'il n'y avait aucune trace d'amertume dans ces paroles et qu'il expliquait simplement ce qui, pour lui, était une réalité irrévocable.

La tension des premières années de leur mariage atteignit son point culminant lorsque Lou rencontra l'écrivain et politicien Georg Ledebour. Homme plein de force et d'assurance, il la jeta dans un tourbillon émotionnel lorsque, en lui avouant son amour, il lui dit à brûle-pourpoint que son mariage était un truquage, et non seulement parce qu'elle ne portait pas d'alliance. Il sentait qu'elle était encore vierge. Lou fut bouleversée et effrayée. Comment pouvait-on le savoir? Le douloureux secret de son mariage avait été gardé au plus profond de son cœur et de celui de son mari. Séduite par la personnalité, la sympathie et la compréhension de Ledebour, elle hésita pendant un certain temps à accepter son amour. Mais elle comprit bientôt que le caractère violent de son mari écartait toute idée d'aventure illicite. Il se serait terriblement vengé s'il les avait découverts. Lorsqu'il s'aperçut des sentiments de Lou à l'égard de Ledebour, il l'obligea à rompre cette amitié.

Elle accéda à cette demande, mais, dans les mois qui suivirent, l'amère nullité de leur mariage entra dans une phase nouvelle. Mesurant sa volonté contre celle de son mari, Lou lutta pour sa liberté. Puisque Andreas refusait le divorce, elle consentait à rester sa femme, à la seule condition qu'il n'exercerait plus aucun contrôle sur sa vie sentimentale. Elle voulait être libre d'obéir aux injonctions de son cœur. La seule façon de rendre viable un tel mariage était qu'Andreas trouvât une « remplaçante » et que Lou quittât leur domicile dès qu'elle sentirait le danger. Après quelques mois de débats, une sorte d'accord intervint. Il laissait Lou extérieurement liée, mais intérieurement libre. Ce furent les années de ses longs voyages à travers l'Europe.

Pour Andreas, ce furent des années d'échec et de frustration. Tout allait mal. Son travail à l'Institut n'était pas bien considéré par ses supérieurs. On l'accusait de négliger le côté pratique de l'enseignement des langues et de se consacrer trop exclusivement aux recherches. On lui fit observer que le principal objet de l'Institut était de former des diplomates et des hommes d'affaires, non des savants. Et on lui enjoignit ou de changer de conduite ou de trouver un autre emploi. Il maintint fièrement qu'il n'existait pas d'autre méthode, que l'enseignement des langues était et devait rester un processus complet en donnant tout leur poids aux facteurs historique, archéologique, littéraire et économique, ce qui entraîna échanges d'arguments et disputes. On lui objecta que le temps manquait pour un but aussi utopique. L'Allemagne avait besoin d'experts dans le Proche-Orient en matière de commerce et de politique. Mais Andreas refusa de se laisser bousculer. Il avait pour la rapidité un mépris oriental et ne prêtait aucune attention aux programmes ni aux limites. Sa position à l'Institut devint donc intenable. Se sentant victime de certaines intrigues, il fut entraîné dans un procès au sujet de son indemnité de rupture avec le ministère prussien de l'Éducation. Bien qu'il obtînt gain de cause, cela compromit ses chances d'engagement futur dans une université ou dans toute autre institution d'État d'enseignement supérieur. Il en fut réduit à donner des leçons particulières et à écrire des articles sur commande pour des firmes ou des journaux commerciaux. C'était une existence précaire qui procurait à peine de quoi vivre pour une personne, et moins encore pour un foyer. Heureusement, Lou recevait encore une aide financière de sa famille et ses travaux pour des journaux littéraires, auxquels elle s'adonnait maintenant sérieusement, rapportaient quelque argent. Mais il devait être humiliant pour Andreas de sentir qu'il était soutenu en partie par sa femme. Même à cet égard, Lou ne dépendait pas de lui. Elle n'avait pas à lui demander de l'argent lorsqu'elle avait envie de voyager.

Andreas l'accompagnait de temps à autre. Mais, le plus souvent, il restait dans leur appartement de Berlin avec une femme de ménage qui prenait soin de lui. Marie, cette simple femme sans complications, était pour Andreas la « remplaçante ». Elle en vint si bien à faire partie de la maison que, virtuellement, elle releva Lou de ses attributions. Lorsqu'en 1903 Andreas trouva enfin le poste académique pour lequel il était fait, la chaire des Langues asiatiques occidentales à l'université de Göttingen, Marie les accompagna et prit la charge de leur maison sur le Hainberg. Elle eut deux enfants illégitimes. L'un d'eux mourut jeune, laissant Andreas accablé de douleur. L'autre, Mariechen, grandit et se maria, mais continua à vivre avec Lou, même après la mort de Marie et d'Andreas. Lorsque Lou mourut, en 1937, on découvrit qu'elle avait fait de Mariechen sa principale héritière.

Andreas fut marié à Lou pendant quarante-trois ans, de

1887 jusqu'à sa mort, en 1930, à l'âge de quatre-vingt-quatre ans. Comme son mariage, sa vie fut paradoxale. Son drame personnel en tant que savant fut que la tradition occidentale du savoir allait à l'encontre de son esprit extrêmement intuitif. Il s'y ajoutait le fait qu'il était un perfectionniste : il détestait tout ce qui était inachevé, insuffisamment médité, trop hâtif. Toute sa vie, il projeta de publier les résultats de ses réflexions et de ses recherches, mais ses travaux essentiels restèrent inédits. Il n'arriva jamais à combler la brèche entre l'intuition et l'analyse. Ce qu'il publia manquait souvent de documentation détaillée parce que, pour lui, c'était l'évidence même, mais non pour ses collègues qui traitaient avec mépris ses études orientales de « science occulte ». D'autre part, le petit groupe d'étudiants avec lesquels il travaillait souvent toute la nuit (le fait qu'il donnait tous ses cours chez lui et la nuit était une autre raison pour laquelle ses collègues de Göttingen faisaient à son sujet des remarques peu flatteuses) étaient séduits et inspirés par lui. L'un d'eux écrivit un récit vivant de la première impression qu'Andreas fit sur lui lorsqu'il vint se joindre au groupe pour l'étude du persan :

« Dans son studio lumineux aux larges baies offrant une vue très étendue sur la vallée de Göttingen et les collines, cet homme trapu, à la barbe et aux cheveux noirs, me reçut comme une vieille connaissance. Il y avait, ouverte devant lui, l'*Avesta*, dont je ne pouvais lire une seule lettre. Se lissant les cheveux, Andreas se tourna vers moi et me dit : "Je me demande quand ces gens-là employaient un *i* long et quand ils employaient un *i* bref. C'est une chose que je n'arrive pas à tirer au clair. Peut-être connaissez-vous la réponse à cette question? Voulez-vous m'aider à la trouver?" J'en savais autant sur ce problème que n'importe quel lecteur de ces lignes. C'était celui qui préoccupait Andreas à ce moment. J'étais censé l'aider à le résoudre et n'avais pas la moindre idée de ce dont il s'agissait. Par parenthèse, aucune solution n'a encore été trouvée jusqu'ici. Puis tournoyèrent autour de ma tête des papyrus araméens d'Égypte, des pièces de monnaie sassanides, des récits de voyageurs chinois, Jacob Grimm et les écrits anciens de Franz Bopp, des historiens byzantins, des italiques pahlavi et des inscriptions en perse moyen. Complètement ahuri, je m'éloignai quelques heures plus tard en titubant, mais heureux et inspiré [2]. »

C'est par cette méthode peu orthodoxe qu'Andreas forma certains des orientalistes européens marquants et une grande

2. Lommel, *op. cit.*

partie de ses travaux a été préservée dans leurs écrits. Mais il n'est pas douteux qu'il souffrit d'être dans l'incapacité de publier son œuvre. Il se soulageait de ses frustrations en déversant un mépris acerbe sur ceux de ses collègues qui n'avaient rien de mieux à faire que se hâter de faire imprimer leurs idées mal dégrossies, comme il disait. En de telles occasions, il pouvait être virulent, même devant ses étudiants. Il disait alors : « *der* Un tel » nous a encore gratifiés d'un joli petit papier, ou, citant de nouveau le nom d'un collègue, « *der* »... vient de commettre une indiscrétion de plus en public. L'emploi de l'article défini « *der* » devant un nom propre devint chez lui une telle idiosyncrasie qu'un jeune étudiant français qui travaillait avec lui se demandait si, en allemand, l'article avait généralement un sens péjoratif.

Mais de tels éclats ne duraient pas longtemps. Andreas avait trop de vitalité pour s'appesantir sur ses frustrations. En outre, il croyait que le moment de publier viendrait pour ui et qu'il n'était pas besoin de se hâter. Pour l'anniversaire de ses quatre-vingts ans, il surprit ses amis, ses collègues et ses élèves en leur soumettant une longue liste de problèmes sur lesquels il travaillait et qui, disait-il, l'occuperaient pour cinquante ans encore. Cette fraîcheur d'esprit était le secret de sa personnalité. Elle l'élevait au-dessus des nombreuses déceptions de sa vie. Il se refusait à admettre la défaite. Détournant résolument ses pensées de ses problèmes personnels, il s'absorbait de tout son être dans le passé d'une ancienne culture. Il était là chez lui et y trouvait la paix. Lorsque les années mouvementées de son mariage eurent pris fin, il se félicita d'avoir eu plus de patience que tous ses rivaux. Peut-être, à l'encontre d'autres hommes, n'avait-il pas possédé Lou, mais, à l'encontre des autres, il ne l'avait jamais perdue. En fin de compte, elle lui revenait toujours.

CHAPITRE XII

Le chemin de la liberté

Il était une fois une mansarde parquetée aux murs bas et obliques et la lumière du jour avait du mal à se frayer un chemin à travers les lucarnes couvertes de toiles d'araignées et les crevasses dans les murs. Mais de la paille fraîche était répandue avec soin sur le sol et l'on avait mis là une cuve d'eau. Car, dans cette mansarde, on gardait prisonniers toutes sortes d'animaux pour les déshabituer de la vie naturelle en liberté.

C'est là le premier paragraphe d'un conte de fées que Lou écrivit dans les premières années difficiles de son mariage, en guise d'introduction à son livre sur les personnages féminins des pièces d'Ibsen. Elle poursuit en disant que, parmi les animaux captifs — des poules, des oiseaux, des pigeons, des lapins — il y avait un canard sauvage, la plus noble et la plus pitoyable de toutes les créatures frustrées de leur liberté. Puis, en six brefs passages, elle décrit ce qui arrive lorsque l'instinct inné de liberté du canard sauvage se révolte contre les forces qui le retiennent prisonnier. Ces six passages correspondent aux six chapitres de son livre consacré à Nora *(Maison de poupée)*, à Mme Alving *(Les Revenants)*, à Hedwig *(Le Canard sauvage)*, à Rébecca *(Rosmersholm)*, à Ellida *(La Dame de la mer)* et à Hedda *(Hedda Gabler)*. Elle trouve qu'Ibsen donne six réponses différentes à la recherche de la liberté des créatures captives.

Le premier passage parle d'un canard sauvage qui s'est joint aux animaux domestiques lorsqu'il était très jeune encore. Il ignore son origine et grandit dans la mansarde comme si c'était une joyeuse salle de récréation. Bien qu'il sente de temps à autre que le monde réel se trouve au-dehors, il est très heureux de vivre dans la mansarde jusqu'à ce que les orages de l'automne lui rappellent sa vraie nature. Il aspire alors à déployer ses ailes, à quitter sa prison douillette et à s'élever dans le vaste ciel. C'est là le cas de Nora. Élevée dans la complète ignorance d'elle-même et traitée par son mari comme une enfant gâtée et irresponsable, Nora se trouve soudain face à face avec la fatale nécessité de devoir commettre un acte d'indépendance. Elle accomplit cet acte, mais d'une façon qui la fait entrer en conflit avec la loi. Quand son mari apprend sa transgression, qu'elle a faite par amour pour lui, il l'accable de reproches. Ce n'est que lorsqu'il s'avère que cela n'aura pas de conséquences sérieuses, qu'aucun scandale public n'éclatera, qu'il lui offre de la reprendre dans sa maison de poupée. Mais c'est Nora qui refuse, à présent. Elle a vu brusquement à travers l'illusion que sa vie avait été jusque-là. Elle sent qu'elle doit grandir, affronter la réalité et vivre selon les lois de sa propre nature. Nous ne savons ce qui lui arrivera. Tout ce que nous savons est que son aspiration à la liberté et à la réalisation de soi est plus forte encore que son amour pour ses enfants.

La seconde réponse d'Ibsen concerne un canard sauvage résigné à son sort dans le monde de la mansarde. Il sait que cela mène à une existence fausse et trompeuse, mais il n'a pas la force de se rebeller. Aucun orage d'automne ne lui fait se souvenir de sa liberté perdue. Il sait, seulement dans ses rêves, que le monde réel est à l'extérieur. Se mourant lentement en captivité, il rêve de la vie qu'il eût pu avoir. C'est l'histoire de Mme Alving. Pour elle, il n'y a pas d'avenir, pas de grâce salvatrice, rien qu'un triste regard en arrière sur une vie d'espérances cruellement déçues.

Une troisième réponse expose le destin d'un canard sauvage qui a cherché refuge dans la mansarde parce qu'il était blessé au-dehors. Il se lie d'amitié avec les autres animaux, surtout avec un jeune oiseau chanteur. Devenu gras et paresseux en captivité, le canard sauvage cesse d'aspirer à la liberté. Rien ne lui rappelle la vie libre qu'il avait coutume de mener, sauf le chant suave du petit oiseau. En fin de compte, seul le petit oiseau croit encore aux aspirations du canard sauvage à la liberté. En un effort pour stimuler son ami, il oublie qu'il est aveugle, déplie ses ailes et tente de fuir, mais il est pris irrémédiablement dans la mansarde encombrée. S'écrasant sur le sol, il meurt, les ailes brisées. C'est l'histoire de Hedwig. Son amour pour Hjalmar est comme celui du petit oiseau pour le canard sauvage. Son suicide est une vaine tentative pour libérer ce qu'il y a de grand en lui.

La quatrième possibilité est représentée par un canard sauvage qui a envahi le petit univers de la mansarde et, étant plus fort et plus cruel que les autres animaux, règne sur eux. Mais, au lieu de résister, les bêtes apprivoisées répondent à sa tyrannie par l'amour. Peu à peu, le canard sauvage acquiert la conscience d'un animal domestiqué et est envahi par un tel sentiment de honte et de remords pour la rudesse de son passé que la seule façon de le racheter est de se détruire. C'est le cas de Rébecca dans *Rosmersholm*. La sauvage Rébecca, qui ignore les lois et est responsable du suicide de Beate Rosmer, renonce à son passé et à l'appel de la liberté et suit sa victime dans la tombe. Elle meurt parce qu'elle n'a plus de vie à elle.

La cinquième possibilité est celle du canard sauvage égaré qui a pénétré par accident dans la mansarde et ne peut s'habituer à la captivité. C'est en vain que les autres animaux essaient de le réconforter. Pleurant sa liberté perdue, il les remarque à peine. Les animaux apprivoisés décident finalement d'ouvrir la fenêtre de la mansarde et de laisser le canard sauvage s'échapper. L'inattendu survient alors : le canard sauvage restera. Maintenant qu'il se sait libre, la peur de la prison l'abandonne. C'est l'histoire d'Ellida. Elle est mariée à un médecin prévenant et bon, mais elle ne peut oublier un mystérieux étranger par-delà la mer, qui l'a un jour aimée. La mer exerce sur elle un attrait démoniaque et elle dépérit dans son foyer protecteur. Son mariage est un fardeau parce qu'elle croit que son mari ne la comprend pas. Car « la compréhension et l'amour font une différence fondamentale entre un lien qui unit deux êtres et une chaîne qui les attache l'un à l'autre ». Mais elle se trompe. Son mari la comprend et, se rendant compte qu'il ne peut la retenir contre sa volonté, il lui offre de la laisser partir. Elle peut choisir sa liberté à ses risques et périls. Le renoncement volontaire de son mari rompt le charme sous lequel elle avait vécu et lui rend la paix de l'esprit. Être libre et responsable, voilà ce dont elle a besoin. Elle aspire à concilier les exigences opposées de sa nature et de la société.

C'est là le problème sous-jacent dans les cinq pièces. Il mène à l'émancipation de Nora et à la soumission volontaire d'Ellida. « Dans les deux cas, il s'agit du conflit entre le devoir conjugal et la liberté personnelle. »

Finalement, il y a, dans le conte de Lou, un oiseau qui n'est ni apprivoisé ni sauvage. Il lui manque le courage d'une créature vraiment libre, mais, en même temps, il est insatisfait dans la protection de son logis. Son existence sans objet conduit à une fin dépourvue de sens. C'est là le cas de Hedda Gabler. Elle est toute superficielle, aspect trompeur, masque. Pleine d'envie et de joie mauvaise à faire du mal aux autres, elle est le seul personnage qui ne change pas. Quand son affaire de cœur devient sérieuse et qu'elle craint d'être compromise par un scandale, elle se tue. Ce n'est qu'en détruisant son masque qu'elle peut prouver qu'elle aspirait, elle aussi, à la liberté, mais une liberté qui manquait de sincérité profonde, de force et d'objet, et qui, par conséquent, était vide.

A peine est-il besoin de souligner que l'intérêt de Lou pour Ibsen et pour les problèmes posés dans ses pièces était personnel autant que littéraire. Après son mariage, elle avait elle-même l'impression d'être un canard sauvage frustré de sa liberté. En observant la lutte des héroïnes d'Ibsen pour se libérer, elle pensait à sa propre lutte et se demandait comment elle finirait. Réussirait-elle, comme Ellida, à concilier ses devoirs conjugaux avec sa liberté personnelle? Ou sa vie finirait-elle de façon tragique comme celle de Rébecca? A certains moments, c'était l'unique solution qui lui parût possible. Plus d'une fois, son mari et elle décidèrent d'en finir avec tout cela, mirent leurs affaires en ordre et faillirent fermer le livre de leur vie. « Deux êtres également perplexes et désespérés. »

L'intérêt que Lou portait à Ibsen, dont son mari lui interprétait les pièces avant qu'il n'en existât des traductions allemandes, la mit en relations avec un groupe d'écrivains et d'éditeurs d'*avant-garde* de Berlin. Cinq ans après la publication d'*Une lutte pour Dieu*, elle commença sérieusement sa carrière littéraire. Les revenus qu'elle tirait de ses articles et de ses livres l'aidaient à amortir l'échec amer de son mariage en lui procurant assez d'argent pour des voyages lointains. Ces évasions périodiques et souvent prolongées de son foyer et de son mari avaient un effet bienfaisant. Comme des soupapes de sûreté, elles empêchaient l'explosion lorsque la tension entre son mari et elle était à son comble. Donc, en quelque sorte, Ibsen conduisit Lou à l'émancipation. Il la mit en mesure de trouver une septième solution au problème du canard sauvage.

Chaque fois que la vie en captivité devenait insupportable, généralement au printemps, il ouvrait toute grande la fenêtre de la mansarde et prenait la fuite, parfois pour quelques semaines, parfois pour un si long temps que les autres animaux l'oubliaient presque. Mais, un beau jour, il rentrait brusquement, las de sa liberté et tout content de les retrouver dans leur paisible mansarde. Les autres bêtes l'accueillaient avec cordialité et feignaient de croire qu'il n'était jamais parti. Et lorsqu'il voulait leur raconter ses aventures dans le monde extérieur, ils se détournaient et préféraient ne pas savoir.

« Un jour, à un moment émouvant, écrit Lou, je demandai à mon mari : "Puis-je te dire ce qui m'est arrivé pendant ce temps?" Vivement, sans hésiter une seconde, il répondit : "Non!" » C'est ainsi qu'un grand silence ininterrompu naquit entre eux. Ils vivaient leur vie ensemble, mais séparément. Comme Andreas avait l'habitude de travailler la nuit et de dormir pendant la plus grande partie de la journée (il allait se coucher quand Lou se levait), leurs rapports étaient limités, même lorsque Lou était à la maison. Une fois ce mode de vie établi et tacitement accepté par chacun d'eux, une sorte de respect mutuel entra dans leurs relations. Ce fut la fin des jours désespérés, des querelles amères, des nuits sans sommeil. Ils vécurent et travaillèrent côte à côte, faisant à peine attention l'un à l'autre et attachés pourtant par l'invisible lien de la sympathie et de la souffrance.

Durant les premières années de leur mariage, Lou explora les limites de sa liberté personnelle et intellectuelle. Elle était toujours en route. De Berlin, elle partait pour Paris, puis de Paris pour Vienne, de Vienne pour Saint-Pétersbourg, de Saint-Pétersbourg pour Stockholm, et, de là, elle retournait chez son mari à Berlin. L'ambiance de l'époque reflétait sa propre nervosité. Tout commençait à aller plus vite. L'automobile faisait son apparition, ainsi que la télégraphie sans fil et les premières machines volantes. L'avènement de l'électricité annonçait une nouvelle ère de vitesse et de puissance. Dans la dernière décade du XIXe siècle, le monde perdit ses amarres traditionnelles. Tandis que la bourgeoisie accueillait chaque nouvelle découverte comme un signe de progrès, l'élite intellectuelle de l'Europe était profondément troublée. Elle craignait que loin de libérer l'homme, comme le croyaient les apôtres du progrès, la machine ne l'asservît. Elle le frustrerait de son travail et déshumaniserait sa vie. Et les événements semblèrent confirmer ses craintes. L'essor rapide du système des usines apporta à quelques-uns une immense fortune et à nombre d'autres la misère et la dégradation. De noires et diaboliques manufactures s'élevèrent dans les plaisants paysages anglais et dans la paisible vallée de la Ruhr. Dans des conditions défiant l'imagination, de jeunes enfants furent forcés de travailler dans des mines de charbon et des femmes dans des ateliers où on les exploitait. En même temps, le spectre du chômage menaçait tous les ouvriers. Il y eut des grèves et des émeutes, des échauffourées entre la police et le prolétariat. Des partis politiques furent créés, faisant appel à la solidarité de la classe ouvrière. Dans toute l'Europe, le socialisme devint une force politique avec laquelle il fallait compter.

Les aspirations de Lou à la liberté personnelle coïncidèrent avec la grande effervescence des environs de 1880, début de la transformation sociale, politique et intellectuelle qui parvint à son apogée lors de la Première Guerre mondiale.

Elle se manifesta sous la forme d'une protestation contre la béate suffisance de la bourgeoisie du temps de Guillaume II, sa plate moralité d'école du dimanche et sa brutale exploitation de la classe ouvrière, protestation exprimée au nom de la jeunesse, de l'humanité et de la justice sociale. L'un des centres de ce mouvement se trouvait à Berlin, où des groupes d'écrivains, de critiques et de journalistes socio-révolutionnaires, sous la direction de Bruno Wille, fondèrent une société dramatique ayant pour objet de monter des pièces qu'il était interdit de jouer en public. Le premier « Théâtre Libre » dut son existence au dynamisme de Maximilian Harden et fut créé en 1889, sur le modèle de celui de Paris, par Otto Brahm, Paul Schlenther et Julius Stettenheim. Sous l'égide de Bruno Wille, il s'y ajouta bientôt la *Deutsche Bühne* et la *Freie Volksbühne.* Le porte-parole de ce nouveau mouvement fut la *Freie Bühne für Modernes Leben* (Théâtre Libre de la Vie Moderne), revue publiée chez l'éditeur S. Fischer, où l'on préconisait l'émancipation du théâtre de l'oppression capitaliste, l'admission du socialisme dans la politique et le naturalisme dans l'art. Il fallait, au nom d'Ibsen, encourager « la vérité de l'esprit indépendant ». Les promoteurs de ce mouvement étaient des idéalistes, des missionnaires, des enthousiastes qui souhaitaient un monde meilleur, la résurrection de l'esprit, une nouvelle Renaissance. « Résurrection! » annonçaient-ils. « Nous vivons à une époque de résurrection. Le gazon mort se décompose pour apporter une vie nouvelle. Partout il y a des signes de cet esprit inconscient, imperturbable, prophétique, qui précède le nouveau messie [1]. »

Toujours réceptive à l'excitation intellectuelle, Lou, entraînée par l'esprit de l'époque, devint un membre actif de la *Freie Volksbühne.* Elle se lia d'amitié avec ses principaux promoteurs : Otto Brahm, Maximilian Harden, Bruno Wille, Wilhelm Bölsche et les frères Hart, qui avaient écrit un compte rendu si favorable et immérité sur son roman, *Une lutte pour Dieu.* Elle connut également certains polémistes pleins de promesse tels que Carl et Gerhart Hauptmann, August Strindberg, Arno Holz, Max Halbe, Richard Dehmel et l'anarchiste de salon John Henry Mackay, un Écossais qui s'était fixé à Berlin. Bien que Lou eût évité les « bohèmes littéraires de Berlin » du temps où elle vivait avec Rée, elle devint l'un d'entre eux. Sa brillante intelligence, son mépris non déguisé pour les valeurs bourgeoises, et surtout son charme féminin, firent de son entrée dans ce cercle d'*avant-*

1. Ernst Seiffarth, *Freie Bühne*, vol. II, 1891, p. 165.

garde un succès immédiat. Elle fréquenta le *Schwarzen Ferkel*, le café préféré de Strindberg, prit part à leurs chaudes discussions politiques et littéraires et écrivit pour leur journal des articles et des comptes rendus de livres et de pièces. En résumé, elle se jeta avec enthousiasme dans une carrière littéraire, ou plutôt y fut poussée par son besoin de s'exprimer et parce que cela lui offrait une chance d'échapper à ses difficultés domestiques.

Sa rapide ascension littéraire prouve qu'elle avait un talent naturel pour la critique et l'expression créatrice et, bien qu'elle s'en défendît, une solide connaissance de la littérature moderne. En premier lieu, elle était familiarisée avec Ibsen sous la bannière duquel furent livrées les premières grandes batailles littéraires. De fait, elle fit ses premières armes dans la carrière littéraire en prenant la défense d'Ibsen, et en écrivant deux articles sur *Le Canard sauvage* pour le premier volume de la *Freie Bühne* en 1890. De plus, elle connaissait Nietzsche. A ce titre, les rebelles littéraires de Berlin, qui étaient imbus des idées nietzschéennes, la considéraient presque comme une figure légendaire. Son amitié avec l'auteur de *Zarathoustra* et les rumeurs au sujet « d'une affaire de cœur » qu'il y avait eu entre elle et Nietzsche ajoutaient du piquant à sa personnalité et à son autorité d'auteur. Il y avait enfin son arrière-plan russe, avantage considérable à une époque où l'on commençait à prendre conscience du ferment qui levait dans la société russe, où les idéaux sociaux-révolutionnaires de Tolstoï et l'art introspectif de Dostoïevski étaient vivement discutés. Non seulement Lou était-elle à la hauteur de ces discussions, mais elle était souvent la seule à pouvoir parler de la Russie avec une connaissance de première source.

Cependant, ce n'est pas la seule étendue de son savoir qui assura une place à Lou parmi les écrivains allemands de la fin du XIXe siècle. Ses articles et ses livres, avec leur singulier mélange d'éléments autobiographiques et d'aperçus psychologiques, rendaient un son nouveau. On pourrait dire paradoxalement que Lou, en tant qu'écrivain, pensait avec son cœur et sentait avec sa tête. C'est une méthode dangereuse, car elle manque de précision et de clarté. Elle réclame du lecteur qu'il suive souvent des arguments fondés sur des expériences personnelles et des intuitions. Un critique contemporain faisait observer à juste titre que « l'insistance excessive de Lou sur des facteurs psychologiques éloignait son œuvre de la sphère du concret. Ses livres n'ont pas la couleur de la vie [2]. »

2. Theodor Heuss, *Lou Andreas-Salomé; Der Kunstwart*, janvier 1908.

En même temps, c'était précisément sa préoccupation des problèmes psychologiques qui lui faisait une place à part parmi ses contemporains, sur lesquels elle était parfois très en avance. On pourrait presque parler d'une anticipation de la psychanalyse lorsque, dans un article sur l'impulsion créatrice *(vom Kunstaffekt)*, elle écrit que les artistes sont exposés aux mêmes dangers que ceux qui menacent les névrosés : « Ces sujets affligés de restes de vie psychologiquement non digérés qui ne peuvent trouver l'apaisement que si d'heureuses circonstances ou une hypnose réussie les aide à se libérer de la cause de leur mal, dont ils ne prennent conscience que lorsqu'il a été, pour ainsi dire, extirpé de leur âme. » Dans les années 1890, il était vraiment extraordinaire qu'un auteur féminin exprimât de telles idées. Il n'est pas étonnant que Lou ait été considérée avec admiration et respect par ses amis artistes de Berlin, en premier lieu par Gerhart Hauptmann, à qui elle avait consacré un compte rendu sur ses premières pièces dans l'un de ses premiers articles pour la *Freie Bühne*.

La pièce résolument naturaliste de Hauptmann, *Avant le lever du soleil (Vor Sonnenaufgang)*, avait fait sensation lors de sa première représentation, le 20 octobre 1889, au Lessingtheater. Les spectateurs l'avaient frénétiquement applaudie ou furieusement sifflée, et des batailles rangées, survenues dans la salle, atteignirent leur paroxysme quand le Dr Karsten, critique et médecin, brandit des forceps tandis que l'un des acteurs appelait une sage-femme. Le naturalisme avait fait son apparition en Allemagne. Gerhart Hauptmann, le responsable de ce tumulte, « un jeune poète à l'aspect délicat, au visage d'idéaliste », habitait alors Erkner, dans la banlieue berlinoise, avec sa femme, qui avait de la fortune, et ses trois filles. Comme nombre d'artistes en herbe, son rôle de *pater familias* l'exaspérait et il avait le sentiment que sa femme ne le comprenait pas. Certes, Marie était une bonne épouse, pleine d'attentions, mais elle ne prenait guère part aux problèmes artistiques qui préoccupaient son mari. Lou était différente. On pouvait discuter avec elle de toutes les questions artistiques et humaines. Elle comprenait l'angoisse créatrice dont il souffrait, son besoin de stimulant spirituel, ce qui lui manquait complètement dans le milieu bourgeois où évoluait sa famille, et l'encourageait dans ses projets dramatiques par des critiques et des conseils judicieux.

Dans les papiers laissés par Lou, il y a un billet de Hauptmann qui est une véritable supplication : « Chère et Admirable Femme, il faut que vous me permettiez de venir! » Il porte pour signature « Gerhart ». Cette courte phrase, si pressante, donne à croire que Lou a compté pour le poète plus qu'on ne le suppose. Mais comme Lou avait coutume de prier ses amis de détruire les lettres intimes — ce qu'elle faisait d'ailleurs de son côté — on est obligé de s'en tenir à des conjectures. On n'en saura davantage sur la véritable nature de leur amitié que le jour — hypothétique — où cette correspondance, jusqu'ici introuvable, mais qui a certainement existé entre Lou et Hauptmann, sera découverte.

Mais peut-être trouvera-t-on un indice dans la pièce de Hauptmann, *Les Ames solitaires (Einsame Menschen)*, qu'il écrivit en 1891 au moment où leur amitié était à son apogée. Elle a pour héros un jeune artiste, Johannes Vockerrat, marié à une femme qui, intellectuellement, lui est inférieure. Ayant de la fortune, elle peut lui donner l'aisance matérielle et la possibilité d'écrire sans être entravé par le besoin d'argent. C'est une bonne épouse et une bonne mère, mais ce n'est pas une compagne pour lui et elle ne comprend pas son insatisfaction créatrice. Il n'est pas difficile de voir en elle le reflet de la femme de Hauptmann, Marie Thienemann. De plus, certains traits de caractère de Vockerrat rappellent le jeune Hauptmann lui-même. Son impression d'être incompris de tous, surtout de sa famille, son insistance sur des idées modernes concernant la société et la religion, son intérêt pour les problèmes sociaux et philosophiques tels qu'ils sont présentés dans les œuvres de Darwin et de Haeckel, tout cela et certains autres traits mineurs semblent être autobiographiques.

Dans ce foyer pénètre Anna Mahr, une étudiante pleine de charme et brillante, d'une franchise désarmante dans ses manières et douée d'une grande intelligence. Elle arrive de Zurich, où elle a étudié la philosophie, mais sa famille habite les Pays Baltes.Sa venue a sur le jeune artiste un effet stimulant. Il a enfin trouvé quelqu'un à qui parler. L'atmosphère amoindrissante de son foyer bourgeois se dissipe. La présence d'Anna libère en lui une énergie nouvelle et inattendue, qui lui donne le sentiment d'une renaissance artistique. Mais le problème de la pièce est que, pendant ce temps, d'autres forces, qui ne sont pas purement intellectuelles, se trouvent également éveillées. L'esprit émancipé aspire à l'émancipation de la chair. Pressentant ce danger, Anna décide de quitter la maison des Vockerrat parce qu'elle ne veut pas blesser la femme de l'artiste. Mais il est trop tard. La passion de Vockerrat touche maintenant à la folie. Il ne peut supporter l'idée de la perdre et, plutôt que de reprendre sa vie de frustration, il se tue.

L'arrière-plan d'Anna correspond de près à celui de Lou

et l'effet de sa venue sur le jeune artiste est certainement pareil à l'influence catalytique que Lou exerçait sur nombre de ses amis. Mais, avec le suicide de Vockerrat, la ressemblance prend fin. Hauptmann ne se tua pas plus que Gœthe durant l'épisode Werther.

Cependant son mariage ne put survivre à cette aventure, ce que Lou, qui estimait beaucoup Marie Hauptmann, avait probablement pressenti. Qu'il y ait dans *Les Ames solitaires* un grand nombre de vérités personnelles, cela ressort de la dédicace de l'œuvre : « Je remets cette pièce entre les mains de ceux qui l'ont vécue. »

Dans son compte rendu de la pièce, Lou cite, en l'approuvant, l'opinion d'un critique hollandais. Sa force, dit-il, réside dans le fait que Hauptmann a réussi à montrer en Anna Mahr un nouveau type de femme qui, bien que plus forte et plus indépendante que Vockerrat, n'est pas un bas-bleu. Elle ajoutait toutefois que Hauptmann n'avait pas réussi à faire d'Anna Mahr un personnage convaincant quant à sa supériorité intellectuelle : « En tant qu'étudiante venant de Zurich, on n'en prend conscience que parce qu'elle est présentée ainsi. » Il est naturel que Lou ait critiqué Hauptmann pour n'avoir pas su comprendre ces qualités d'esprit et de caractère qu'elle estimait le plus chez la femme moderne. Peut-être est-ce pour cette raison que leur amitié s'affaiblit bientôt. Hauptmann, dit-on, déclarait en grimaçant un sourire qu'il était « trop stupide pour Lou ».

Mais ni les amitiés ni les rencontres plus sérieuses, telles que celle avec l'écrivain et politicien Georg Ledebour, ne pouvaient distraire Lou de son objet essentiel : sa liberté. Pour y parvenir, il lui fallait travailler. Son indépendance économique était, en partie du moins, subordonnée à ce qu'elle gagnait. Et elle ne chômait point. Article après article, livre après livre sortaient de sa plume alerte. En 1892, parut son livre sur Ibsen, deux ans plus tard son livre sur Nietzsche, l'année suivante, son roman, *Ruth*, un an après, *D'une âme troublée (Aus fremder seele)*, bientôt suivis de *Fenitschka* (1898), *Enfants des hommes* (*Menschenkinder*, 1899), *Ma* (1901) et *Dans la zone du crépuscule* (*Im Zwischenland*, 1902). De plus, elle écrivit plus de cinquante essais, articles et comptes rendus de livres. Huit livres et cinquante articles en dix ans ne sont pas un mince résultat. Tandis que son mari tentait de gagner sa vie comme professeur de langues exotiques, Lou se faisait un nom comme écrivain. Et, avec le revenu qu'elle tirait de son travail, elle se mit à faire de longs voyages, laissant Andreas pendant des mois dans leur appartement de Berlin, aux soins de Marie. Paris, Saint-Pétersbourg, Vienne, Salzbourg et Munich furent les villes où elle se créa un foyer temporaire. Sa gloire littéraire et sa réputation de *femme fatale* la mirent en relations avec des écrivains et des artistes partout où elle alla. *L'avant-garde* intellectuelle de l'Europe, déterminée à scandaliser la bourgeoisie en présentant la vie sur le vif et en préconisant la justice sociale et la liberté sexuelle, l'accueillait comme une militante.

On était donc surpris, et à juste titre, lorsqu'on découvrait que cette femme émancipée et hardie, qui était prête à discuter les aspects les plus intimes de l'amour et des problèmes sexuels, était si peu disposée à mettre en pratique ce qu'elle prêchait. Chaque fois que la question de l'intimité physique était soulevée, et, à cause de son mode de vie très libre, c'était souvent le cas, elle se dérobait. Elle ne voulait, ou ne pouvait, se donner à aucun homme. C'était infliger le supplice de Tantale. Cette femme jeune et attrayante, manifestement passionnée et peu encombrée de scrupules moraux, était pourtant inaccessible, ni épouse ni maîtresse, une sorte de Messaline asexuée. Jeune et féminine d'aspect, mais de jugement mûr et très sûre d'elle-même, elle se mouvait avec aisance dans la bohème littéraire de Berlin, de Paris et de Vienne.

Elle avait commencé sa carrière comme commentatrice d'Ibsen, de Nietzsche et de Tolstoï parce qu'elle voyait en eux les précurseurs d'un nouveau mouvement dans l'histoire de l'esprit humain. Elle vivait dans cet esprit intellectuellement, mais non émotionnellement. Et, tandis que sa préoccupation essentielle était son émancipation intellectuelle, elle commençait à se demander ce qui causait cette étrange dualité dans sa vie. Pourquoi était-elle incapable d'accomplir l'acte d'amour? Etait-ce l'intensité juvénile de son amour pour Gillot et le choc qu'elle avait subi lorsqu'il lui avait demandé une chose très humaine qui en étaient responsables? C'est ce qu'elle avait cru d'abord. Mais l'affaire Gillot remontait à plus d'une douzaine d'années. Elle était maintenant au début de la trentaine et, parmi les nombreux hommes qu'elle avait croisés sur sa route, elle n'avait pas encore trouvé d'amant. Être à la fois une femme mariée, une bohème littéraire et une vierge était une combinaison invraisemblable. Cela intriguait ses amis et incitait ses ennemis à répandre sur elle toutes sortes de rumeurs malveillantes. Ils racontaient à voix basse que Lou n'était pas une femme, mais une hermaphrodite, un être frigide, un caprice de la nature. Comme elle n'avait jamais prêté la moindre attention à ce que l'on disait d'elle, ces rumeurs la laissaient parfaitement calme. Elle se connaissait. Elle savait que viendrait l'heure où elle rencontrerait l'homme qui la libérerait.

Ce n'était pas elle qui avait inventé cette phrase : « l'émancipation de la chair » qui devint l'un des cris de guerre des suffragettes militantes, qu'elle méprisait, mais elle commençait à la préoccuper. L'amour physique dans toutes ses manifestations était l'un des principaux thèmes de ses écrits et le seul dont elle n'avait aucune expérience personnelle. « Ne pas avoir aimé est ne pas avoir vécu », écrivait-elle. Il était temps d'entrer dans la plénitude de l'amour.

CHAPITRE XIII

L'Émancipation de la chair

« Une femme ne meurt pas d'amour, mais si elle manque d'amour, elle dépérit [1]. » C'est là l'un des aphorismes que Lou écrivit durant ce mémorable été passé avec Nietzsche à Tautenburg. Même alors, à l'âge de vingt et un ans, elle savait que l'amour était la force génératrice de vie. Elle avait maintenant dix ans de plus, était un auteur à succès, très enviée et admirée, l'amie intime de certains des hommes les plus séduisants de Berlin, de Paris et de Vienne... et toujours vierge. Du moins le dit-elle et le semble-t-il. Elle avait l'air encore jeune, bien que son visage commençât à montrer des signes d'une vie trop exclusive dans l'air raréfié de l'intellect. Il manquait de chaleur, il n'avait pas ce rayonnement, ce doux éclat qui éclaire le visage d'une femme qui aime et est aimée. De temps à autre ses yeux bleus lumineux jetaient une lueur de dureté. Pour adoucir son aspect angulaire, elle préférait porter de grands cols souples ou des blouses de paysannes à larges manches. Pour le reste, elle s'habillait simplement et ne portait ni corset ni autres accessoires à la mode qui emprisonnaient le corps de la plupart des femmes de sa génération. Son corps, lui aussi, devait être libre.

On peut se demander si une femme menant la vie de Lou et éveillant d'aussi violentes passions a pu vraiment rester vierge aussi longtemps, et cela a été mis en doute. Elisabeth Nietzsche, Malvida von Meysenbug, et même Mme Rée soupçonnèrent que, dans son innocente affaire de cœur avec Gillot, il y avait bien plus de choses que Lou ne l'avouait. Certains autres, tels que Rée et Andreas, furent déconcertés lorsqu'ils découvrirent que cette femme très désirable et passionnée résistait si farouchement à leurs avances. Y avait-il en elle quelque anomalie?

1. Ilonka Schmidt Mackey, *Lou Salomé*, Paris, Nizet éd., 1956, p. 180.

Nietzsche pensait que Lou était affligée d'« atrophie sexuelle ». Et Lou elle-même s'interrogeait sur la cause de l'épanouissement tardif de sa vie sexuelle. Dans le cas de Rée, dit-elle, une légère aversion physique l'empêcha de devenir sa femme. Il se peut que, pour Andreas, des motifs d'ordre psychologique aient été le mobile de sa résistance. Mais comment expliquer son froid rejet de ses nombreux autres soupirants? Était-elle victime de ces inhibitions sexuelles dont certaines femmes sont affligées?

La clé du problème peut être trouvée dans ses livres : puisque la plupart d'entre eux sont le reflet d'événements personnels, il est possible de les utiliser, bien qu'avec précaution, comme matériaux biographiques. Son roman, *Ruth*, par exemple, relate l'affaire Gillot telle qu'elle est arrivée dans ses faits essentiels. De même, *Fenitschka* a pour base un incident authentique survenu à Paris et concernait le dramaturge Frank Wedekind.

Lou était allée à Paris en février 1894. Elle y avait passé six mois et partagé l'appartement de son amie danoise, Thérèse Krüger. Comme l'Allemagne, la France était alors en plein tourbillon politique, social et littéraire. L'assassinat du président Carnot par un anarchiste italien provoquait une inquiétude générale et suscitait des débats envenimés à la Chambre des Députés, suivis, quelques mois plus tard, de violents discours sur l'affaire Dreyfus. En même temps, la littérature parisienne était bouleversée par des cabales acharnées. Le naturalisme faisait son apparition sur la scène française. Des tempêtes d'approbations ou d'injures accueillaient chaque représentation d'une pièce nouvelle de Strindberg, d'Ibsen, de Maeterlinck et de Hauptmann au Théâtre Libre d'Antoine et à la Maison de l'Œuvre de Lugné-Poe. Une fois de plus, Paris était le champ de bataille des idées révolutionnaires.

Lou se sentait très à l'aise dans cette atmosphère extrêmement tendue. Accompagnée de Toutou, son caniche noir, elle faisait la tournée des cafés littéraires de la Rive Gauche, prenait part à d'innombrables discussions et se faisait beaucoup d'amis dans le milieu cosmopolite du monde parisien des arts. Elle fit la connaissance du grand romancier norvégien, Knut Hamsun, alors dans la trentaine, mais déjà célèbre comme auteur du roman vigoureusement réaliste, *La Faim*, et « beau comme un dieu grec », du pâle et maladif journaliste danois, Herman Bangs, de l'éditeur allemand Albert Langen, du Dr Ssawely, jeune émigré russe soupçonné d'avoir participé à l'assassinat du tsar Alexandre II, et du dramaturge allemand Wedekind, dont la pièce d'un puissant expressionnisme sur l'amour de l'adolescence, *L'Éveil du Printemps*, avait causé en Allemagne un tel scandale qu'il était venu chercher refuge dans l'atmosphère plus appropriée de Paris. Et comme homme et comme artiste, Wedekind était obsédé par le sexe. Il y voyait une force élémentaire qui ne pouvait et ne devait pas être niée. En termes vigoureux, frisant souvent le grotesque, il flagellait l'hypocrite moralité de la bourgeoisie et devint l'un des champions les plus déclarés de la liberté sexuelle.

Ce fut Wedekind qui provoqua l'incident que Lou raconte dans son récit, *Fenitschka*. Elle le rencontra dans une soirée donnée par la comtesse Nemethy, une Hongroise. Comme la plupart des hommes, il fut tout de suite attiré par elle et, après avoir parlé avec elle la moitié de la nuit, il l'invita à monter dans sa chambre. Elle accepta sans hésiter et, naturellement, il en conclut qu'elle était disposée à passer avec lui le reste de la nuit. A sa grande surprise, il s'aperçut que rien n'était plus loin de l'esprit de Lou. Malgré tout son talent de séducteur, qui n'était pas négligeable, il ne réussit pas à faire la moindre impression sur cette femme hardie et émancipée. Finalement, frustré et se sentant ridicule, il la laissa partir. Le lendemain matin, il sonna à sa porte en habit de cérémonie : jaquette, nœud noir et gants, et armé d'un bouquet de fleurs, et lui présenta des excuses pour sa conduite incorrecte. Toutefois, quelques mois plus tard, il prit une subtile revanche en donnant au personnage principal de sa pièce, *L'Esprit de la terre*, le nom de « Lulu », caricature grotesque, évidemment, car Lulu est un démon sexuel, insatiable et destructeur.

Dans *Fenitschka*, Lou relate cet incident, sur lequel elle s'étend, le soumettant à certaines observations psychologiques intéressantes. Voici, en résumé, ce qui arrive : Fenitschka, une jeune fille russe qui fait ses études à Zurich et est déterminée à consacrer sa vie à cultiver son esprit, vient à Paris et passe une soirée en compagnie d'un groupe d'amis dans un petit café du Quartier Latin. Max Werner, un jeune allemand, se joint à eux. Bien qu'il déteste la « femme intellectuelle », Fenitschka lui plaît. Il s'émerveille de la franchise avec laquelle elle discute de questions aussi délicates que la vie des grisettes parisiennes, la prostitution, l'amour libre et les problèmes sexuels, avec un étranger, le soir, dans un café de Paris. Son innocence n'est-elle qu'un masque cachant un tempérament sensuel, ou est-elle véritable? Il veut le savoir, l'emmène dans sa chambre et tente de la séduire. Mais il se heurte à un refus si méprisant qu'il a honte de lui et demande son pardon.

Jusque-là, l'histoire semble être un compte rendu assez fidèle de l'épisode Wedekind. Mais il a une suite. Quelques années plus tard, le jeune Allemand rencontre de nouveau Fenitschka, en Russie cette fois. Il trouve qu'elle a changé. Elle paraît moins intellectuelle et plus féminine. Ils parlent de nouveau amour et mariage. Il considère l'amour comme le grand stimulant de la vie, tandis qu'elle le compare « au bon pain béni qui apaise notre faim ». Le bruit court que Fenitschka a maintenant un amant, qu'elle retrouve la nuit en secret. Elle le dément avec indignation : « Combien de fois, durant ses années d'études à l'étranger, n'a-t-elle pas éprouvé du mépris pour ces gens dont la sagesse à bon marché s'est méprise sur sa liberté? » Mais c'est vrai, cependant. Le jeune Allemand la voit un soir en compagnie d'un étranger. Quand il la questionne, elle avoue aimer un homme qui, soudain, est entré dans sa vie. Ce n'est pas l'un de ses amis universitaires. De fait, intellectuellement, il lui est inférieur. Bien qu'elle le connaisse à peine, elle est devenue sa maîtresse. Amusé, l'Allemand veut savoir ce qu'il est advenu de son noble idéal. A-t-elle perdu la foi en l'amour spirituel? Elle se met presque en colère. C'est une erreur de croire, dit-elle avec force, que l'esprit est plus noble que la chair. Ses amitiés intellectuelles ne se sont jamais épanouies en amour parce qu'il y avait en elles quelque chose de calculateur. Elle avait enfin rencontré l'homme qui ne voyait en elle qu'une femme et la traitait comme telle. Avec l'abandon d'une héroïne de D. H. Lawrence, Fenitschka s'est donnée à lui. Il y a tout lieu de croire que la propre vie amoureuse de Lou commença par un tel acte impulsif d'abandon.

A ce propos, la seconde nouvelle de *Fenitschka*, intitulée « Une débauche », mérite l'attention. Peut-être moins autobiographique que la première, elle donne un aperçu de la nature du problème qui occupait Lou. Son thème est l'amour masochiste. L'héroïne est une jeune fille au tempérament d'artiste qui sent qu'une longue débauche l'a rendue incapable d'amour, parce que « notre vie dépend beaucoup moins de ce que nous éprouvons ou faisons consciemment que d'impressions nerveuses étranges et irrésistibles ». Elle dit que l'un des souvenirs de sa plus tendre enfance est d'avoir vu sa nourrice battue par son mari.

« J'observai que, pendant que son mari la frappait sur la tête, les yeux de ma nourrice s'accrochaient à lui avec une amoureuse humilité. » Cette image s'était profondément imprimée dans sa mémoire. Elle évoquait le souvenir de la béatitude servile de femmes depuis longtemps oubliées. Se soumettre complètement à un mâle dominateur est devenu chez elle une obsession. Mais son fiancé la traite avec bonté et respect et ne comprend pas la violente passion qui la tourmente. Déçue, elle le quitte. Elle sent que son amour ne pourra la satisfaire. Elle aspire à cette sorte d'assujettissement brutal que montre la gravure de Klinger, *Le Temps anéantissant la Gloire*, où un adolescent en armure, au visage implacable, piétine impitoyablement une femme gisant, prostrée, devant lui.

Il est, bien entendu, impossible de savoir si des tendances masochistes troublaient la vie amoureuse de Lou. Le simple fait de traiter ce sujet, et non seulement dans « Une débauche » (dans un roman ultérieur, *La Maison*, Renate est, de même, consumée par la passion de se soumettre complètement à une volonté masculine), est significatif. Peut-être le fait que lorsque Lou quitta brusquement Paris pour échapper à la chaleur du plein été dans la grande ville, ce fut en compagnie de son ami russe, le Dr Ssawely, « un géant qui pouvait arracher d'un mur le clou le plus dur avec ses solides dents blanches », est-il également significatif. Ils allèrent en Suisse et passèrent quelques semaines à faire des ascensions dans les Alpes au-dessus de Zurich. Dans ses Mémoires, Lou dit qu'ils habitèrent un chalet-refuge isolé, vécurent de lait, de fromage, de pain et de baies et que leur plus grand plaisir était de marcher nu-pieds dans l'herbe douce des prairies de montagne. C'était une existence idyllique qui ne fut interrompue qu'une seule fois, et douloureusement, lorsqu'ils entrèrent par accident dans un labyrinthe de ronces sauvages. Criant de douleur tandis qu'elle essayait de dégager ses pieds ensanglantés, cette pensée, soudain, frappa Lou... « ou était-ce un ancien souvenir? que l'homme est toujours arraché de la félicité des premiers âges pour être jeté dans les cruelles réalités de la vie ». Elle poursuit en disant qu'elle écarta cette pensée et se mit à rire lorsque son ami l'admonesta gaiement : « En réalité, nous devrions présenter nos excuses aux mûres pour les avoir foulées aux pieds au lieu de les embrasser avec nos lèvres. » Par le court récit que fait Lou de cet épisode, il est évident que Ssawely possédait au plus haut degré les qualités qu'elle chérissait chez un homme : la force et la tendresse. Fut-il donc son premier amant? Elle ne le dit pas. Mais puisqu'à une exception près elle ne fait mention d'aucun de ses amants, son silence ne signifie pas grand-chose. Et bien que sa rencontre avec Ssawely fût brève, elle fut également passionnée. Elle s'échappa avec lui de Paris, vécut avec lui dans un chalet-refuge isolé et, en sa compagnie, elle connut « la félicité des premiers âges ». C'était un homme puissamment bâti et, de plus, il était russe. Ce fait doit être souligné. Car l'attachement sentimental de Lou pour la Russie et pour son peuple croissait en raison du temps où elle vivait à l'étranger. Cependant, si Ssawely fut le premier amant de Lou, sa place fut bientôt prise par un mystérieux étranger, jamais cité dans ses souvenirs, qu'elle rencontra à Vienne l'année qui suivit son séjour à Paris.

Lou était rentrée chez son mari à Berlin à la fin de l'automne de 1894 et, presque aussitôt, s'était mise à écrire l'un de ses essais les plus significatifs : *Jésus le Juif*. Elle échangeait également ses impressions avec des artistes, ses amis de Berlin, sur ses souvenirs parisiens. Au printemps de 1895, elle devint de nouveau nerveuse et partit pour Saint-Pétersbourg voir sa famille. Elle était accompagnée de sa nouvelle amie, Frieda von Bülow. Jusque-là les amitiés de Lou avaient été surtout masculines. Maintenant, elles comprenaient aussi un certain nombre de femmes exceptionnelles et, en premier lieu, Frieda von Bülow et Hélène Kligenberg. Toutes deux descendaient de vieilles familles aristocratiques et toutes deux écrivaient, bien que ni l'une ni l'autre ne fût aussi en vue que Lou. Frieda, de quatre ans plus âgée que Lou, était la fille d'un conseiller d'ambassade prussien. Les ancêtres d'Hélène étaient des Allemands des Pays Baltes. Frieda était la plus stimulante des deux. Femme énergique et courageuse, elle avait suivi son frère en Afrique Orientale et pris part à la lutte, dirigée par Karl Peters, pour y établir un protectorat allemand. Elle avait fondé des hôpitaux à Zanzibar et à Dar es-Salaam. Au bout de cinq années de travail considérable et de longs voyages dans les territoires nouvellement acquis, sa santé s'était trouvée altérée et elle avait été forcée de rentrer en Allemagne. Lou l'avait rencontrée à Berlin au début de 1892 et elles étaient bientôt devenues amies.

Lou était alors au début de sa carrière littéraire et Frieda était déjà célèbre comme exploratrice et colonisatrice africaine. L'attraction semble avoir été mutuelle, mais toutes deux avaient une forte volonté et se livraient souvent à de chaudes discussions. Dans un article, « Hérésies sur la femme moderne », Lou marqua publiquement son désaccord avec son amie, qui avait affirmé qu'une femme a tout autant le droit d'écrire des livres que d'élever des enfants.

« Certainement, écrivait Lou, mais elle ne devrait pas se prendre si terriblement au sérieux. Elle devrait considérer son travail littéraire comme une chose supplémentaire et non essentielle à la plénitude d'une vie de femme. »

Mais leurs désaccords ne diminuaient pas leur amitié. Elles avaient l'impression qu'ils leur étaient profitables et elles vivaient et voyageaient souvent ensemble. Lou présenta Frieda, qui avait été la maîtresse de Karl Peters, à sa famille en Russie et, pendant un certain temps, Frieda eut un attachement romantique pour Eugène, le frère de Lou.

Mieux elle en vint à connaître Frieda, plus Lou était séduite par le curieux mélange du caractère de son amie. Frieda semblait osciller entre des poussées d'énergie et des périodes de lassitude. Ces dernières, qui étaient le signe qu'elle venait d'une vieille race fatiguée, pouvaient mener, pensait Lou, à un désir de soumission et d'abandon de soi. Ici revient le thème que nous avons cité ci-dessus : « L'excitation insensée pour la soumission : ce qu'il y a de plus fort en nous tous », ainsi que Renate le confie à son amie, Anneliese, dans le roman de Lou, *La Maison.*

A la fin d'avril 1895, Lou et Frieda quittèrent Saint-Pétersbourg pour Vienne. Elles y firent la connaissance d'Arthur Schnitzler, de Richard Beer-Hofmann, de Hugo von Hofmannsthal, de Félix Salten, de Peter Altenburg et d'autres artistes autrichiens. Lou rencontra également Marie von Ebner-Eschenbach, l'une des femmes écrivains les plus distinguées d'Allemagne, vieille dame d'un grand charme et d'une grande sagesse, pour qui elle se prit d'une véritable affection. Lou la révérait comme une femme pleine de sagacité et de compréhension qui n'avait pas sacrifié sa féminité à ses ambitions littéraires. En restant fidèle à son sexe, elle avait évité le plus grand danger qui menace la femme intellectuelle, celui de « gaspiller sa force la plus intime à se reproduire sur le papier ». Son exemple prouvait qu'il était possible de combiner une carrière littéraire avec la vie pleine et riche d'une femme. Lou avait besoin d'être rassurée à cet égard, car rien ne l'effrayait davantage que le spectacle de ces bas-bleus militants qui, en essayant d'affirmer leur égalité avec les hommes, cessaient d'être des femmes. Elle était résolue à ne pas agir ainsi, à ne pas subordonner sa vie à son œuvre. Ses écrits étaient une sorte d'analyse de soi, un sondage de sa propre personnalité, un acte de libération. Lorsqu'ils eurent servi son dessein, lorsque Freud lui eut montré le moyen de faire un usage thérapeutique de ses intuitions psychologiques, elle faillit y renoncer. Son succès en tant qu'écrivain (et il était considérable : les critiques la qualifiaient de « la plus profonde, psychologiquement parlant, des auteurs féminins allemands ») montre que sa forme littéraire s'accordait à l'esprit du temps.

Cet esprit n'était mieux représenté nulle part ailleurs qu'à Vienne. Tandis que partout en Europe les problèmes politiques, sociaux ou économiques occupaient les esprits les plus progressistes, les artistes et les savants viennois se concentraient sur l'exploration de l'âme humaine. Les pièces et les nouvelles de Schnitzler, qui, avec un peu d'amusement et de mélancolie, touchaient aux caprices de l'amour sexuel, à la promiscuité et à l'infidélité, ou l'art trop mûr du jeune Hofmannsthal, traitaient esthétiquement ce que Freud et ses disciples examinaient scientifiquement : la puissance des pulsions inconscientes. Pour une psychologue née comme Lou, c'était une ambiance passionnante. Elle observait que la vie littéraire à Vienne différait de celle des autres capitales où elle avait vécu par l'effet réciproque aisé de l'intellect et d'Éros. Il n'y avait pas de distinction rigoureuse entre l'artiste et l'homme du monde. Le charme des jeunes Viennoises ennoblissait même l'acte d'amour passager et l'entourait d'une auréole de badinage. Il en résultait que la bohème littéraire de Vienne était insouciante et allègre. L'acuité des ambitions en conflit, si grande à Berlin et à Paris, n'y existait pas. Baignée par la chaude lueur de son soleil couchant, la capitale de l'empire des Habsbourg vivait dans un monde de rêve, un monde magique à elle, fermant les yeux aux dures réalités de l'extérieur.

Les nombreuses amitiés que Lou noua à Vienne et les émotions qu'elle éprouva en pénétrant dans la vie d'êtres exceptionnels accrut son pouvoir d'intuition dans la psyché humaine et dans son âme à elle. En soumettant ces intuitions à un rigoureux examen intellectuel, elle aboutit à des conclusions qui la menèrent au seuil de la psychanalyse. Mais, si puissant qu'il fût, son intellect d'analyste n'était pas son trait dominant. Ce qui la caractérisait le plus a été ainsi dépeint : « Elle était toujours prête à se tourner vers la vie, courageuse et toujours ouverte à ses joies et à ses peines, un séduisant mélange de gravité masculine, d'allégresse enfantine et de féminine ardeur [2]. »

Selon son propre témoignage, il fallut un long temps avant que son ardeur féminine ne fût complètement éveillée, mais, en ayant pris conscience, elle cessa de la contraindre. Elle perdit sa silhouette juvénile et devint une femme épanouie.

Un grand mystère entoure l'homme qui apporta ce changement en elle. Elle n'avait pas succombé aux avances passionnées de Gillot, de Nietzsche, de Rée, d'Andreas, de Ledebour, pour n'en citer que quelques-uns. Elle était maintenant à un âge où la plupart des femmes regardent leur première expérience de l'amour physique comme un événement presque oublié de leur adolescence. Lou, elle aussi, en avait été bien près plusieurs fois, mais, à la dernière minute, elle avait toujours résisté. Cette question subsiste donc : qui la libéra de son célibat prolongé? La réponse n'est pas facile. Lou elle-même tire un voile sur cet événement dramatique. D'après ses souvenirs, il

2. Hélène Klingenberg, *Lou Andreas-Salomé,* Deutsche Monastsschrift für Russland, 1912, p. 237.

semblerait que le poète Rainer Maria Rilke fût son libérateur. Et, sans aucun doute, il était profondément épris de Lou et Lou l'aimait. Mais Rilke fut-il vraiment le premier homme dans la vie de Lou? Il est beaucoup plus vraisemblable que, si elle ne céda pas à son compatriote, Ssawely, pendant ces nuits d'été idylliques dans le chalet alpin, un calme mais énergique médecin viennois prétendit à son amour. Elle le rencontra deux ans avant Rilke et il fut son mari « officieux » pendant des années. C'était le Dr Friedrich Pineles.

Comme Rée, Pineles descendait d'une vieille et respectable famille juive qui, de Galicie, avait émigré en Autriche. Lou le rencontra à Vienne à la fin du printemps de 1895. Elle avait été invitée à une réception chez Marie Lang, l'une des dirigeantes du mouvement féministe en Autriche. Parmi les invités, se trouvaient Broncia Pineles, une femme peintre de talent, et son frère Friedrich, surnommé « Zemek » par sa famille et ses intimes, qui était alors interne à l'Allgemeine Krankenhaus à Vienne. Son sobriquet, Zemek, que lui avait donné sa nourrice polonaise, signifie « Homme de la terre ». Il lui allait fort bien. Il y avait quelque chose de solide dans sa carrure, une qualité de courage physique et moral. De toute évidence, c'était un homme avec qui il ne fallait pas badiner. A certains égards, c'était un médecin typiquement viennois, cultivé, lettré, s'intéressant aux questions littéraires et philosophiques, et, en même temps, un savant qui faisait autorité dans le domaine où il était spécialisé. Même étudiant, il s'était livré à des recherches originales et avait été l'un des premiers à tenter de comprendre cette curieuse maladie des centres nerveux qui cause l'arrêt des réflexes pupillaires. Ce fut l'un des sept étudiants qui se firent inscrire au cours de Freud sur les névroses pour le semestre scolaire de 1895-96.

Lorsqu'il rencontra Lou, il avait vingt-sept ans, sept ans de moins qu'elle. Il avait des cheveux noirs et le teint basané des Juifs d'Europe orientale. Ses traits fermes et nettement dessinés, son maintien distingué et sa tranquille personnalité le faisaient remarquer dans n'importe quelle compagnie. Les femmes l'adoraient. Elles sentaient une puissante volonté masculine derrière son apparence courtoise. Et elles sentaient quelque chose d'autre, la profonde tristesse d'un homme de sa race, un homme dont les brillants yeux bruns portaient le témoignage qu'il avait sondé la vie et connaissait ses illusions. Il semble qu'il ait séduit Lou aussitôt. Comme l'héroïne de sa nouvelle, *Fenitschka*, elle sentait que c'était là l'homme qui n'aimait en elle que la femme. Ses qualités intellectuelles ne l'impressionnaient pas.

Ils se rencontrèrent à peu près au moment où Broncia, la sœur bien-aimée de Zemek (tous deux étaient si proches qu'on les prenait parfois pour un couple), fit la connaissance de son futur mari, l'industriel styrien, Koller. Koller courtisa Broncia et Zemek courtisa Lou. Les deux couples étaient inséparables. Ils allaient ensemble à des réceptions et à des concerts et parcouraient les bois viennois. C'était le printemps à Vienne et ils étaient jeunes et amoureux. Les amis de Lou savaient, bien entendu, qu'elle était mariée, mais ils savaient aussi ou devinaient que ce n'était pas un mariage heureux. Et, étant Viennois, ils pensaient que Lou avait droit au bonheur. De toute évidence, Lou était heureuse en la compagnie de Zemek et ce dernier en la compagnie de Lou. Ils ne furent donc pas particulièrement surpris lorsqu'ils apprirent que Zemek avait conquis Lou. La tradition veut qu'un double mariage eut lieu, celui de Broncia avec le Dr Koller et celui de Lou, officieux, avec Zemek. Puisqu'elle était déjà mariée, un mariage officiel était, bien entendu, hors de question, mais, aux yeux de la famille Pineles, Lou devint la femme de Zemek et le resta pendant près de douze ans. La seule qui réprouvât cette liaison secrète était la mère de Zemek. Sa sœur la comprenait et l'encourageait. Elle invitait le couple chez elle, à Hallein, et plus tard, quand Lou fut enceinte, dans son domaine campagnard, à Oberwaltersdorf.

L'amour de Zemek procurait à Lou « le bon pain béni » dont elle avait besoin. Elle habitait chez lui chaque fois qu'elle venait à Vienne et, de temps à autre, ils se rencontraient ailleurs ou voyageaient ensemble. Zemek, qui aspirait à une union plus permanente, s'irritait de cet arrangement, mais Lou affirmait que son mari n'accepterait pas le divorce. En outre, elle n'avait pas la certitude d'être fidèle à Zemek s'ils se mariaient. Et il s'avéra qu'elle avait raison. Bien qu'il lui convînt d'avoir un mari « officiel » à Berlin, vers qui elle pouvait toujours revenir, et un mari « officieux » à Vienne, dont l'amour la délassait, cet accommodement, selon toute apparence, n'apaisait pas complètement sa faim. Car, après les étreintes de l'« homme de la terre, » elle aspira à un amour plus éthéré. Elle attendait un amant qui pût satisfaire son triple désir féminin : être une maîtresse, une mère, une madone.

QUATRIÈME PARTIE

Amour et poésie

1897-1901

CHAPITRE XIV

« Ma sœur, mon épouse »

A la fin d'avril 1897, Lou partit pour Munich, où elle fut rejointe par son amie Frieda von Bülow, qui devait y faire une conférence sur ses exploits en Afrique. La capitale bavaroise était l'une des villes que Lou aimait à visiter, bien qu'elle ne tînt pas particulièrement à ce qu'elle appelait « l'atmosphère de Munich », ce singulier mélange de patriotisme bavarois, d'encens et de bière. Comme elle-même, la plupart de ses amis munichois étaient des non-Bavarois et se réunissaient à Schwabing, le Quartier Latin de Munich. Elle avait déjà rencontré certains d'entre eux, comme Max Halbe et Frank Wedekind, à Paris ou à Berlin. A Munich, elle fit la connaissance du comte Edouard Keyserling, de l'architecte August Endell, qui resta son ami intime jusqu'à la fin de ses jours, et les écrivains Michael Georg Conrad, Ernst von Wolzogen et Jacob Wassermann. Ce dernier, auteur plein de promesses, dont le roman, *Les Juifs de Zirndorf*, avait beaucoup attiré l'attention, présenta Lou au jeune poète autrichien inconnu, Rainer Maria Rilke.

Rilke, alors âgé de vingt-deux ans, était récemment venu de Prague, où il était né et avait été élevé, sous le prétexte de poursuivre ses études à l'université de Munich. Mais, en réalité, il était beaucoup plus absorbé par sa carrière littéraire. Il écrivait des vers, des pièces, des contes en prose, des comptes rendus de livres, dirigeait un journal littéraire et se proposait de former une « société des vrais écrivains modernes ». Bien que timide et réservé par nature, il se jetait dans une activité littéraire fébrile parce qu'il voulait prouver à sa famille, sceptique, qu'il pouvait gagner sa vie comme écrivain. C'était un mince jeune homme, plus doux que robuste, à l'attitude courtoise, caractéristique du jeune mondain autrichien. Une maigre barbe encadrait son pâle visage où deux yeux profondément enfoncés dans les orbites et regardant le monde avec un étonnement inquiet étaient le trait dominant. Sa bouche, aux lèvres pleines et sensuelles et ornées d'une moustache tombante, faisait contraste avec son menton légèrement fuyant, où poussait une barbiche floue, aussi soyeuse et duvetée que les plumes d'une tête de jeune canard.

C'était là le jeune *littérateur* autrichien en herbe, encore connu sous son prénom de René. Et lorsque Lou le rencontra chez Wassermann le 12 mai 1897, il était encore bien loin du grand poète qu'il allait devenir. Il serait difficile d'imaginer prétendant plus invraisemblable à ses faveurs féminines. Mais l'aspect de Rilke était trompeur. Il n'était nullement le jeune homme sans volonté qu'il paraissait être. Il compensait ce qui lui manquait en vaillance physique par une profonde concentration intérieure qui prit Lou par surprise. Comme la plupart des hommes, Rilke fut absolument déterminé à la conquérir dès leur première rencontre. Il se consacra à cet objet et se montra plein d'adresse et de ressources.

Le lendemain de cette rencontre, il lui écrivit pour lui dire que ce n'était pas la première fois qu'il avait eu le privilège de passer une « heure crépusculaire » en sa compagnie. Plusieurs mois auparavant, il avait découvert son essai, *Jésus le Juif*, dans le numéro d'avril de la *Neue Deutsche Rundschau*. Cela avait été pour lui une révélation, car elle avait exprimé avec « la force gigantesque d'une conviction sacrée » ce qu'il avait essayé de dire dans un cycle de poèmes intitulé *Visions du Christ*. « J'avais l'impression d'être quelqu'un dont les grands rêves se sont accomplis », poursuivait-il, car elle avait dit ce qu'il n'avait fait que rêver. Son essai à elle et sa poésie à lui étaient aussi mystérieusement apparentés que le sont les rêves à la réalité. Il avait voulu l'en remercier, mais il avait été incapable de le faire devant d'autres personnes, d'où sa lettre. « Car si quelqu'un doit quelque chose de très précieux à quelqu'un d'autre, sa gratitude doit rester un secret entre eux. » Il ajoutait que cela lui ferait grand plaisir s'il pouvait lui lire certains de ces poèmes et terminait avec l'espoir de la voir le lendemain soir au théâtre.

La réaction de Lou à la juvénile ferveur de la lettre de Rilke était faite de sentiments mêlés. Elle lui rappelait l'impétuosité de sa propre jeunesse. Et bien qu'elle eût depuis longtemps appris à s'abstenir de sentiments romantiques, elle était encore réceptive à toute expression de sentiment spontanée. La sentimentalité éhontée de la lettre de Rilke la fit sourire. Tandis qu'elle examinait son écriture, il se fit jour dans son esprit qu'il était l'auteur de certaines lettres anonymes mystérieuses qu'elle avait reçues auparavant et qui contenaient des poèmes. Ainsi, Rilke était le jeune poète qui l'avait adorée de loin.

Lou eût été plus amusée encore si elle avait su que Rilke lui avait envoyé des poèmes parce qu'il désirait ardemment se faire des relations avec des gens éminents. Venant de s'engager dans la carrière littéraire, il ambitionnait d'être accepté par ceux qui y avaient réussi. Il avait besoin de leurs encouragements et pour se donner de l'assurance et parce qu'il voulait impressionner sa famille avec les noms illustres de ses amis. C'est ainsi que, peu de temps après, il informa fièrement sa mère — lectrice passionnée de l'*Almanach de Gotha* — qu'il avait fait la connaissance de la « Célèbre Lou Andreas-Salomé » et de son amie Frieda von Bülow, l'exploratrice africaine, « deux femmes magnifiques ».

Quelle que fût la réserve de Lou lorsqu'elle rencontra Rilke, elle ne put résister longtemps à ses avances passionnées. Il la recherchait avec un zèle assidu qui dépassait tout ce qui lui était arrivé auparavant. Partout où elle allait, il essayait d'être présent. Lorsqu'il ne la trouvait pas au théâtre, il la cherchait dans tout Munich.

« Avec quelques roses à la main, j'ai parcouru toute la ville et l'entrée du Jardin anglais parce que je voulais vous donner ces roses. Mais au lieu de les laisser à votre porte avec la clé d'or, je les ai gardées avec moi, tremblant d'impatience à vous découvrir quelque part. »

Après chaque rencontre, il se précipitait chez lui et déchargeait son cœur en écrivant des vers. Il savait instinctivement que son adoration lyrique était son arme la plus forte. Il désarmait la résistance intellectuelle de Lou en faisant appel à sa propre spontanéité émotionnelle. L'entraînement long et rigoureux auquel elle avait soumis son esprit lui avait appris à se défier des émotions irrésistibles; elle dut aussi, dès cette époque, s'inquiéter de l'excessive adoration de Rilke, mais elle ne pouvait résister longtemps à son assaut lyrique intensif. Lorsqu'elle y succomba, quelques semaines après leur rencontre, il se jeta dans ses bras, comme un enfant qui a enfin trouvé sa mère depuis longtemps perdue. Mais elle découvrit bientôt, à sa surprise, que cet enfant était, en réalité, un jeune homme passionné, versé dans l'art de l'amour. Leurs rôles se trouvèrent soudain renversés : c'était maintenant Rilke qui jouait le rôle dominant. Monté sur Pégase, comme un autre Bellérophon, il tua la chimère qui gardait l'entrée de l'intimité de Lou, dont il fit sa femme. Cela se passa si brusquement que, même en rétrospective, Lou frissonnait en y songeant. Elle écrit dans ses Mémoires :

« Je fus ta femme pendant des années parce que tu fus la première réalité, où l'homme et le corps sont indiscernables l'un de l'autre, fait incontestable de la vie même. J'aurais pu dire littéralement ce que tu m'as dit lorsque tu m'as avoué ton amour : « Toi seule es réelle ». C'est ainsi que nous sommes devenus mari et femme avant même de devenir des amis, non par choix, mais par cet insondable mariage. Ce n'étaient pas deux moitiés qui se cherchaient : tremblante, notre unité, surprise, reconnaissait une unité préordonnée. Nous étions frère et sœur, mais comme dans ce passé lointain, avant que le mariage entre frère et sœur ne devînt sacrilège [1].»

Malgré cette interprétation par Lou de leur aventure amoureuse, cet événement reste une énigme. C'était, en effet, une femme mûre, presque en âge d'être la mère de Rilke, et, de plus, une femme passionnément désirée par bien des hommes, dont certains beaucoup plus virils que Rilke. Elle avait résisté à la plupart d'entre eux et voici que, dans sa trente-sixième année, elle cédait à un jeune homme. Pourquoi? Les amis et les admirateurs de Rilke attribuent à Lou le rôle d'une vile séductrice qui abusa d'un jeune innocent en l'attirant dans ses filets. Mais lorsqu'il rencontra Lou, Rilke n'était en aucun cas un jeune innocent. Il avait eu sa part d'aventures érotiques et savait que le moyen le plus sûr de gagner l'amour d'une femme était de faire appel à son instinct maternel et à sa féminité, ce qu'il fit avec une adresse consommée. Il perça l'armure intellectuelle de Lou et éveilla sa passion, mais, peu de temps après leur première étreinte, elle retrouva son sens critique et commença à regarder son jeune amant avec un souci croissant. Son état d'agitation l'inquiétait. Elle se demandait si ses exaltations lyriques, alternant avec des accès de dépression extrême, n'indiquaient pas un danger de maladie mentale. Il semblait qu'il y eût deux Rilke, l'un confiant et sûr de soi, l'autre affligé d'une introspection morbide. Dans ses lettres et dans ses Mémoires, elle écrit que c'était un spectacle effrayant de voir « l'autre Rilke » surgir brusquement, tremblant de crainte, s'adressant d'amers reproches et s'apitoyant sur lui-même. Elle espéra d'abord que son amour le guérirait, mais ses craintes s'accrurent de plus en plus et elle décida de mettre un terme à cette aventure. Cependant, entre son brusque commencement et sa fin tout aussi brusque, presque trois ans d'amour et de poésie s'écoulèrent.

Quand Rilke rencontra Lou, il avait déjà publié un grand nombre de poèmes. Sous la signature de René Maria Rilke parurent successivement, en plaquettes : *Vie et Chansons*

1. L.A.S., *Lebensrückblick*, p. 173.

(1894), *Chicorée Sauvage : Chants donnés au peuple* (1896), *Offrande aux dieux lares* (1896), et *Couronné de Rêves* (1897). C'était là une pure poésie d'atmosphère, aspirant vaguement à quelque chose à venir, vaguement nostalgique de quelque chose qui n'était plus. Elle était parfaite en son genre, sentimentale, sensible et subtile. Un thème qui revenait souvent était l'étrangeté et le mystère de la vie non pas la vie vécue ou observée, mais sentie, sentie par intuition, en tant qu'unicité :

Les rêves sont pour moi comme des orchidées,
Riches et gais.
De l'arbre gigantesque de la vie,
Ils tirent leur force.
Fiers de leur sang emprunté,
Ils fanfaronnent, puis se dérobent.
Un instant plus tard, ils pâlissent et meurent.
Et, comme les mondes au-dessus de nous,
Ils se meuvent en silence.
Ne sentez-vous pas un parfum dans l'air?
Les rêves sont pour moi comme des orchidées. [2]

Bien que Lou fût touchée émotionnellement par la virtuosité verbale de Rilke, par ses rythmes mélodieux, ses allitérations évocatrices et les assonances de ses poèmes, son intellect n'était pas séduit. Elle ne niait pas que beaucoup de ces vers fussent beaux, et parfois même ensorcelants, mais, disait-elle, si l'on tentait de les saisir, ils se dissolvaient, tout comme les rêves, irrévocablement. Elle se plaignait de ne pouvoir les comprendre et Rilke fit un effort soutenu pour écrire plus simplement et sur les choses simples.

Encouragé par Lou, le jeune poète entra dans une longue période de sévère discipline de soi qui porta ses fruits bien des années plus tard dans la splendeur plastique des *Nouveaux Poèmes*. On peut voir un signe de l'influence de Lou dans le changement saisissant de son écriture. Avant qu'il ne rencontrât Lou, Rilke écrivait avec négligence, et même de façon illisible. Or, son écriture devint aussi nette et précise que la sienne. Lorsqu'elle eut raillé la forme française un peu efféminée, disait-elle, de son prénom, René, il adopta celui de Rainer. Tout comme Lou devint célèbre sous le nom que lui avait donné un homme aimé, Rilke atteignit à la gloire sous le nom de Rainer. Même après leur rupture, lorsque Lou lui eut dit qu'elle ne

2. R. M. R., *Erste Gedichte*, Leipzig, 1928, p. 57.

pouvait l'aider plus longtemps, les lettres de Rilke portent un émouvant témoignage de sa dette envers elle.

« Je sentais alors et je sais aujourd'hui que la réalité infinie qui t'enveloppait était l'événement le plus important de ce temps qui fut extrêmement bon, grand et productif. Le processus de transformation qui se faisait en moi en une centaine d'endroits à la fois émanait de la grande réalité de ton être. Jamais auparavant, dans ma tâtonnante hésitation, je n'avais aussi fortement senti la vie, cru dans le présent et reconnu l'avenir. Tu es l'opposé de tous les doutes et tout ce que tu touches, tout ce que tu vois, *existe.* Le monde avait perdu son aspect nébuleux, si typique dans mes premiers pauvres vers, qui, après avoir jailli, se dissolvaient. Les choses prirent du relief. J'appris à distinguer les animaux et les fleurs. Lentement, avec difficulté, j'appris combien tout est simple. Je parvins à la maturité et appris à dire des choses simples. Tout ceci arriva parce que j'eus la chance de te rencontrer à un moment où j'étais en danger de me perdre dans l'absence de formes. »

L'incapacité de Lou de réagir à sa poésie aussi totalement qu'il le désirait amena Rilke à se concentrer sur ce thème qui, il le savait, l'absorbait profondément : la religion. Ils avaient là un terrain d'entente. Tous deux aimaient beaucoup la Bible, surtout l'Ancien Testament. Rilke lui en faisait parfois la lecture. Il choisissait ces passages qui correspondaient le plus intimement au sentiment qu'il éprouvait pour la femme bien-aimée. « Tu as ravi mon cœur, ma sœur, mon épouse. Tu as ravi mon cœur avec un seul de tes yeux, avec un seul des colliers de ton cou. Que ton amour est beau, ma sœur, mon épouse, et combien meilleur que le vin! » Et, tandis qu'il poursuivait, Rilke pouvait sentir le courant de sympathie que ses paroles éveillaient dans le cœur de Lou.

Parfois, ils discutaient sur la signification de la figure du Christ, que Lou avait pesée dans son essai, *Jésus le Juif*, et Rilke dans ses vers. Il est possible, et même probable, que l'essai de Lou ait servi à Rilke de nouveau stimulant pour ses poèmes, *Visions du Christ.* Il le lut à peu près au début de ce cycle de poèmes et, assurément, il y a de frappantes similitudes dans le traitement du thème. Tous deux voyaient dans le Christ non pas le fils de Dieu, mais celui de l'homme, un génie religieux infiniment émouvant dans la souffrance solitaire de sa passion.

Commençant par poser en principe que tous les dieux sont créés par l'homme, l'intérêt de Lou s'attachait à la répercussion de ces dieux créés par l'homme sur ceux qui croient en eux. La réaction émotionnelle intensifiée de l'homme aux figures créées à l'origine pour adoucir sa crainte de la mort et de l'inconnu lui semblait être le fond du phénomène religieux. Elle poussait les hommes à devenir des saints. Jésus était l'exemple classique de ce processus. A ce jeune Juif élevé dans l'austère tradition du judaïsme, on avait appris à croire en la promesse messianique de Jéhovah, le Dieu de la Colère. Mais il avait concentré les irradiations de son cœur fervent sur cette menaçante déité et l'avait transformée en un Dieu d'Amour. Sa foi enfantine et inébranlable, sa confiance absolue en Celui qu'il appelait son Père céleste, avaient résolu la contradiction qui se trouve à la base de toutes les religions : l'homme s'agenouillant devant un Dieu créé par l'homme. Car c'est dans le cœur humain que se passe le mystère du processus religieux par lequel un Dieu créé par l'homme donne naissance à un homme semblable à un dieu. C'est ce qui arriva à Jésus et en fit le Christ, inspirateur d'une religion nouvelle.

Mais Lou affirmait que, pour comprendre la vraie tragédie du Jésus historique, il fallait se rappeler qu'il a grandi dans la tradition judaïque d'un Dieu qui, bien que sévère, est juste en son essence. C'était ce Dieu qu'il aimait et qu'il appela à l'heure de sa plus grande détresse. Qui sait quels terribles doutes l'assaillirent sur le chemin de son martyre, de Gethsémani au Golgotha, et quel désespoir emplit son cœur lorsqu'il comprit enfin que son Père céleste l'avait abandonné.

« Même au dernier moment, lorsqu'il était déjà cloué sur la croix, il devait avoir pardonné à son Dieu, car un miracle était encore possible, et il fallait qu'il se produisît : on ne pouvait faire périr misérablement un juste livré à ses ennemis et, moins encore, lui faire subir cette forme de mort, la plus redoutée et la plus honteuse aux yeux des Juifs : la mort sur la croix, même s'il n'était pas le Messie, mais tout simplement un Juif juste de plus. La promesse absolue et sacrée de Dieu le préservait d'un tel sort. »

Et pourtant cela arriva. D'où l'exclamation angoissée du Christ : « Mon Dieu, mon Dieu, pourquoi m'as-tu abandonné? »

Prononcées par un martyr de sa foi, ces paroles douloureuses résument la souffrance de tous les hommes religieux. Elles posent le problème de l'existence même de Dieu. Mais alors que Jésus est peut-être mort avec ce doute dans son cœur, ses disciples réussirent à transformer cette minute de son plus profond désespoir en son plus grand triomphe grâce à ce paradoxe grandiose qui affirme que Dieu punit ceux qu'Il aime. La mort du Christ sur la croix devint le prologue de son ascension au ciel et son agonie solitaire le symbole d'une religion nouvelle. Toutefois, « parmi les clameurs triomphantes d'une foi solide, utile à tous, s'élève très doucement et douloureusement l'ultime parole de la religion à laquelle, seulement de loin en loin, peut se hausser un pauvre génie solitaire qui l'a profondément éprouvée : *Eli, Eli, lama sabachthani* ».

Le cri d'angoisse du Christ sur la croix est également le thème du poème de Rilke *La Foire annuelle*, écrit six mois après l'essai de Lou. Dans sa première lettre à Lou, Rilke lui disait qu'il avait lu son essai sur la suggestion d'un certain Dr Conrad, l'un des directeurs du journal *Die Gesellschaft*, qui, ayant lu quelques poèmes de ses *Visions du Christ*, pensait que son essai l'intéresserait. Rilke ajoutait que Conrad allait publier cinq de ces poèmes, déclaration qu'il avait faite antérieurement dans une lettre à Ludwig Ganghofer. Mais il se trompait. Ils ne parurent jamais dans *Die Gesellschaft*, ni ailleurs, avant qu'ils ne fussent publiés, plus de soixante ans plus tard, dans le troisième volume de ses oeuvres choisies. Quelle est la cause de ce long retard? Une chose est certaine : Rilke ne doutait pas de leur valeur poétique. A une époque où il critiquait beaucoup ses premiers vers, il citait ceux-ci en les appelant « ces grands poèmes ». Le mystère grandit si nous pesons la signification de la réponse de Rilke à Wilhelm von Scholz qui, en 1899, voulait les publier : « J'ai de nombreuses raisons, disait Rilke à Scholz, de tenir cachées les figures du Christ pour un long temps, un très long temps. Elles sont l'avenir qui m'accompagne toute ma vie [3]. »

C'est entre ces deux dates, 1897, où il semble impatient de les éditer, et 1899, où il rejette toute idée de publication, que Rilke et Lou se rencontrent. Ce qui prouve encore mieux à quel point ces poèmes se trouvent intimement liés à Lou est le fait que c'est vers elle qu'il se tourna lorsque, en 1912, son éditeur, Kippenberg, insista de nouveau pour les publier.

« Malheureusement, j'ai un jour fait allusion à l'existence de *Visions du Christ* et, puisque Kippenberg attache maintenant une grande importance à présenter des œuvres inédites dans cette édition nouvelle, il m'exhorte à inclure ces grands poèmes (que je n'ai pas lus moi-même depuis des années) dans cette publication. Je ne le ferai en aucun cas sans savoir ce que tu en penses. Crois-tu qu'il y ait quelque chose d'autre de ce temps-là qui puisse être publié et si le temps est vraiment venu pour de telles choses? »

Il semble que la réponse de Lou ait été perdue. Mais quoi qu'elle dît, Rilke s'opposa à cette publication. Il parla de nouveau à Lou de ces poèmes dix-huit mois plus tard dans le

3. R. M. R., *Sämtliche Werke*, Wiesbaden, 1959, III, p. 790.

post-scriptum d'une lettre écrite chez son éditeur, à Leipzig.

« Peut-être le manuscrit des *Visions du Christ*, dans une couverture jaune, est-il resté en ta possession? En ce cas, veux-tu le relire? »

Cette fois, Lou répondit aussitôt et lui dit qu'il avait raison. Ses poèmes étaient dans son coffre, à la banque. Elle les avait relus et, pour la première fois, elle avait été frappée par d'étonnants liens de parenté, difficiles à expliquer par écrit.

« Par le ton, elles [*Visions du Christ*] diffèrent beaucoup des deux poèmes récents [allusion aux deux premières *Elégies de Duino*], mais tout ce que tu as écrit se meut avec une unité intérieure entre ces anciennes *Visions du Christ* et les visions à venir de l'ange. »

Rilke fut réconforté par ces paroles. Une fois de plus, il était déchiré par le doute et avait besoin d'être rassuré. Si Lou croyait encore en lui, ne pouvait-il croire en lui-même? Peut-être se rappelait-il ces heures intimes, à Munich, il n'y avait pas bien longtemps, quand, pour la première fois, il avait lu ses poèmes à Lou. C'était un moment inoubliable. Elle avait écouté avec une attention calme et concentrée qui avait forgé entre eux un invisible lien. Imperceptiblement, elle s'était insinuée dans sa poésie, et en lui à travers elle. Il pouvait sentir que ce qui la transportait était plus que la sympathie. C'était un flux d'émerveillement, d'admiration et d'amour. Tout son être était réceptif : son cœur à sa musique, sa tête à ses paroles. Elles lui paraissaient si familières qu'elle eût pu les écrire elle-même. Et peut-être l'avait-elle fait, peut-être écoutait-elle un écho de sa propre voix? C'était certainement la voix de son frère en esprit.

Dans son poème, *La Foire annuelle*, Rilke traitait le thème du Christ dans l'ambiance d'une visite à l'Oktoberfest de Munich. En images colorées, il décrit la vie bruyante et gaie de la foire, les énormes tentes où l'on consomme de la bière, les manèges, la grande roue et les multiples attractions venues du monde entier qui assaillent les yeux et les oreilles de la foule. Déambulant parmi elles, il arrive à une baraque, au bout de la foire, où une enseigne annonce qu'on peut voir là la vie et la mort du Christ. Sans savoir pourquoi, il paie dix pfennigs, on lui donne un ticket et il entre. Il se trouve en présence de figures de cire représentant des scènes diverses de la vie du Christ : sa naissance à Bethléem, sa visite au temple, son entrée dans Jérusalem, sa veille solitaire dans le jardin de Gethsémani et, enfin, sa crucifixion. Comme il observe le visage du Christ sur la croix, son cœur cesse soudain de battre, car :

Le Dieu de cire ouvrit et referma les yeux.
Cachant son regard sous de minces et bleuâtres paupières.
Son étroite poitrine ensanglantée se souleva avec un soupir.
Humectées par l'éponge et mortellement pâles, ses lèvres tentèrent
D'arrêter ces mots et de les repousser entre ses dents :
Mon Dieu, mon Dieu... m'as-tu abandonné?
Et tandis que, horrifié et ne sachant comprendre
Ces mots torturés, je demeurais
Figé sur place et le regardant fixement,
Ses mains lâchèrent la croix.
Il gémit et dit : « C'est Moi. »
Muet, j'écoutai son cri d'angoisse.
Je regardai les murs couverts de tentures voyantes
Et sentis la honteuse duperie de la foire,
L'odeur d'huile et de cire.
Mais il parla de nouveau et dit : « C'est là ma malédiction.
Depuis que mes disciples m'ont dérobé à la tombe,
Abusés par leur vaine et vantarde foi,
Il n'est point de fosse où je puisse reposer.
Aussi longtemps que l'eau vive des ruisseaux reflétera les étoiles,
Et que la vie jaillira sous un soleil de printemps,
Il me faudra toujours parcourir le monde,
Et faire pénitence de Croix en Croix...

Connais-tu la légende du Juif Errant?
Je suis cet ancien Ahasvérus
Qui chaque jour meurt et renaît chaque jour [4]. »

C'était là un langage que Lou comprenait et c'est ainsi que Rilke gagna son amour. Deux semaines après leur première rencontre, les lettres de Rilke avaient déjà pris un ton de ferveur et d'intimité. Il lui envoyait des poèmes, des chants de désir, qui étaient différents de ses premiers chants, parce que « j'ai regardé dans les yeux du désir près de moi ». Le seul nuage au lumineux horizon de leur amour était le mari de Lou à Berlin, mais un ennui plus immédiat survint : le conseil de révision autrichien enjoignit à Rilke de comparaître devant lui. Inconsolable, il profitait de chaque seconde de la présence de Lou. A la fin de mai, ils passèrent deux jours ensemble à la recherche d'un coin solitaire et de l'air montagnard dans le petit village de Wolfratshausen. Quand vint le jour redouté du départ, Rilke avait le cœur déchiré. Heureusement, le conseil de révision, après examen, décida finalement que l'on n'avait pas besoin de lui.

4. R. M. R., *Sämtliche Werke*, III, p. 146.

Il annonça cette bonne nouvelle à Lou dans un joyeux télégramme envoyé de Prague — « libre et bientôt heureux aussi » — et, quelques jours plus tard, la rejoignit à Munich. Dès lors, ils furent inséparables.

L'ardeur croissante des lettres et des poèmes de Rilke montre avec quelle rapidité son amour fut exaucé. Le 6 juin, le jour de la Pentecôte, il lui envoyait des vœux, lui disait que « ce printemps-là avait pour lui une signification particulière et se soumettait humblement à son doux esclavage ». Deux jours plus tard, il affirmait que de longues années s'écouleraient avant qu'elle ne comprît à quel point il l'aimait. Son amour était pour lui ce que représente pour un homme qui meurt de soif un ruisseau de montagne. Il disait qu'il voulait voir le monde à travers elle « car je ne vois pas le monde, mais toi, seulement toi ». Trois jours plus tard, dans un poème, il l'appelait son « Impératrice ». Elle l'avait enrichi et, même s'il essayait de cacher ses richesses, tout le monde pouvait voir son bonheur briller dans ses yeux. Il désirait « perdre son identité séparée et se dissoudre complètement » en elle. « Je veux être toi. Je ne veux avoir aucun rêve qui ne te connaisse, ni aucun désir que tu ne puisses accorder. Je ne veux rien faire qui ne te loue... Je veux être toi. Et mon cœur brûle devant ta grâce comme la lampe éternelle devant l'image de de Marie. »

Les réponses de Lou à ces lettres de Rilke sont malheureusement perdues à cause de leur décision commune de détruire tous les témoignages de leur amour. Elle écrit, dans ses Mémoires, que « la condition prédominante et immuable de leur vie » (allusion à son mariage) rendait cela nécessaire. Et il n'est pas douteux que la fierté farouche d'Andreas les obligeait à être discrets et à ne pas faire montre ouvertement de leur affection. C'est pour cette raison que Lou n'était pas entièrement satisfaite de l'adoration lyrique en prose et en vers avec laquelle le jeune poète la poursuivait et elle fait allusion à des corrections à l'encre noire qui aboutirent à la mutilation et à la destruction d'un grand nombre des poèmes d'amour de Rilke. Elle en cite alors un fragment qui a pu survivre et se trouve encore dans l'enveloppe d'origine, maintenant fanée, dans laquelle Rilke le lui avait envoyé :

C'est avec une douce bénédiction que m'accueille ta lettre.
Je savais que la distance ne pouvait faire cesser notre amour.
De tout ce qui est beau, tu viens à ma rencontre
Toi, ma brise de printemps, toi, ma pluie d'été,
Toi ma nuit de juin qui me conduis sur mille chemins

Que nul initié n'a jamais foulés encore:
Je suis en toi[5].

Il est facile d'imaginer quelle eût été la réaction d'Andreas à ce poème s'il l'avait lu. Car il dépeint, bien que voilé en langage poétique, le déroulement de l'affaire de cœur de sa femme. C'était là, évidemment, la réponse à une lettre qu'elle avait écrite à Rilke, et, non moins évidemment, il l'avait attendue avec impatience. Lorsqu'elle était arrivée, son émotion contenue avait jailli sous la forme d'un poème. En un langage lyrique, il rappelle les heures passionnées qu'ils ont passées ensemble. Ils s'étaient rencontrés en mai, d'où l'allusion à la brise de printemps. Ils étaient devenus amants en juin (« ma nuit de juin ») et avaient passé les mois d'été d'intime proximité dans une petite maison de paysan de Wolfratshausen. Tous ces événements sont fidèlement rapportés dans ce poème. Mais le plus révélateur, et, du point de vue d'Andreas, le plus douloureux est l'avant-dernier vers, avec son allusion détournée au fait que Rilke était le premier amant de Lou... du moins le croyait-il. Il est compréhensible que Lou, gênée par ses indiscrétions lyriques, ait tenté de les supprimer. Elle n'y réussit pas tout à fait, car nombre de pièces qu'elle élimina d'un choix de poèmes d'amour, *En ton honneur*, que Rilke lui avait donnés, furent conservés dans les carnets du poète.

Mais le déplaisir occasionnel que causait à Lou l'exubérance lyrique de Rilke était grandement compensé par le plaisir qu'elle tirait de sa compagnie. Ils avaient quitté Munich à la mi-juin pour Wolfratshausen, accompagnés, pour sauver les apparences, suppose-t-on, de Frieda von Bülow et d'August Endell. Wolfratshausen, petite ville typique de la Haute-Bavière, qui, avec sa charmante vieille place du marché, ses églises baroques aux clochers en forme d'oignon, ses auberges traditionnelles, est située dans la large vallée de l'Inn, au pied du Kalvarienberg. D'agréables avenues mènent au sommet de la colline et offrent une vue magnifique sur la chaîne des Alpes, au sud. Ils avaient loué une petite maison de paysan avec un jardin et une tonnelle ombragée sur la façade de derrière, décor idyllique pour un rendez-vous d'amour. Lou se rappelle que sa chambre était au rez-de-chaussée, sur la rue, et que, lorsqu'il venait la voir, Rilke fermait toujours les persiennes pour empêcher les passants de regarder à l'inté-

5. L. A. S., *Lebensrückblick*, p. 176.

rieur. Dans la demi-obscurité de ces jours d'été, ils célébraient leur lune de miel.

C'était une aventure passionnée, et Lou, au début, était toujours intimidée par la mâle agressivité de Rilke, avant que sa maturité plus grande ne s'affirmât. Elle emmenait alors son jeune amant dans le jardin, derrière la maison, et lui apprenait à marcher nu-pieds sur l'herbe humide de rosée. Elle lui disait le nom de ses fleurs favorites, lui faisait écouter le vent dans les arbres et le bruissement de l'eau du ruisseau. Son mari lui avait appris à observer les animaux, à l'aube, et elle transmettait maintenant cette connaissance à son jeune amant. Pour la première fois de sa vie, Rilke entra vraiment en contact avec la nature, un contact simple, direct, non littéraire. Lou lui communiquait son émerveillement devant l'unicité du monde, sa joie de vivre, sa vitalité. La saine vigueur de son plaisir sensuel le rendait honteux de la fade sentimentalité de ses rêveries d'adolescent. Un monde nouveau s'offrait à sa vue, moins torturé que celui qu'il avait connu. Il se sentait renaître. Il se rendait maintenant compte que sa vie entière avait été influencée par la fausse piété et les valeurs artificielles de sa mère. Elle était responsable des exaltations malsaines qui l'avaient éloigné de la réalité. Il avait rencontré Lou juste à temps. Elle l'aiderait à prendre conscience de lui-même. Inspiré par son amour pour elle et sous sa direction, il essayait d'exprimer ses sentiments plus simplement et plus directement. Ce n'était pas facile et nombre des poèmes qu'il écrivit à cette époque extrêmement productive reflètent la période « pré-Wolfratshausen », ainsi qu'il l'appelle, ce flottement entre la veille et le rêve, si typique de ses premiers vers. Mais, dans les autres, on sent l'effort vers le concret :

Le jardin est lumineux, mais la lumière est adoucie dans la
[tonnelle.
Tu parles en un murmure tandis que je regarde, intimidé.
Chaque mot que tu prononces est comme un autel
Bâti par ma foi sur ma calme rive.
Je t'aime. Tu es assise dans un fauteuil, tes mains blanches
[et fraîches
Endormies comme dans un lit.
Ma vie, comme un dévidoir d'argent,
Repose entre tes mains. Relâches-en le fil[6].

Hardiment, ce poème traite le thème de l'amour, dont il situe le décor : le jardin et la tonnelle, allusion à la tonnelle

6. R. M. R., *Sämtliche Werke*, III, p. 177.

de Wolfratshausen où ils passèrent de si longues heures. Lou parle. Nous avons une idée de l'intérêt passionné avec lequel Rilke l'écoutait grâce au mot « autel » auquel il compare ses paroles, élevant ainsi son amour au niveau d'une adoration religieuse. Mais ce sentiment est aussitôt ramené aux choses terrestres par cette simple déclaration, particulièrement émouvante dans ce contexte : « Je t'aime. » Lou est assise dans un fauteuil de jardin, les mains croisées sur les genoux. Tandis qu'il la regarde, le poète se rend compte qu'il est complètement en son pouvoir. Elle tient le fil de sa vie entre ses mains. Il complète l'image, en lui adressant, avec une extrême économie verbale, la douce requête de démêler sa vie et de le libérer. « Relâches-en le fil. »

C'est dans de tels poèmes que l'on peut voir combien Rilke était sous l'influence de Lou. Il s'accrochait à elle avec une faiblesse presque désespérée et ne pouvait supporter l'idée d'être loin d'elle. Des périodes de séparation étaient cependant inévitables. Lou ne pouvait subordonner complètement sa vie à la sienne, comme il le désirait. Cela eût été contraire à sa nature. Il lui fallut même interrompre leur lune de miel de Wolfratshausen pour se rendre à un rendez-vous déjà pris antérieurement à Hallein avec son amie Broncia Koller. Mais à peine était-elle partie que les lettres passionnées de Rilke, cachetées de bleu pâle, la suivaient. Il lui écrivait chaque jour, protestant de son amour et l'implorant de revenir. Peut-être sentait-il le danger que représentait un autre homme à l'arrière-plan, bien que Lou ne lui eût pas dit grand-chose au sujet de Zemek. A sa consternation, elle remarqua que, de nouveau, il se laissait aller au langage le plus extravagant et, de nouveau, elle se sentit mal à l'aise et troublée.

Pour aggraver les choses, Andreas, son mari officiel, qui était resté à Berlin pendant tout ce temps, annonça son arrivée et dit qu'il voulait passer un mois à Wolfratshausen avec elle. Il était donc particulièrement important que son jeune amant apprît à se maîtriser. Puisque aucune discorde n'est relatée, il semble que Lou et Rilke aient réussi à laisser Andreas dans l'ignorance. Bien entendu, des cyniques ont dit que loin d'essayer de dissimuler son affection pour Rilke, Lou l'avoua à son mari, qui donna son acquiescement. Le fait qu'il ne s'aperçut de rien est un tribut à la façon experte dont Lou mena les choses. Elle avait toujours été entourée d'adorateurs et il se peut qu'Andreas ait pensé que, de tous les nombreux admirateurs de sa femme, Rilke était le moins dangereux. Il semble que, s'étant pris d'affection pour le jeune poète, il ne souleva aucune objection lorsque Rilke leur proposa de rentrer à Berlin avec eux. C'est ainsi que se termina le premier chapitre de l'aventure de Lou avec Rilke. Depuis lors, elle devint de plus en plus son amie, son professeur, sa confidente. La période la plus exaltante de leur amour avait pris fin.

CHAPITRE XV

Dieu en Russie

Lou et Rilke passèrent l'hiver de 1897 à Berlin, Lou dans son petit appartement à Schmargendorf, à la lisière du Grunewald (ce même Grunewald d'où Nietzsche s'était enfui, amèrement déçu), Rilke dans le village voisin de Wilmersdorf. Tous deux étaient à l'étroit. La plus grande pièce de l'appartement de Lou était la bibliothèque de son mari, où il travaillait et donnait ses leçons. Lou devait recevoir ses visiteurs à elle dans la cuisine, lieu qui, pourrait-on croire, n'était guère approprié à son amant-poète. Mais Rilke semble s'y être plu. Tandis qu'Andreas restait confiné dans son cabinet de travail, Rilke assistait Lou dans ses besognes ménagères, coupait du bois, aidait au nettoyage et la regardait préparer les plats russes qu'il aimait, le gruau et le bortsch. Ou bien ils faisaient de longues promenades dans les bois, s'amusaient avec des cerfs apprivoisés et, la main dans la main, observaient en silence le coucher d'un pâle soleil d'hiver à l'ouest. C'étaient de grands amoureux de la nature, surtout Lou, qui rentrait toujours à la maison dispose et sereine.

Pour Rilke, c'étaient des moments de béatitude créatrice. La présence de Lou lui donnait un sentiment de plénitude, un sentiment de réalité qu'il n'avait jamais connu auparavant. Dans ses bras, il se sentait confiant et heureux. Elle était son amour, et plus que son amour, elle était la vie même, présente et future. Un jour, elle serait la mère de ses enfants.

Quand nous aurons de doux et beaux enfants,
A chaque garçon je donnerai à porter une couronne
Et à chaque fille une guirlande [1].

1. R. M. R., *Ibid.*, p. 591.

Cette possibilité avait dû venir également à l'esprit de Lou et probablement la redoutait-elle. Cela ne ferait qu'ajouter aux complications de sa vie. Mais elle n'avait pas l'habitude de s'appesantir sur les conséquences de ses actes. L'amour de Rilke la comblait. C'était, pour le moment, tout ce qui importait. S'il en découlait certaines conséquences, elle saurait y pourvoir.

Parfois, Lou et Rilke passaient une soirée à la ville, allaient au théâtre ou assistaient à un concert, et, ensuite, elle le présentait à ses amis du cercle littéraire. En de telles occasions, Rilke pouvait parler avec animation, avait le sens de l'humour et un rire contagieux. Mais, à d'autres moments, il restait silencieux et lointain. Pendant ces accès de dépression, Lou se sentait mal à l'aise en sa compagnie et se demandait ce qu'elle pouvait faire pour lui venir en aide. Elle songea à rechercher un avis médical et discuta sur le cas de Rilke avec son ami Zemek, mais, pour le moment, elle décida que le meilleur traitement était de l'occuper. Il avait une bonne mémoire, mais indisciplinée. Il avait besoin d'apprendre que même un poète ne peut compter exclusivement sur quelques moments d'inspiration. Il devait apprendre à travailler, et c'est à cela que Lou s'employa. Plus tard, l'exemple de Rodin, qui répétait sans cesse : « Il faut travailler, toujours travailler », lui enseigna la valeur du travail. Lou était elle-même une grande travailleuse, il lui fallait terminer un article pour la *Neue Deutsche Rundschau* et son éditeur la pressait d'achever son livre, *Fenitschka.* L'été d'amour avait pris fin. Lou était prête pour un hiver de travail.

Son exemple servit à Rilke. Comprenant que son éducation peu méthodique avait laissé de sérieuses lacunes dans ses connaissances, il décida de s'inscrire comme étudiant à l'université de Berlin et de suivre des cours sur l'histoire de l'art et l'esthétique. Sous la direction de Lou, il commença également à étudier l'art de la Renaissance italienne. Il était allé plusieurs fois en Italie et projetait de passer le prochain printemps à Florence. Malheureusement, Lou ne pourrait l'accompagner, mais il lui promit de la tenir au courant de ses impressions d'Italie en écrivant un journal tout spécialement pour elle, et en témoignage d'amour et pour lui donner la preuve qu'il avait bien appris ses leçons.

Le résultat de cette promesse de Rilke fut le *Journal florentin.* Il commençait par un poème dans lequel il déplorait d'avoir été « banni » de leur paysage hivernal dans ce printemps lointain. Il s'y sentait perdu, désorienté par ce pays nouveau et chatoyant. « Que je sois déjà assez calme et mûr pour commencer le journal que j'ai promis de te rapporter... je ne sais [2]. » Mais il se rappela alors le printemps passé où il avait rencontré Lou et pensa qu'il serait de bon augure de se mettre dès maintenant à écrire cette « preuve de son désir ardent ». Il déploierait devant ses chers yeux lumineux ce qu'il avait capté de Florence, ses impressions personnelles, ses pensées et ses images.

Suivent alors plusieurs pages de prose descriptive riche de couleur et d'atmosphère. Florence n'était pas une ville facile à connaître. A l'encontre de Venise, elle n'invitait pas tout de suite l'étranger. Il trouvait ses palais sombres et sinistres, monuments d'un temps guerrier. « Mais lorsqu'on a gagné la confiance de ces palais, ils vous confient volontiers la légende de leur vie dans le langage de leurs cours, langage au rythme magnifique [3]. » Il aimait ces palais et les décrit avec amour en quelques pages inspirées. Puis, brusquement, le journal cesse. Rilke s'enfuit de Florence parce qu'il ne pouvait plus supporter l'influence accablante de son art. Il partit pour Viareggio afin d'être plus près de la nature et, en esprit du moins, plus près de son amour. Dans l'un des premiers poèmes qu'il y écrivit, il disait à Lou :

Nous sommes encore, crois-moi, ma bien-aimée,
Loin de notre origine.
Tu files encore ta soie d'été,
Et quand mon désir crie vers toi,
Je ressens un trop grand effroi [4].

C'était un changement avisé qui inspira à Rilke tout un cycle de poèmes dans lesquels il évoque en mélodies étrangement obsédantes le mystérieux état de la virginité. *Des jeunes filles chantent*

Le temps dont nous parlaient nos mères
N'a pas franchi le seuil de notre chambre,
Où tout est resté lisse et clair.
Elles avaient, disaient-elles, été brisées
Une année balayée par la tempête.

Nous ne savons pas : qu'est-ce que c'est, la tempête?

Nous demeurons encore au profond de la tour

2. R. M. R., *Tagebücher aus der Frühzeit*, Leipzig, 1942, p. 18.
3. *Ibid.*, p. 26.
4. *Sämtliche Werke*, III, p. 617.

Et le souffle des forêts sauvages
Ne nous parvient que parfois et de loin.
Un jour, une étoile étrangère
S'arrêta, étonnée, près de nous.
Et maintenant, lorsque nous sommes dans le jardin,
Nous attendons, tremblantes,
Que cela *commence...*
Mais il n'est point de vent
Qui veuille nous bercer [5].

Les jeunes filles sont pour lui des sœurs royales qui, frémissantes, attendent l'arrivée du fiancé. Leurs chants et leurs prières disent leur crainte inconsciente des choses à venir. « Fais que quelque chose nous arrive... vois comme nous aspirons à la vie [6]! » s'écrient les jeunes filles en implorant la Vierge Marie.

Dans certains passages, le poète implore Lou d'assez semblable façon. Il glorifie l'état de maternité et lui rappelle qu'il signifie la sérénité et l'accomplissement :

« Aujourd'hui, une mère qui avait grand-peur avant que le miracle ne lui arrivât, m'a écrit », raconte-t-il à Lou en continuant à dépeindre la joie que donna à la comtesse Reventlow la naissance toute récente de son fils illégitime, Rolf. « Je suis restée assise tout l'après-midi dans le jardin avec Rolf et, en plein air, il s'épanouissait comme une rose. Il est devenu beaucoup plus beau depuis que vous l'avez vu. » Rilke ajoutait qu'il avait lu ce passage « comme un hymne » et poursuivait : « J'aspire au moment où je lirai cela devant (de) toi. Ce sera une mélodie [7]. »

Cette allusion signifie-t-elle que Rilke croyait Lou enceinte? Sa biographe anglaise, Miss E. Butler, est de cet avis et le commentateur de Rilke, Eudo C. Mason, de l'université d'Edimbourg, qui, dans les années trente, examina les archives Rilke à Weimar, m'apprend que, dans la copie qu'il possède, le passage controversé doit être lu ainsi : « où je lirai cela de toi (*von* Dir lesen werde) » au lieu de « où je lirai cela devant toi (*vor* Dir) ». Il nous fait remarquer à ce propos qu'il existe dans les œuvres de Rilke deux autres passages où le *von* et le *vor* ont été confondus à cause de la similitude des *n* et des *r* dans son écriture. Il dit littéralement : « Je crois qu'en toute vraisemblance c'est par erreur que l'on a imprimé dans le journal *vor Dir* (devant toi) au lieu de *von Dir* (de toi). S'il

5. *Ibid.*, III, p. 239.
6. *Ibid.*, p. 243.
7. *Tagebücher aus der Frühzeit*, p. 74.

en est ainsi, il ne saurait y avoir d'autre explication de ce passage que celle-ci : Lou, si elle n'était enceinte à l'époque, craignait du moins de l'être ». Si Mason a raison, les rumeurs qui courent encore à Londres et prétendent que Ellen Delp, que Lou appelait parfois sa « fille adoptive » *(Walhtochter)*, était une fille naturelle qu'elle avait eue de Rilke, ne sont certainement pas fondées.

Mais, que ce fût vrai ou non, il se peut que Rilke ait pensé, et vraiment espéré, que Lou attendait un enfant de lui. Il est indéniable que, pendant son voyage en Italie, il ait été vraiment préoccupé par les thèmes voisins de la virginité et de la maternité. « La tâche de l'artiste est de se découvrir. La femme s'accomplit dans l'enfant. » Ou encore : « Le chemin d'une femme conduit toujours à l'enfant, avant qu'elle ne soit mère et après [8]. »

Mais il n'est pas douteux non plus que Lou redoutait l'idée de la maternité, non qu'elle eût des scrupules d'ordre moral (elle eût mis au monde avec joie un enfant illégitime), mais parce qu'un enfant ne convenait guère à son mode de vie. Rilke, d'autre part, peut avoir eu l'impression que si Lou avait un enfant de lui, il y aurait moins de danger de la perdre. Et c'est ce qu'il craignait le plus. C'est peut-être le refus de Lou de porter son enfant qui causa ce brusque accès d'angoisse dans son journal :

« Après une journée de prière, un jour d'expiation. C'est ce qui arrive souvent. J'ai trouvé ta lettre après le dîner et j'en ai été déconcerté et effrayé. Même à présent, je suis triste. Moi qui attendais l'été avec une telle joie! Maintenant, les doutes et les soucis m'assaillent et toutes les pistes sont brouillées. Où mènent-elles? Tout, autour de moi, est soudain assombri. Je ne sais où je suis. Je sens seulement qu'il me faut voyager parmi des étrangers un jour, et puis un autre, et un troisième encore avant de te rejoindre... peut-être pour te dire au revoir [9]. »

Mais cette humeur ne dura point. Il fit de longues promenades et recouvra sa tranquillité d'esprit. « Il n'y a plus en moi la moindre inquiétude, il n'y a plus qu'une joie lumineuse : t'avoir de nouveau, ma chérie. » Cette joie lui donnait la force d'écrire. Il avait la certitude que, dans le grand bonheur de leurs retrouvailles, ils découvriraient une voie vers l'avenir. Il lui disait combien il avait appris et combien il reviendrait enrichi à la « fête » de leur amour. Il lui disait avec fierté

8. *Ibid.*, p. 118-9.
9. *Ibid.*, p. 87.

qu'il était devenu le confident de tout ce qui est beau, un ami et un frère de toutes les choses paisibles. « Même à présent, et je ne suis qu'au seuil de la compréhension, des soirées viennent à moi, dans la forêt, qui écartent la méfiance des choses qui m'environnent, l'étrange timidité de leur austère chasteté [10]. » Il avait appris à regarder et à écouter. Il n'essayait plus d'imposer son amour à la nature. Il attendait qu'elle vînt à lui.

Lorsqu'une jeune fille russe, connaissance de hasard avec laquelle il fit une longue promenade au bord de la mer de Ligurie (au cours de laquelle son souvenir le ramenait sans cesse à ces inoubliables promenades avec Lou à Wolfratshausen) lui demanda s'il avait toujours eu une telle intimité avec la nature, il répondit : « Non — et je fus surpris du tendre accent de mes paroles — ce n'est que depuis peu de temps que je suis capable de la voir et d'en jouir [11]. »

Plus tard, la jeune fille dit : « J'ai honte de l'avouer, mais je suis épuisée. Ma joie s'est lassée et je n'ai plus envie de rien [11]. »

Rilke feignit de n'avoir pas entendu, mais tout à coup, le désignant vivement du doigt : « Un ver luisant, le voyez-vous? » Elle acquiesça. « "En voici un autre, un autre encore!" poursuivis-je, réussissant à l'entraîner. "Quatre, cinq, six!" compta-t-elle avec animation. Puis je me mis à rire : "Ingrate! C'est cela, la vie : six vers luisants, et combien d'autres! Et vous voulez la nier [12]?" »

On pourrait presque entendre Lou parler. C'est sa joie de vivre dont Rilke se fait l'écho.

Il avait vaincu ses doutes. Il reviendrait vers son amour, plein de confiance en lui et en son avenir en tant qu'artiste. « Je désire vivement revenir vers toi, vite, vite, car je connais quelque chose en moi que tu ne connais pas encore, une nouvelle et grande clarté qui donne de la vigueur à mes paroles et me dispense une profusion d'images [13] ». Avec exaltation, il s'exclamait : « O, toi, être magnifique! Que je te revienne si plein de sérénité, ma chérie, est la meilleure chose que je puisse te rapporter [14]. »

Mais lorsqu'ils se retrouvèrent enfin à Zoppot, station balnéaire au bord de la Baltique, son anxiété revint. Il avait voulu faire à Lou la surprise de sa confiance en lui nouvelle-

10. *Ibid.*, p. 89.
11. *Ibid.*, p. 91.
12. *Ibid.*, p. 92.
13. *Ibid.*, p. 114.
14. *Ibid.*, p. 117.

ment acquise. Il voulait, cette fois, être le seigneur et maître. Il voulait affirmer l'indépendance de sa virilité et rêvait de Lou se précipitant dans ses bras avec la surexcitation des jeunes filles de ses poèmes : Pauvre Rilke! Il aurait dû mieux connaître Lou. Elle n'était pas femme à se jeter dans les bras d'un homme. Bien que passionnée lorsque son ardeur était éveillée, sa volonté mettait un frein à des idées aussi romantiques sur la passion. Elle le reçut avec assez de gentillesse, mais lui fit sentir qu'il était encore un enfant, un enfant qu'elle aimait, mais ne prenait pas trop au sérieux. Il se sentit accablé et offensé et, dans un brusque accès de colère, déclara qu'il la détestait. Il n'était pas venu pour revivre le passé. « Je ne voulais pas retrouver le souvenir de ces jours d'hiver à Berlin. Tu devais plus que jamais être mon avenir [15]. » Mais, en sa présence, il se sentait petit et insignifiant, nul, comme un mendiant : « J'étais si misérable que je perdis ou rejetai les dernières richesses qui me restaient et, dans mon désespoir, avec une sensation de malaise, je comprenais qu'il me fallait quitter la sphère de ta bonté qui m'humilie [16]. »

Mais sa colère ne dura pas longtemps. Il ne pouvait s'arracher à elle. Alors qu'il était encore en proie à cette agitation, Lou lui demanda calmement ce qu'il comptait faire. Le choc que lui causa cette question l'obligea à voir la réalité en face. Il passa la nuit à y réfléchir et, lorsqu'ils se retrouvèrent le lendemain matin, il lui dit simplement qu'il l'aimait et l'aimerait toujours. Elle était son avenir, son espoir et sa vie. « Va toujours devant moi, ma chérie, mon unique, ma sainte. Élevons-nous ensemble vers une grande étoile... tu n'es pas pour moi un but, tu es un millier de buts, tu es tout [17]. » C'est ainsi que passa un autre moment critique. Une fois de plus, Rilke accepta Lou à ses conditions à elle. Dans les discussions qui s'ensuivirent, Lou suggéra à Rilke de consacrer un certain temps à l'étude du russe. Là, elle pourrait vraiment l'aider. De plus, elle-même tirerait profit d'un retour aux scènes de son enfance.

C'était une suggestion avisée. L'intérêt pour la vie et les lettres russes croissait rapidement en Allemagne et il y avait beaucoup de demandes pour des traductions de livres russes. Peut-être Lou pensa-t-elle que si Rilke connaissait le russe, il pourrait gagner sa vie comme traducteur. Elle se préoccupait de son avenir car, de toute évidence, il ne pouvait sub-

15. *Ibid.*, p. 136.
16. *Ibid.*, p. 137.
17. *Ibid.*, p. 138.

sister grâce à la poésie. Elle savait, bien entendu, que son mari ne tirait pas grand profit des leçons qu'il donnait, mais il ne mourait pas de faim. Rilke, elle en avait peur, allait tout droit vers la catastrophe économique. Elle supposait, et elle avait probablement raison, que les brusques états de dépression et les idées obsédantes qui lui faisaient craindre pour la santé mentale de son jeune amant étaient causés par cette inquiétude inconsciente au sujet de l'avenir. Il lui fallait trouver un autre but que celui d'écrire des vers ou de s'accrocher à elle d'un amour désespéré. Cette responsabilité, elle se refusait à l'accepter. Puisque Rilke était un linguiste doué, il ne lui faudrait que peu de temps pour apprendre le russe et, lorsqu'il le connaîtrait, bien des portes s'ouvriraient devant lui. De toute façon, un contact intime avec la culture orientale enrichirait son art poétique. Pour rendre cette suggestion plus agréable et comme un stimulant supplémentaire pour un travail soutenu durant les mois d'hiver, elle proposa à Rilke de les accompagner, son mari et elle, dans leur voyage en Russie au printemps de 1899.

Rilke débordait de joie. La perspective de passer les mois à venir avec sa Lou bien-aimée dans l'intimité de son cabinet de travail l'enchantait. Cela l'obligerait à partir pour Schmargendorf, où elle habitait, et à prendre une chambre près de chez elle. C'est ce qu'il fit. Il lui semblait de bon augure que le nom de la maison fût « La Paix de la Forêt ». Et ce fut une période paisible et productive. Lou se montra un professeur exigeant et capable. Rilke acquit bientôt les éléments du russe et put lire Dostoïevski dans l'original. Il ne négligeait pas son œuvre personnelle. Il écrivit des poèmes et des comptes rendus pour des journaux littéraires et travailla au *Dernier de leur descendance*, un choix de poèmes en prose.

Lou, elle aussi, continua d'écrire. Elle avait besoin d'argent pour son voyage en Russie. Entre septembre 1898 et février 1899, elle ne publia pas moins de neuf articles et comptes rendus dans des journaux aussi importants que *Cosmopolis*, *Die Zukunft*, *Das Literarische Echo*, *Die Frau* et *Pan*. Elle traitait de l'amour physique, thème qui l'intéressait de plus en plus, de l'art, des problèmes de la femme moderne, et commentait Tolstoï. En outre, elle acheva un autre livre, *Enfants des hommes*, que Cotta publia en 1899. Elle était par conséquent bien pourvue de fonds lorsque, à la fin d'avril, elle se mit en route avec son mari et son jeune amant pour ce voyage historique en Russie. Qu'elle ait eu le courage d'entreprendre ce voyage avec un mari dont elle connaissait les tendances au suicide et un amant aussi exalté et instable que

Rilke est une nouvelle preuve et de son empire sur les hommes et d'autre chose encore : sa vie (on se souvient de la « Sainte Trinité » avec Nietzsche et Rée) était dominée par le fait que chaque homme était également pour elle un frère. Des souvenirs d'une enfance passée parmi ses frères peuvent être à la source de ces sentiments; il n'en est pas moins remarquable que, même parvenue à l'âge mûr, elle n'ait pu s'en libérer et il semble certain que des troubles nombreux en aient résulté. Comme il n'a jamais été question d'un incident pendant le voyage, on peut supposer que Rilke et Andreas jouèrent leur rôle de frère à la satisfaction de Lou. Leur destination était Moscou, Moscou la Sainte, le cœur de la Mère Patrie. Ils projetaient d'y passer les vacances de Pâques. Ensuite, ils se rendraient à Saint-Pétersbourg pour rendre visite à la famille de Lou. Ils quittèrent Berlin le mardi 25 avril et, après un bref arrêt à Varsovie, arrivèrent à Moscou le jeudi saint.

Ils n'eussent pu choisir un meilleur moment. Le splendide apparat des rites de l'Église orthodoxe avait transformé la ville en un grand temple du culte. Des paysans, venus de loin en pèlerinage, emplissaient les églises, mêlant leurs chants au bruit des cloches qui se répercutait à travers les murs massifs du Kremlin. L'atmosphère elle-même était chargée de piété et de prières. L'effet en était irrésistible. Lou et Rilke, qui étaient particulièrement sensibles à l'intensité spirituelle, s'y abandonnèrent complètement. Des années plus tard, Rilke écrivait à Lou :

« Je n'ai connu qu'une seule Pâque. Ce fut au cours de cette longue nuit extraordinaire et extrêmement émouvante où toute la foule se rassembla et lorsque, dans l'obscurité, *Ivan Veliki* retentit à mes oreilles, sonnant à toute volée. Ce fut ma Pâque et cela suffit, je crois, à une vie entière. »

La spontanéité religieuse du peuple russe, sa piété naïve et naturelle fit également sur Lou une impression profonde, bien qu'elle n'éprouvât pas, comme Rilke, le choc du premier contact. C'était pour elle un souvenir du passé. La simple foi de ces vieilles gens, pour qui la figure du Christ ressuscité était une réalité vivante, lui rappelait sa propre foi d'enfant. Elle l'avait assurément perdue et savait qu'elle ne pouvait la retrouver, mais elle savait aussi qu'elle était enfin de retour chez elle. La Russie était sa patrie, après tout, et ces gens étaient son peuple. Elle avait voyagé très loin dans l'Occident étranger avec son mode de vie laïque. Sous la puissante influence de Gillot, elle avait tourné le dos à son héritage russe et, en cultivant son esprit, avait essayé de réprimer ses impulsions, sans grand succès, il est vrai. Sa spontanéité était beaucoup plus grande que celle de la plupart de ses contemporains et était, de fait, le secret de son succès et comme femme et comme écrivain. Mais elle avait été forcée de la dissimuler. A Moscou, elle se trouva soudain face à face avec une expression de sentiment presque élémentaire. La réaction de Rilke lui fit comprendre que c'était là la source essentielle de tout esprit créateur. Sans elle, l'intelligence demeure stérile. En l'observant, saisi et muet, parmi la multitude des moujiks en prière durant ce long service nocturne de la Pâque, Lou sentait dans l'âme de Rilke les vibrations qui, quelques mois plus tard, donnèrent naissance aux premières prières du *Livre d'Heures.* Le détachement scientifique de son mari pour tout ce qui se passait autour de lui lui semblait, par comparaison, plat et superficiel. Dès lors, elle décida de le laisser à la maison lorsqu'elle irait de nouveau en Russie.

La semaine qu'ils passèrent à Moscou fut également mémorable à d'autres égards. Ils rencontrèrent des artistes et des écrivains russes éminents tels que Leonid Pasternak (le père du poète Boris Pasternak), le prince Paul Troubetzkoï et Sofia Nikolaevna Schill. C'est Pasternak qui arrangea leur entrevue avec le grand vieillard des lettres russes, Tolstoï. Le comte les invita à prendre le thé avec lui dans son cabinet de travail. Ils passèrent deux heures en sa compagnie et parlèrent de la fermentation intellectuelle, sociale et politique en Russie. Lou observa que Tolstoï n'était pas en sympathie avec les efforts de l'intelligentsia russe pour éclairer le peuple. Il avait l'impression que le peuple russe avait moins besoin de savoir que d'amour. Il suffisait d'ouvrir le vaste réservoir de ses ressources intérieures.

Pour Lou, la chose était plus complexe. Elle croyait que la naïveté enfantine du peuple russe, sa piété, sa générosité, devaient trouver une sorte d'accommodement avec la pensée scientifique et les pratiques modernes. Le problème qui se posait pour la Russie était de réaliser une synthèse entre la culture occidentale et les besoins du cœur. Mais une telle synthèse est-elle possible? La raison peut-elle épouser la foi? Ce Russe cultivé personnifiait toute la tragédie de ce conflit. Il préconisait le progrès parce qu'il désirait voir son peuple sortir de son passé féodal. En même temps, il éprouvait un sentiment de malaise et craignait que ce qu'il préconisait ne fût une erreur, non parce que le tsar y était opposé, mais parce que son Dieu ne le voulait pas, ne pouvait le vouloir. Car le progrès dans la science profane conduit inévitablement au déclin de la foi. La Bible avait raison : la chute de l'homme commença lorsqu'il goûta le fruit de l'arbre de la connaissance.

Tolstoï ne paraissait guère impressionné par le raisonnement de Lou. Ce qu'elle appelait la piété du peuple russe n'était, déclara-t-il, que superstition, et il l'avertit de ne pas s'y laisser prendre. Il fallait enseigner au peuple russe à construire des fours, à cultiver les terres, à ressemeler les chaussures, ce qui lui serait plus salutaire que les momeries religieuses ou une éducation moderne. Lou essaya de le contredire, mais ne put contenir la véhémence de Tolstoï.

Ni Rilke ni Andreas ne pouvaient suivre facilement cette conversation animée en russe entre Lou et Tolstoï, mais ils eurent le loisir d'observer attentivement l'étrange saint. Rilke fut frappé par le mélange de sagacité paysanne et de courtoisie dans les traits du comte. Il se sentait intimidé et mal à l'aise et fut soulagé lorsque la visite prit fin. Avant de partir, il offrit à Tolstoï un exemplaire de ses *Deux contes de Prague* qui venaient de paraître. Le comte les accepta aimablement, bien qu'un peu distrait, et les oublia très vite.

De Moscou, le trio se rendit à Saint-Pétersbourg, où Lou présenta Rilke à sa famille et à ses amis. Sa ville natale était en pleins préparatifs pour la célébration toute proche du centenaire de Pouchkine, fait d'importance qui révéla à Rilke la vénération des Russes pour leurs poètes. C'était vraiment un événement national. Des gens de toutes positions sociales rendaient hommage à l'un des plus grands porte-parole de leur race. Avec l'aide de Lou, Rilke acquit quelque compréhension de la place qu'occupait Pouchkine dans la littérature russe. Elle lui dit qu'après une période de déclin qui avait suivi sa mort, son œuvre poétique était maintenant universellement admirée, qu'il était considéré comme l'un des précurseurs du mouvement symboliste et que son poème *Le Prophète* avait été le préféré de Dostoïevski. Mais ce n'étaient pas uniquement les Russes cultivés qui lisaient Pouchkine. Ce qui émouvait Rilke était d'entendre des paysans illettrés réciter par cœur des poèmes de Pouchkine. Cela lui rappelait ses propres tentatives d'apporter la poésie au peuple : elles avaient échoué parce que les poètes occidentaux s'étaient séparés du peuple. Mais en Russie, où le peuple était plus près de Dieu, il était aussi plus près de ses poètes. Rilke n'oublia jamais cette aventure car, ainsi que le dit Miss Butler : « Des chants russes chantés par des hommes aveugles et des enfants erraient autour de lui comme des âmes perdues, effleuraient sa joue et ses cheveux, émanations musicales d'un peuple dont la fraternité essentielle, la proximité, le voisinage, étaient parmi les plus grands événements de sa vie [18]. »

Ainsi que, peu de temps avant sa mort, il l'affirmait encore à Leonid Pasternak, l'amour de Rilke pour la Russie et pour les Russes devait faire à jamais partie intégrante de son existence. Cet amour avait été suscité par Lou, ce qui fut sans aucun doute une chance pour Rilke, qui n'eût pu trouver meilleure initiatrice. Mais Lou eut également la bonne fortune d'avoir Rilke à son côté pendant ce voyage de retour au bercail. Sa soumission passionnée à toutes les choses russes éveillait son propre enthousiasme et la rajeunissait. Voir son pays natal par les yeux de Rilke lui donnait des aperçus nouveaux et plus profonds et ajoutait à la joie de retrouver le foyer de son enfance. Le fait que son retour en Russie se faisait en compagnie d'un homme qu'elle aimait la frappait comme une revanche poétique car, près de vingt ans auparavant, un homme qu'elle avait aimé l'avait forcée à le quitter.

Lou déclare plus tard avec étonnement que la joie du retour fut pour elle une résurrection. Il en fut de même pour Rilke : du virtuose qui jonglait avec les mots naquit un poète. Lou, la Russie et Dieu : c'est à cette trinité qu'il adressait maintenant ses prières, c'est en son nom qu'il célébrait l'union mystique entre Eros et Agapè qui trouva son expression dans l'admirable poésie du *Livre d'Heures*. Lou elle-même, qui regardait d'un œil critique presque tout ce qu'il écrivait, fut émue par la splendeur mystique du poème suivant, qu'il lui donna, dit-elle, en gage de son amour :

Crève-moi les yeux et je pourrai te voir encore,
Crève-moi le tympan et je pourrai t'entendre encore.
Sans pieds, je puis aller vers toi.
Sans langue, je puis t'évoquer à volonté.
Arrache-moi les bras, je puis t'étreindre
Et te saisir avec mon cœur comme avec une main,
Arrête mon cœur, mon cerveau battra aussi fidèlement,
Et si tu mets en feu mon cerveau,
Alors dans mon sang je te porterai [19].

Le trait le plus frappant de ce poème est la tension dramatique qui s'en dégage. Vers après vers, elle augmente jusqu'à ce qu'elle atteigne enfin son comble et son dénouement. Il y a du triomphe et de la soumission dans le vers culminant :

18. E. M. Butler, *Rainer Maria Rilke*, Cambridge, 1941, p. 95.
19. R. M. R., *Sämtliche Werke*, I, p. 313.

« Alors dans mon sang je te porterai. » Un amant ordinaire n'eût pas parlé ainsi. L'amour exprimé dans ce poème transcende son objet, plonge directement en Dieu. Ici, le partenaire humain de l'amour est vraiment devenu invisible. Seul Dieu demeure. Rien d'étonnant à ce que Lou eût frémi lorsque Rilke le lui donna. Pour la première fois, elle se demanda si elle était digne de son amour.

Le voyage de Russie dura près de deux mois. Lorsqu'ils regagnèrent l'Allemagne, dans la seconde quinzaine de juin, le souci plus immédiat de Lou fut de poursuivre l'éducation russe de Rilke, qui avait commencé de façon si prometteuse. Frieda von Bülow les invita tous deux à passer l'été avec elle sur le Bibersberg, un domaine appartenant à la princesse von Meiningen, qui l'avait mis à la disposition de Frieda. Ils acceptèrent avec empressement. Ils eussent difficilement découvert meilleure occasion de se trouver ensemble sans être dérangés. Frieda était l'amie la plus intime de Lou et comprenait parfaitement sa situation. Mi-moqueuse, mi-sérieuse, elle appelait Rilke le « disciple de Lou » et Andreas le « *Loumann* ». Dans une lettre de Saint-Pétersbourg, Rilke disait à Frieda avec quelle impatience il attendait la visite qu'il allait lui faire et lui promettait de la rendre témoin de ses découvertes russes.

En l'occurrence, il ne fut pas complètement fidèle à sa promesse. Du moins Frieda semble s'être sentie mal payée de retour par ses invités, qui passaient ensemble la plus grande partie du temps, oublieux de sa présence.

« Je n'ai vu que très peu Lou et Rainer pendant ces six semaines, se plaignait-elle dans une lettre à une amie. Après le long voyage en Russie qu'ils (y compris Loumann) firent au printemps, ils se consacrèrent corps et âme à l'étude du russe et travaillèrent tout le jour avec un zèle vraiment phénoménal : langue, littérature, histoire de l'art, histoire mondiale et histoire culturelle de la Russie, comme s'ils devaient préparer un terrible examen. Et, quand nous nous retrouvions aux repas, ils étaient si épuisés qu'il ne leur restait pas de force pour une conversation animée [20]. »

Mais ce qui était perte pour Frieda était gain pour Lou et Rilke. Ils étaient libres de nouveau de vivre comme il leur plaisait sans avoir besoin de subterfuges et de discrétion. Frieda était une hôtesse parfaite qui ne posait pas de questions et les laissait tranquilles. Ils étudiaient avec acharnement,

20. R. M. R., *Briefe und Tagebücher aus der Frühzeit*, Leipzig, 1933, p. 420.

partaient pour de longues promenades et chacun d'eux se plaisait en la compagnie de l'autre. Leur amour était maintenant plus calme. Lou semblait avoir réussi à ce que son disciple restât assidu à la tâche qu'ils avaient entreprise de concert. Mais il y avait des moments de rébellion où Rilke affirmait son rôle dominateur et pliait la volonté de Lou à la sienne.

Je ne sais que choisir parmi tous les trésors
Que m'offre ta beauté.
Parfois, tes blonds cheveux ont un lustre enfantin.
Ta forte volonté s'adoucit. Il semble alors
Que je la dirige.
Et tes baisers, d'une splendeur plus fraîche,
Se posent sur mes deux yeux... tendres, tendres,
Comme endormis.
Et puis je me souviens de leur saison tempétueuse,
Ma pieuse enfant, ma tendre biche.
Quand, de loin, je voyais, sur tes lèvres,
Monter leur désir[21]*...*

Une lettre du mari de Lou, à Berlin, lui annonçant que sa petite chienne, Lottchen, était tombée gravement malade, hâta leur départ du Bibersberg. Ils regagnèrent Berlin ensemble vers la mi-septembre. Ce fut pour Lou un triste retour. Elle aimait beaucoup sa chienne et éprouva un profond chagrin lorsqu'elle mourut quelques jours plus tard, en dépit de tous les soins qu'elle lui prodigua. Peut-être le remords d'avoir négligé Lottchen aussi longtemps se mêlait-il à son chagrin. En vérité, son amour pour les chiens était aussi constant que celui pour ses amis humains était volage.

Pour Rilke, l'automne de 1899 fut une période de fécondité intense. A peine était-il arrivé à Berlin que le flot d'images qu'avait fait naître en lui son séjour en Russie — avant toute chose sa communion mystique avec la piété du peuple russe pendant l'office de la Pâque, à Moscou — trouva sa libération dans la mélancolique splendeur des poèmes du *Livre de la vie monacale.* Il les qualifia de prières, et c'est ce qu'ils sont, bien que la déité à laquelle ils s'adressent n'ait aucune ressemblance avec le Dieu que révèrent les chrétiens orthodoxes. Rilke sentait que ce Dieu était mort, qu'il était devenu un symbole vide de sens dans les rites occidentaux du dimanche de Pâques. Pour le moine russe dont il rapporte les prières,

21. R. M. R., *Sämtliche Werke,* III, p. 660.

il y a quelque chose d'impie dans la façon dont le représentent les artistes occidentaux. Leurs efforts pour limiter l'Illimité, pour l'emprisonner dans le temps et dans l'espace, sont profondément contraires à la conception russe d'un Dieu qui va grandissant. C'est ce Dieu grandissant, ce Dieu inconnu de l'avenir dont Rilke annonce la venue avec un torrent de métaphores aussi puissantes que paradoxales. Ce Dieu est notre voisin; il n'est séparé de nous que par une mince paroi qui peut s'effondrer à tout moment. Ce Dieu est un petit oiseau tombé du nid, un paysan barbu, la grande aube rougeoyante au-dessus des plaines de l'éternité, de la forêt des contradictions. Ce Dieu est :

> *... l'épitomé profond des choses*
> *qui, gardant son être secret, lèvres closes,*
> *se montre aux autres différent :*
> *au bateau, un havre... à la terre, un bateau.*

Image après image se pressent ces fervents poèmes. Une abondance de motifs métriques et de combinaisons de rimes leur assure un mouvement constant. Les enjambements, les allitérations et les assonances, employés avec un effet très sûr, montre quelle virtuosité Rilke avait maintenant acquise dans la langue allemande. Mais ce qui distingue surtout ces poèmes n'est pas tant leur virtuosité verbale que l'intensité spirituelle qu'ils dégagent, la recherche perpétuelle de quelque ultime réalité.

Nous pouvons discerner ici l'influence de Lou. C'était elle qui était obsédée par le problème de l'existence de Dieu. Ayant perdu sa foi en lui étant enfant, elle sentait un vide douloureux que, toute sa vie, elle s'efforça de combler. Peu importait qui se trouvait près d'elle à certains moments — que ce fût Nietzsche à Tautenburg ou Rilke à Moscou — sa conversation prenait tôt ou tard un tour religieux. Dans ses écrits également, elle revient sans cesse sur la question de savoir ce qui constitue le phénomène religieux. Ses sondages psychologiques, ses analyses en profondeur, ses spéculations philosophiques, avaient pour mobile une angoisse presque kierkegaardienne, qui devait nécessairement avoir une répercussion d'importance sur une personnalité d'un équilibre aussi précaire que celle de Rilke.

La piété naïve des paysans russes, le clair-obscur mystique des icônes, le chant puissant des cloches du Kremlin, tout cela et nombre d'autres impressions donnèrent naissance aux poèmes du *Livre d'Heures*. Mais ceux d'entre eux qui sont des prières le doivent à l'image de Lou. La présence de la femme aimée, qui enflammait l'imagination de Rilke, l'incita à tenter la création presque blasphématoire d'un nouveau dieu. Comme Nietzsche avant lui, Rilke transforma en œuvre d'art les élans que Lou suscitait en son âme et qui se rapportaient toujours à elle. Il démontrait une fois de plus que les sentiments exaltants, qu'ils soient d'ordre artistique, religieux ou érotique, sont intimement liés. Lorsqu'il disait qu'il lui donnait ces prières, qu'elles lui appartenaient, c'était littéralement vrai. Elles sont un monument immortel à leur amour.

Lou les accepta avec gratitude et les garda pendant des années, les considérant comme son trésor privé. Elle les chérissait à la fois comme un gage de l'amour de Rilke et comme une manifestation du travail mystérieux du génie. Une fois de plus, elle observait la transformation des insuffisances humaines en œuvre d'art. Ces mêmes forces qui lui faisaient craindre pour la santé d'esprit de son jeune amant stimulaient son génie en tant que poète. C'était une leçon qui était pour elle matière à penser et avivait ses aperçus sur ces pulsions inconscientes qui sont à la source du processus créateur.

Sa propre vie était également arrivée à un tournant. En Russie, elle avait redécouvert sa jeunesse. Pour la première fois, elle comprit ce qu'elle avait perdu en se laissant, à cause de son amour pour Gillot, arracher à sa patrie. Avec surprise, elle sentit tout à coup qu'elle était jeune enfin. « Ce n'est qu'aujourd'hui que je puis être ce que d'autres sont à dix-huit ans, que je puis être moi-même. » Mais cette constatation devait mettre un point final à son amour pour Rilke.

CHAPITRE XVI

Culpabilité tragique

L'aube du xxe siècle trouva Lou et Rilke encore absorbés par leurs études russes. Ils attendaient impatiemment la venue du printemps où ils se mettraient de nouveau en route pour un long voyage en Russie, cette fois sans le mari de Lou. Ils se proposaient de revoir Moscou et Saint-Pétersbourg, d'explorer l'Ukraine et la Crimée et de faire une excursion en bateau sur la Volga. A l'aide du Baedeker, ils tracèrent le plan d'un véritable pèlerinage dans tous les lieux saints de la Russie, y compris des visites à Kiev, Poltava, Saratov, Kazan et Nijni-Novgorod.

Savourant d'avance le plaisir de ce long voyage avec Lou à travers son pays natal, Rilke déployait une activité presque fébrile. Il faisait des démarches auprès des directeurs de journaux et des éditeurs allemands pour leur proposer des articles sur des thèmes russes. Il suggéra qu'une édition spéciale de *Ver Sacrum* fût consacrée à la Russie : une traduction de poèmes de Drochine, de Lermontov et de Fofanov, ainsi qu'une pièce de Tchékhov, *La Mouette* (et il eût pu traduire *Oncle Vania*). Pendant que Lou gardait la chambre à cause d'un accès de grippe, il entretint une correspondance alerte avec leurs amis russes, les implorant de lui écrire en russe, langue que, disait-il, il lisait maintenant avec facilité, et leur demandant de lui envoyer des livres russes.

Avec une opiniâtreté qui confinait à la passion, il se plongea dans les choses russes. Il portait une blouse de paysan russe, avait un coin russe dans sa chambre, à Schmargendorf, et parlait un allemand entrecoupé de phrases russes. La Russie, affirmait-il, était sa patrie spirituelle. Il insinuait qu'il s'y fixerait définitivement. Cette idée n'était pas si outrée qu'elle le paraissait. Rilke savait fort bien que le lien qui attachait Lou à son mari ne pouvait être rompu que si elle quittait l'Allemagne. Il savait aussi que retourner dans son pays natal séduisait Lou. Peut-être espérait-il que lorsqu'ils seraient ensemble en Russie, il pourrait la persuader d'y rester avec lui. Et il y eut, au cours de leur voyage, des moments où Lou sentait qu'elle ne pourrait rentrer en Allemagne. Selon son journal, elle caressait l'idée d'informer son mari par télégramme qu'elle resterait en Russie.

Cependant, de sérieuses raisons la décidèrent contre cette solution. L'une d'elles était l'ambivalence croissante de ses sentiments pour Rilke. Elle éprouvait encore une grande tendresse pour lui et ne pouvait s'empêcher d'être émue par l'ardeur avec laquelle il épousait leur cause commune. La Russie était son pays, mais, en moins d'une année, Rilke se l'était presque approprié. Il avait appris sa langue et la connaissait assez bien pour écrire de la poésie russe. Il était familiarisé avec son histoire, son art, ses coutumes, et il professait pour son peuple un amour que peu de Russes d'origine pouvaient égaler. Aucun prophète de Russie n'eût pu trouver un disciple aussi dévoué que celui de Lou. Mais c'était justement cela. L'ardeur même du zèle de ce disciple lui faisait peur. Il essayait de l'entraîner dans un tourbillon émotionnel contre lequel son esprit se rebellait. Elle sentait qu'il y avait quelque chose de morbide dans la complète soumission de Rilke à une Russie idéalisée qui, soupçonnait-elle, était, en réalité, une soumission à elle-même. De nouveau, son enthousiasme excessif la troublait.

Ses craintes augmentèrent lorsqu'elle remarqua les étranges accès d'angoisse dont Rilke commença à souffrir et pendant lesquels il était comme paralysé. Elle raconte qu'un jour, au cours d'une promenade, il resta soudain figé sur place et ne put faire un pas de plus. Avec des yeux horrifiés, il regardait fixement un acacia, devant lui, comme si c'était un fantôme. Il était incapable d'aller au-delà de l'arbre. Ils durent rebrousser chemin. De tels incidents confirmaient ce que Lou commençait à redouter : Rilke était un malade. Avec effroi, elle prit soudain conscience de sa responsabilité et du rôle qu'elle jouait dans la vie du poète. Rilke s'accrochait à elle avec le désespoir d'un homme qui se noie, mais peu importait à quel point elle l'aimait, elle n'était pas disposée à renoncer à sa vie pour prendre soin de lui. Le désir de recouvrer son indépendance croissait au fur et à mesure que Rilke devenait de plus en plus dépendant d'elle jusqu'à ce qu'elle parvînt à la conclusion qu'il était nécessaire de mettre un terme à cette aventure.

Elle ne lui fit pas part immédiatement de cette décision,

soit parce qu'elle avait peur de ce que pouvait lui faire une brusque rupture, soit parce qu'elle-même n'y était pas encore préparée. Peut-être espérait-elle que, au cours de leur voyage en Russie, une solution moins radicale s'offrirait. Elle était en tout cas décidée à entreprendre ce voyage. Quelles que fussent ses réserves à l'égard de Rilke, ce qui dut la déterminer à partir (décision peu sensée et de nature à encourager Rilke dans ses espoirs d'une union permanente), ce fut, semble-t-il, un secret instinct qui la poussait à retourner au pays de son enfance. Après vingt ans passés à l'étranger, elle éprouvait tout à coup les affres de la nostalgie.

Leur départ de Berlin, d'abord projeté pour avril, dut être différé à plusieurs reprises et ce ne fut que le 7 mai qu'ils se mirent en route. Comme l'année précédente, ils voyagèrent via Varsovie et arrivèrent à Moscou le 9 mai. Cette fois, ils y passèrent trois semaines bien remplies à aller chez des amis, à visiter des églises et des musées, à assister à des concerts et à des pièces de théâtre ou à se promener dans les nombreux jardins publics. De nouveau, ils étaient captivés par le charme de cette ville ancienne, « en réalité un immense village qui s'est entouré de la divine magnificence du Kremlin ». Tandis que Rilke essayait de retrouver l'atmosphère de la nuit de la Pâque précédente, Lou éprouvait la joie pure du retour au foyer. Là, parmi les collines sacrées et les églises de la *Matouchka Moskva*, se trouvait sa vraie patrie. Là, elle sentait revenir sa jeunesse. Partout où les conduisait leur voyage, elle se jurait de retourner à Moscou. C'est sur cette résolution qu'elle quitta la ville lorsqu'ils entreprirent leur pèlerinage vers la maison d'été de Tolstoï à Iasnaïa Poliana.

Leurs compagnons de voyage étaient Leonid Pasternak, sa femme et leur fils Boris. Dans ses Mémoires, Boris Pasternak donne ses impressions sur Lou et Rilke dans le train de Moscou à Toula :

« Par une chaude matinée d'été de l'an 1900, un train express quitte la station de Koursk. Juste avant son départ, un homme en cape tyrolienne noire s'avance vers la fenêtre. Une femme de haute taille est avec lui. C'est probablement sa mère ou une sœur plus âgée que lui. Ils parlent avec animation avec mon père de quelque chose qui les occupe tous les trois. De temps à autre, la femme adresse quelques mots en russe à ma mère. L'étranger ne parle que l'allemand. Bien que je connaisse parfaitement cette langue, je ne l'ai jamais entendu parler ainsi. C'est pourquoi, parmi tous les gens sur le quai plein de monde, entre les deux avertissements de la cloche du départ, l'étranger m'apparut comme une silhouette, une figure surgie d'un monde fantastique [1]. »

Pasternak n'aperçoit qu'une seule facette du lien qui unissait Lou à Rilke : l'aspect mère et fils. Mais il ne voit pas aussi en Lou (peu de gens le voyaient) la femme de Rilke.

Or, il advint que leur visite à Iasnaïa Poliana fut pour eux une épreuve. Ils avaient décidé de la faire sur l'impulsion du moment, après avoir appris dans le train, par un ami de Pasternak père, que Tolstoï venait de partir pour sa résidence d'été. Ils essayèrent sans succès de se mettre en rapport avec lui par télégramme. Lorsqu'ils arrivèrent à Iasnaïa Poliana sans être attendus, après un voyage mouvementé à travers la campagne par train de marchandises et par troïka, l'accueil fut rien moins que cordial. Le fils aîné de Tolstoï vint ouvrir, fit entrer Lou et, apparemment, ne voyant pas Rilke, lui ferma brusquement la porte au nez. Hésitant, Rilke suivit Lou et fut présenté à Tolstoï, qui ne le reconnut point. Quelques minutes plus tard, le comte s'excusa, laissant Lou et Rilke en compagnie de son fils. Ils passèrent avec lui quelques heures pleines de contrainte, d'abord dans une grande salle décorée de portraits de famille, et plus tard dans le parc. A leur retour dans la maison, ils rencontrèrent la comtesse, occupée à ranger des livres dans des rayons. Elle ne fit aucune attention à eux et leur dit tout à coup que le comte était malade. Quand ils l'informèrent qu'ils l'avaient déjà vu, elle fut déconcertée, se mit à jeter des livres à terre et marmonna quelque chose qui faisait allusion à leur récente arrivée. Espérant toujours revoir Tolstoï, Lou et Rilke attendirent anxieusement une demi-heure de plus dans une petite pièce contiguë au salon, où se passait maintenant une scène violente : « Des voix surexcitées s'élevèrent, une petite fille pleura, le comte essaya de la consoler et, de temps à autre, on entendait la voix complètement indifférente de la comtesse. ... Des pas dans l'escalier, toutes les portes sont brusquement poussées et le comte entre. Avec une froide politesse, il demande quelque chose, mais ses yeux sont ailleurs. Seul un regard distant croise le mien et à la question : "Que faites-vous?" j'ai oublié ce que j'ai répondu. Peut-être ai-je dit : "J'ai écrit quelque chose [2]". »

Tolstoï sortit aussi brusquement qu'il était entré, les laissant perplexes sur ce qu'ils devaient faire. Mais avant qu'ils

1. Boris Pasternak, *Gedichte, Erzählungen, Sicheres Geleit*, Francfort, 1959, p. 117.
2. R. M. R., *Tagebücher aus der Frühzeit*, p. 282.

n'eussent le temps de s'en aller, il revint de nouveau et leur demanda de l'accompagner dans une promenade à travers le parc, sa femme ayant apparemment refusé de les prier à déjeuner. Il était visiblement contrarié et ne prêta que peu d'attention à ses visiteurs. Lorsque Rilke lui dit qu'il était poète, Tolstoï se lança dans une tirade contre la poésie et conseilla à Rilke de faire quelque chose de plus utile. Il parlait rapidement et avec force, se penchant de temps à autre pour arracher des myosotis à poignée et les presser contre son visage : un homme en proie à une émotion profonde et oublieux de ce qui se passait autour de lui.

Lou et Rilke ont fait tous deux un compte rendu idéalisé de cette visite qui, en réalité, fut extrêmement pénible. Loin d'être le doux paysan russe, sagace et compréhensif, qu'ils dépeignent, Tolstoï était un génie torturé, égocentrique et intolérant. Ses idées sur l'art et la religion étaient diamétralement opposées aux leurs et n'avaient pas « le moindre attrait » pour Rilke, ainsi qu'il en convint plus tard. Toutefois, à cette époque, Rilke était si bien sous l'influence de Lou qu'il ferma les yeux sur les côtés déplaisants de leur visite. Mais, plus tard, il dut se demander si le brusque refus de Tolstoï de l'admettre en tant que poète n'était pas le symbole de tout le voyage.

De Iasnaïa Poliana, ils descendirent vers le sud jusqu'à Kiev, la capitale de l'Ukraine, et, sous bien des rapports, la rivale de Moscou. La ville et la campagne environnante étaient dans toute leur gloire printanière. Les prés fleuris faisaient un gai ruban le long des rives du Dniepr et des champs d'arbres fruitiers en fleurs embaumaient l'air. A cela s'ajoutaient les vêtements aux couleurs vives de milliers de pèlerins qui emplissaient les églises et les monastères de la ville sainte où l'on célébrait la Pentecôte. Une fois de plus, Lou et Rilke furent témoins de la ferveur religieuse du peuple russe. Ils se joignirent à la procession solennelle des paysans porteurs de bougies qui se frayaient un chemin à travers les couloirs obscurs du monastère Pechevski, avec ses souterrains et ses catacombes, où sont enterrés les corps des moines et où les ermites, dans des cellules rudimentaires, passaient leur vie dans les ténèbres éternelles pour la gloire de Dieu.

Très impressionné par l'étrange splendeur de cette scène, Rilke écrivait à sa mère que « même aujourd'hui, on peut marcher pendant des heures à travers ces couloirs (pas plus hauts qu'une personne de taille moyenne et n'ayant pour toute largeur que celle des épaules), le long des cellules dans lesquelles les saints et les moines faiseurs de miracles avaient vécu dans leur sainte frénésie. Dans chaque cellule, il y a aujourd'hui un cercueil d'argent où le moine qui y vécut jadis, il y a de cela mille ans, repose, intact, dans la châsse précieuse, vêtu de damas somptueux. Sans interruption, les pèlerins de toutes régions — de la Sibérie au Caucase — avancent dans l'obscurité et embrassent les mains couvertes des saints. C'est le monastère le plus sacré de tout l'empire. Une bougie à la main, j'ai parcouru tous ces couloirs, une fois seul, une autre fois au milieu de la foule en prière. J'en ai gardé des impressions profondes et j'ai l'intention de visiter de nouveau ces étranges catacombes avant de quitter Kiev [3]. »

Là encore, Rilke éprouvait une exaltation presque mystique, tandis que Lou frissonnait et aspirait à retourner vers le soleil et les fleurs. Elle n'avait rien en commun avec le Dieu de ces habitants des cavernes. Mais il y avait d'autres chapelles qu'elle aimait. La cathédrale Sainte-Sophie provoqua son admiration. Elle décrit avec amour ses belles mosaïques et ses fresques du XIe siècle, ses coupoles bleu et or et ses retables anciens. Plus elle voyait d'icônes russes, plus elle les aimait. A l'encontre des images des saints dans les églises d'Occident, l'icône ne révèle point la personne sacrée qu'elle dépeint. Sur un fond d'or, leurs figures marron foncé ne sont presque pas reconnaissables et le croyant peut donner libre cours à son imagination. « Ce qu'il voit ne sont que des questions, des symboles, des réceptacles pour ce qu'il y met de lui-même. Entre une image et une icône, il reste une différence non seulement de degré, mais de nature. »

Ils passèrent à Kiev deux semaines bien remplies, mais conclurent qu'en dépit de sa beauté, elle ne leur inspirait pas grand intérêt. Rilke se plaignait de ce que la ville était trop occidentale, trop cosmopolite. Et Lou exprimait son mépris typiquement russe pour les Ukrainiens. Ils étaient ennuyeux et n'avaient pas la spontanéité des Russes. Descendant le Dniepr en bateau, ils se dirigèrent vers Poltava, où ils prirent le train pour le long voyage vers l'est jusqu'à Saratov, sur la Volga.

Là commença la seconde partie de leur séjour, la plus mémorable : le voyage en bateau sur la Volga. Ils l'avaient savouré d'avance et n'étaient pas déçus. Car si Moscou est le cœur de la Russie, la Volga est son artère principale. Ce large fleuve sinueux qui, en certains endroits, semble n'avoir pas de rives et forme de paisibles lacs parsemés d'îles qui apparaissent et disparaissent au rythme des saisons, serpente sans hâte sur

3. Sophie Brutzer, *Rilkes Russische Reisen*, Stallupönen, 1934, p. 104.

près de trois mille sept cents kilomètres du plateau de Valdaï à la mer Caspienne. Saratov, où Lou et Rilke virent pour la première fois le grand fleuve, est située sur la moyenne Volga, dans la région qui occupe la partie occidentale du plateau central de la Russie. Vaste paysage à découvert de prairies, de champs et de forêts, il s'étend aussi loin que la vue le permet et se fond imperceptiblement avec l'horizon lointain.

Lou en était charmée. Elle louait son large et paisible aspect, sa grande simplicité, sa solitude. Et Rilke avait l'impression qu'il lui fallait reviser son sens des dimensions. Tout était sans limites : l'eau, la terre et le ciel.

Sur le pont de l'*Alexandre Nevsky*, ils voyaient défiler, comme en rêve, une tranquille procession de villes, de villages et de hameaux. Lou confiait à son journal : « Je voudrais rester ici à jamais. Là, comme il arrive si souvent, la Volga n'est pas un fleuve, elle est aussi vaste que la mer. Mais, à l'encontre de la mer, elle est intime et amicale. » Ce mélange d'intimité et de grandeur semblait constituer pour elle son charme particulier. Elle éprouvait presque une douleur physique à voir glisser et disparaître le paysage. Une voix intérieure lui disait que ce paysage de la Volga était celui de son âme. Elle était là chez elle. Dans un poème qui rappelle le poème d'amour que Rilke lui avait adressé, elle exprime son amour pour ces lieux :

> *Quoique loin de toi, je te regarderai encore,*
> *Quoique loin de toi, tu seras mien à jamais.*
> *Tu es le présent qui ne s'effacera point.*
> *Tu es mon paysage et tu donnes asile à mon cœur.*
> *Si je ne m'étais jamais reposée sur tes rives,*
> *Je connaîtrais pourtant ton amplitude,*
> *Et chaque vague, et chaque rêve*
> *M'emportera vers ton immense solitude* [4].

Leur voyage en bateau dura environ une semaine, mais « n'était-ce pas des années? » se demanda Lou, plus tard. Ils passèrent par Samara, Kazan, Nijni-Novgorod et Iaroslavl, où ils débarquèrent. Mais lorsque vint le moment des adieux, ils ne purent s'arracher à l'endroit. Ils décidèrent de passer quelques jours dans le petit village de Kresta-Bogorodskoïe. Ils y louèrent une isba, une typique hutte de paysan bâtie pour un couple de jeunes mariés qui ne l'habitaient pas encore. Pendant plusieurs jours, ils vécurent la vie des paysans de la Volga, ce que Lou avait ardemment désiré. Rilke, lui aussi,

4. L. A. S., *Lebensrückblick*, p. 90.

se réjouissait à l'idée de partager de nouveau une maison avec sa bien-aimée. Il se rappelait la petite maison de paysan à Wolfratshausen, où ils avaient passé leur lune de miel. Bien des choses étaient arrivées depuis lors. Il ne pouvait s'empêcher de sentir que Lou n'était plus aussi intime avec lui qu'auparavant. Imperceptiblement, elle semblait se retirer de plus en plus en elle-même. Il avait observé que, même pendant leur voyage sur la Volga, elle correspondait avec la sœur de cet homme en qui il pressentait peut-être un rival. Sans doute était-ce la crainte secrète de perdre Lou qui l'empêcha d'exprimer ses impressions au cours de ce voyage. Il éprouvait certainement un sentiment de frustration et se désolait de son incapacité d'écrire. A Kazan, il commença un poème, mais s'interrompit brusquement : « Il me paraissait qu'il ne fallait pas exprimer ma joie intérieure, qui était sans rapport avec quoi que ce fût d'autre, avec des mots qui venaient de perdre leur signification devant la réalité quotidienne [5]. » La douleur de ces mots énigmatiques, suivis de cette phrase amère où il prétend être heureux de voir son chant éteint, est à son comble dans ce reproche sévère qu'il s'adresse à lui-même : « J'ai ignoré d'innombrables poèmes. J'ai négligé tout un printemps, rien d'étonnant à ce qu'il n'y ait pas maintenant de véritable été. L'avenir tout entier m'a trouvé fermé. Quand j'ouvre maintenant la porte, les sentiers sont d'une longueur démesurée et vides [6]. »

Il avait appelé Lou son « avenir ». Était-ce son changement d'attitude à son égard qui le rendait muet de crainte et causait les « pertes quotidiennes » — ces poèmes qu'il ne pouvait écrire — du second voyage en Russie, pertes dont il se plaignait si amèrement? Ou était-ce quelque chose d'autre? N'avait-il pas les moyens d'exprimer ce qu'il ressentait? A son retour de Russie, il imputa ces « pertes » à l'immaturité de son pouvoir d'observation, mais il ajoutait de façon significative : « Si je puis apprendre quelque chose des gens, c'est bien de ces gens d'ici [il veut parler du cercle d'artistes de Worpswede parmi lesquels il vivait alors] qui ressemblent si bien à un paysage que leur proximité ne m'effraie pas. Et comme on m'aime, ici [7]! » C'était justement cela. Il sentait qu'il était en train de perdre l'amour de Lou.

Durant les trois jours que Rilke passa avec Lou dans l'isba, sa crainte d'un changement dans l'amour qu'elle lui portait

5. R. M. R., *Tagebücher aus der Frühzeit*, p. 233.
6. *Ibid.*, p. 234.
7. *Ibid.*, p. 315.

dut se muer pour lui en certitude. Pourquoi, si elle l'aimait encore comme à Wolfratshausen, avait-elle demandé à la paysanne qui préparait leur matelas de paille pour la nuit de leur en donner un second? Lou écrit que la femme ne pouvait le comprendre davantage. Et comment devons-nous interpréter cette phrase mystérieuse de Lou dans son journal, après la première nuit passée dans l'isba : « Des échardes sous mes ongles et dans mes nerfs. » Était-ce la nuit où elle avait dit à Rilke qu'elle ne pouvait plus être sa femme et qu'il lui fallait partir?

La grande crise de leur amour survint à peu près à cette époque. Elle laissa Rilke accablé et démuni et lui fit écrire à Lou, quelques semaines plus tard, une « lettre odieuse ». Ce n'était pas non plus facile pour Lou. « Je ne veux rien dissimuler. La tête entre les mains, je me suis souvent efforcée, à ce moment, de mieux me comprendre moi-même. Et je fus profondément déconcertée lorsqu'un jour, feuilletant un vieux journal intime, d'un temps où je n'avais pas encore beaucoup d'expérience, je lus cette phrase sans détour : "Je suis éternellement fidèle aux souvenirs. Je ne serai jamais fidèle aux hommes [8]." Cette phrase lapidaire, qui fait plus d'honneur à l'honnêteté de Lou qu'à son cœur, donne l'impression d'un écho de l'amer commentaire de Nietzsche : « Elle était infidèle et sacrifiait l'amitié d'un homme au suivant. »

Extérieurement, il n'y avait rien de changé. Après les trois jours passés dans l'isba, ils continuèrent leur voyage, apparemment régénérés par ce contact étroit avec la vie paysanne russe. Il fut pénible à Lou de partir. Elle se sentait renaître en présence de ces gens simples qui la traitaient comme l'une des leurs. Assis pendant des heures autour du samovar fumant, ils lui racontaient les détails les plus intimes de leur vie, riant bruyamment lorsqu'il lui arrivait de ne pas comprendre une allusion à un personnage local, ou pleurant sans vergogne lorsqu'ils relataient un épisode particulièrement tragique. Lou était fascinée de les voir passer si rapidement de l'humour à la gravité, elle était frappée par la profondeur de leurs observations et par leur compréhension pleine de sagacité de la nature humaine. Une vieille femme en particulier, la grand-mère de la famille, faisait sur elle une grande impression parce qu'elle parlait « dans le grand style d'une chronique et un œil tourné vers l'éternité ».

Sans doute Rilke était-il, lui aussi, ému par ces paysans dont la vie était tellement plus simple et plus élémentaire que la

8. L. A. S., *Lebensrückblick*, p. 183.

sienne. Mais il n'existe aucune indication sur l'envie qu'il eût éprouvée de rester avec eux. La violente averse qui hâta leur départ, transformant toute la région en une mer de boue, correspondait plus exactement à ses sentiments. Il dut ressentir un grand soulagement à s'éloigner de la petite hutte qu'il avait habitée, sans la partager, avec son amour. Et bien qu'il louât plus tard la simplicité de la vie dans un village russe, il ne tenta jamais de la vivre. En vérité, l'amour si connu de Rilke pour la Russie était essentiellement un prolongement de son amour pour Lou. C'était sa réaction emphatique à l'amour de Lou pour son pays natal. Quand la réalité de son amour pour Lou disparut, la Russie disparut avec elle, prit une qualité ésotérique et « le charme peu convaincant d'un pays imaginaire ».

De la Volga, ils regagnèrent Moscou, où ils passèrent une autre quinzaine à visiter la ville et à échanger des impressions avec leurs amis russes qui se sentaient presque gênés par les louanges sur leur pays et sur son peuple que Lou et Rilke déversaient sur eux. Lorsque Rilke exprima le désir de rendre visite au poète-paysan, Drochine, dont il admirait l'œuvre, tout le monde veilla à ce que l'entrevue eût lieu dans les circonstances les plus favorables. Drochine habitait le petit village de Nizovka, dans la province de Tver, paysan parmi les paysans. Pour rendre son humble logis digne de son distingué visiteur, son propriétaire, Nikolaï Tolstoï, un parent éloigné du comte Léon Tolstoï, la fit remettre complètement à neuf. Sofia Schill, qui était chargée de régler les détails du voyage de Lou et de Rilke, écrivit de Moscou à Drochine que ses visiteurs étaient enclins à « idéaliser notre réalité russe » et exhortait le poète-paysan à les mettre à l'aise. Finalement, Nikolaï Tolstoï les invita à passer une partie de leur séjour dans son grand château seigneurial.

Grâce à ces précautions, Rilke et Lou passèrent une semaine délicieuse, en partie chez le poète, en partie chez le comte, et retournèrent à Moscou, plus convaincus que jamais que la Russie était le pays de leurs rêves. Mais ce petit épisode, si anodin qu'il fût, symbolise les illusions auxquelles ils s'abandonnèrent pendant la plus grande partie de leur voyage. La Russie qu'ils voyaient était vraiment la Russie de leurs rêves. Pour Lou, c'était un retour aux rêves de son enfance. Pour Rilke, c'était partager les rêves de sa bien-aimée. La réalité cachée derrière ces rêves était tout à fait différente et, de temps à autre, Rilke en avait des aperçus. Quand il se trouvait face à face avec eux, le choc était si grand qu'il pouvait à peine le supporter.

De nouveau, symboliquement, cela eut lieu à Saint-Pétersbourg, la ville natale de Lou. Ils y allèrent parce que Lou voulait voir sa famille avant de rentrer en Allemagne. Mais lorsqu'ils y arrivèrent, le 6 juillet, ils découvrirent que les parents de Lou avaient quitté la ville pour leur résidence d'été, à Rongas, en Finlande. Lou prit rapidement la décision de les rejoindre, laissant Rilke seul à Saint-Pétersbourg. Apparemment, elle lui dit à peine au revoir et le laissa pendant plusieurs jours sans nouvelles de son arrivée. Il se sentait blessé et abandonné. Était-ce la fin de leur amour? Qu'il était affreux pour lui d'être ainsi laissé en plan dans une petite chambre meublée après le brusque départ de Lou, exposé aux impressions presque hostiles de cette ville étrangère! Plus il méditait sur la façon injuste dont elle le traitait, plus il devenait furieux et, ses craintes refoulées et son apitoiement sur son sort prenant finalement le dessus, il lui écrivit la « lettre odieuse ».

Lou la déchira. Elle était impatientée par les accès de colère enfantins de Rilke et plus encore par les reproches qu'il s'adressait à lui-même. Elle nageait pour le moment en plein bonheur. Là, dans la résidence finnoise de son enfance, entourée comme autrefois de sa famille, sa mère et ses frères, elle était au comble de la joie du retour au bercail. Elle se rappelait l'été où, près de vingt ans auparavant, elle les avait quittés avec un cœur rebelle, déterminée à se libérer de tout ce que l'amour, la tradition et les coutumes exigeaient d'elle et de faire à sa guise son chemin dans le monde. Elle l'avait fait. Et voici que, dans sa maturité, elle revenait, sûre d'elle et de son droit, et écrivain célèbre. Il n'y avait maintenant pour elle aucun danger de se perdre dans des rêves éveillés. Elle s'était trouvée et pouvait adopter de grand cœur tout ce qu'elle avait rejeté auparavant : sa famille et son pays. Elle entendait partout, et dans le cercle de sa famille et au-dehors, dans les paysages bien connus des forêts et des lacs, l'écho des voix de sa jeunesse.

La seule note triste dans ce chœur joyeux était l'absence de son père. Il était mort depuis longtemps, mais elle en gardait un vivant souvenir et une vague de gratitude pour l'amour qu'il lui avait donné jaillissait de son cœur. Elle avait l'impression de comprendre pour la première fois ce qu'il avait été. Il personnifiait tout ce qu'elle en était venue à aimer dans la Russie : la simplicité, la chaleur humaine et la grandeur d'âme. « Maintenant, confiait-elle à son journal russe, je serais vraiment devenue son enfant. »

Une autre figure du passé qui lui revenait également en mémoire était Gillot. Il l'avait faite ce qu'elle était. Il l'avait forcée à se trouver, mais, en agissant ainsi, il avait usurpé dans son cœur la place de Dieu. Il avait fallu à Lou de nombreuses années pour se libérer de sa tutelle. Maintenant, elle pouvait également voir Gillot avec un esprit serein. Humblement, avec un joyeux émerveillement, elle sentait sa vie faire un retour complet en arrière pour revenir à son début. Les longues années de tumulte avaient pris fin. La vagabonde était enfin rentrée au foyer.

La lettre de Rilke, pleine d'amers reproches, était la seule note discordante dans l'harmonie du retour. Elle venait lui rappeler brusquement qu'elle était encore engagée dans une autre vie, une vie torturée et malheureuse, qui exigeait d'elle ce qu'elle ne pouvait plus donner. Mais elle conclut qu'il était plus sage de ne pas pousser Rilke au désespoir en continuant à garder le silence et elle lui écrivit une lettre dans laquelle elle essayait de lui communiquer un peu de son propre bonheur. « Je suis chez moi dans la joie, lui disait-elle. Ah, si tu pouvais me voir en ce moment ! »

La réponse de Rilke fut immédiate : « J'ai ta lettre, ta chère, chère lettre, dont chaque mot m'aide et me soulève comme une vague impétueuse. Elle m'environne de jardins et de cieux brillants. Elle me rend heureux et capable de dire ce que j'ai en vain tenté de dire dans ma dernière lettre si difficile : je te désire ardemment. »

Il disait qu'il avait honte de sa dernière lettre, résultat de sa solitude et de son tourment, qui avait dû lui paraître étrange « parmi la beauté qui entoure ta vie dans ces conditions nouvelles ». Et il lui rappelait les jeunes écureuils qu'il avait gardés en Italie, étant enfant, attachés à de longues chaînes. « Peut-être avais-je tort d'imposer ma volonté à leur vie agile (alors qu'ils étaient déjà adultes et n'avaient plus besoin de moi), mais, pourtant, il était un peu dans leur intention de compter sur moi pour l'avenir, car ils couraient souvent après moi, de sorte qu'ils me semblaient désirer leur chaîne. » C'était une petite histoire pathétique et, lorsqu'elle la lut, Lou hocha la tête. Car elle ne comprenait que trop bien ce qu'il voulait dire. Il éprouvait le sentiment des écureuils et l'implorait de le garder enchaîné. Mais c'était précisément ce qu'elle n'avait pas l'intention de faire.

« Reviens vers moi, reviens vite vers moi », était le refrain de cette lettre dans laquelle Rilke se plaignait de sa vie solitaire à Saint-Pétersbourg. « Tu n'as pas idée à quel point les journées peuvent être longues à Saint-Pétersbourg. Pourtant, elles ne sont guère remplies. Ici, on est toujours à courir sans but. On marche, on marche et on roule en voiture et, partout où l'on arrive, la première impression est toujours celle de sa propre lassitude. » La ville était contre lui, devait-il dire lorsque plus tard, à Paris, il éprouva la même dépression. Mais, bien entendu, la ville n'y était pour rien. Il souffrait d'un sentiment aigu de défaite. Il comprenait qu'il avait échoué dans son amour et se sentait vide et frustré. Il regrettait ardemment le passé, lorsque son cœur plein d'amour répondait au monde autour de lui par une pure force créatrice. Et il redoutait l'avenir. Mais Lou rayonnait de joie lorsqu'elle le rejoignit à Saint-Pétersbourg et elle fit de son mieux pour l'égayer pendant le voyage de retour. Mais elle n'y réussit point. Rilke resta maussade et lointain. Il trouvait impossible de vivre auprès d'elle dans ces conditions différentes. Il lui fallait trouver un nouveau cercle d'amis.

En conséquence, après leur retour en Allemagne, à la fin du mois d'août, Rilke ne resta pas à Berlin. Il accepta une invitation de son ami Heinrich Vogler, un artiste, qui habitait le petit village de Worpswede, près de Brême. Vogler le présenta à un groupe de jeunes gens qui se consacraient à l'art et s'étaient fixés dans cette région assez déserte de landes et de marécages pour y travailler sans être dérangés par les distractions de la ville. Rilke se sentit tout de suite à l'aise parmi eux et emplit son cœur d'amitiés nouvelles. Il était particulièrement séduit par deux jeunes filles : la blonde Paula Becker, qui était peintre et son amie intime, Clara Westhoff, brune aux yeux bruns, qui était sculpteur. Toutes deux prirent en pitié le jeune et triste poète et lui firent sentir que la vie valait, après tout, d'être vécue.

Le dimanche soir, il y avait de délicieuses réceptions chez Vogler, qui duraient souvent jusqu'aux premières heures du matin. Rilke y trouvait non seulement de la compagnie et de la compréhension, mais de stimulantes conversations sur l'art, la vie et la religion, sujets qui étaient pour lui d'un intérêt constant. Les deux jeunes filles assistaient à ces soirées et, tour à tour, invitaient Rilke à leur studio et l'écoutaient lire ses vers avec une attention passionnée. Le journal que Rilke tenait à cette époque montre la rapidité avec laquelle son courage renaissait en leur compagnie pleine de sympathie. Pleurant encore la mort d'un amour, il en avait déjà deux autres à l'horizon. Rien d'étonnant à ce qu'il eût l'impression que la fortune lui était plus que favorable. En Russie, il lui avait été impossible d'écrire quoi que ce fût et, maintenant, tout son être était de nouveau plein de chants. En présence des deux jeunes filles, il recouvrait sa foi en son avenir poétique. Sur l'impulsion du moment, il décida de passer l'automne et l'hiver avec elles et loua une petite maison à Worpswede.

Mais, à peine avait-il pris cette décision qu'il y renonça aussi brusquement et revint une fois de plus à Schmargendorf, auprès de Lou. Il a été impossible aux biographes de Rilke de découvrir le mobile de ce changement dans ses projets Miss Butler se demande si les rumeurs au sujet des fiançailles de Paula Becker à Otto Modersohn ont quelque rapport avec ces dispositions. Et il est vrai que, des deux jeunes filles, la blonde Paula (Lou était blonde, elle aussi) avait éveillé chez Rilke des sentiments plus profonds que Clara Westhoff. C'était à elle, et non à Clara, qu'il avait laissé son carnet contenant certains de ses plus chers poèmes lorsqu'il était reparti pour Schmargendorf. Peut-être Rilke avait-il projeté de faire de Paula la nouvelle gardienne de son cœur. En ce cas, la nouvelle de ses fiançailles avait dû lui causer une grande déception. Rilke lui-même dit à ses amis qu'il ne pouvait rester à Worpswede parce qu'il s'était rendu compte que ses études russes l'obligeaient à rester à proximité des ressources d'une grande ville. Mais ce n'était sûrement pas là la raison principale. Il était plus près d'admettre pourquoi il avait abandonné l'idée de se fixer à Worpswede lorsqu'il écrivait à Paula : « Chaque foyer est comme une mère, bon et chaud. Mais je dois encore chercher ma mère, n'est-ce pas [9]? »

Lou avait été une mère pour lui, et plus qu'une mère. Il ne pouvait s'arracher à elle, en dépit de ses tentatives. Et il se peut qu'elle l'ait encouragé à demeurer dans la sphère de son influence en lui offrant son amitié, sinon son amour, et en lui rappelant qu'il perdait son temps à Worpswede. Il avait consacré beaucoup d'efforts à ses études russes et avait fait de grands progrès. Il serait dommage de les abandonner à cause d'un simple changement dans leurs relations.

Un fond de tristesse émane des lettres que Rilke écrivit à ses amis à Worpswede pour leur dire qu'il ne reviendrait pas parmi eux. « J'attends, écrivait-il à Paula, je vous attends, vous et Clara Westhoff, et Vogler, et le dimanche, et nos chansons. Et personne ne vient. Et je sais que personne ne viendra, et pourtant j'attends. Et j'ai presque peur de souhaiter voir arriver d'autres personnes... des Russes avec qui je suis censé travailler, et presque personne d'autre [10]. »Mais bien qu'il rongeât maintenant son frein sous la discipline de Lou, il continuait de travailler. Il lisait des livres russes, écrivait des poèmes et projetait d'écrire une série de contes en prose, une trilogie, des pièces de théâtre. « Des projets, mais sans grande détermination. A quoi bon faire cela du matin au soir? »

Il passait avec Lou tout le temps qu'elle lui accordait. A la fin de novembre, il écrivit un poème russe et le lui donna. Il essayait encore de ranimer son amour. Quelques jours plus tard, elle l'invitait à rencontrer Gerhart Hauptmann et ils

9. R. M. R., *Briefe und Tagebücher aus der Frühzeit*, p. 54.
10. *Ibid.*, p. 266.

passèrent ensemble une excellente soirée. Mais c'était inutile. Il ne pouvait s'adapter aux conditions nouvelles de leur vie. Être près d'elle, qui était le pont de son avenir, et la sentir s'éloigner de plus en plus paralysait ses facultés et l'emplissait de mélancolie. Dans son carnet, il parle de jours d'absolu désespoir, de crises « d'asthme de l'âme », de jours intermédiaires [*Zwischentagen*] qui n'appartenaient ni à la vie ni à la mort, des jours qui étaient régis par un sinistre Dieu intermédiaire [*Zwischengott*]. Et il se demandait avec anxiété combien de ceux qui sont également affligés d'un mode d'existence intermédiaire [*Zwischen-Dasein*] vivent et meurent dans des asiles d'aliénés [11].

Lou était consternée de le voir succomber à de tels accès de dépression et se sentait déprimée elle-même. Elle connaissait la cause de sa souffrance, elle avait vu la même chose arriver à Nietzsche lorsqu'elle avait rompu avec lui, mais elle n'osait affronter ce problème. Ce dont Rilke avait besoin, son amour, elle ne pouvait plus le lui donner. Mais elle essayait encore de le consoler en lui demandant de l'accompagner dans diverses réunions littéraires. C'est ainsi que, quelques jours avant la Noël, ils assistèrent à la répétition en costumes de la nouvelle pièce de Hauptmann, *Michel Kramer*, seuls dans la salle obscure du Deutsches Theater. Mais la fin approchait rapidement. « Ce que je souhaite pour l'année qui vient, notait Lou dans son journal, ce dont j'ai besoin, c'est la tranquillité. Il faut que je sois seule comme je l'étais il y a quatre ans. »

Rilke, d'autre part, ne pouvait maintenant supporter la solitude. L'éloignement de Lou l'obligeait à trouver quelqu'un d'autre, une ancre humaine pour ne pas risquer de plonger en lui-même comme dans un puits vide. Il multiplia sa correspondance avec ses amis de Worpswede, leur envoya des livres et les implora de venir le voir. « Je vous en prie, ma chère amie », écrivait-il en janvier à Paula Becker, « gardez-moi votre dimanche prochain. Et beaucoup d'autres dimanches. Est-ce possible [12]? » Ce n'était pas possible à cause du prochain mariage de Paula avec Otto Modersohn. Rilke se tourna donc vers l'amie de Paula, Clara Westhoff.

Il n'avait pas été en termes aussi intimes avec Clara qu'avec son amie. En une certaine occasion, il avait repoussé sa requête et refusé de lui donner un poème, ce qu'il faisait rarement. Mais Clara était sortie de ses habitudes pour consolider une amitié qui signifiait beaucoup pour elle. Elle avait souvent écrit à Rilke en lui parlant de ses travaux. Elle lui avait envoyé des

11. *Ibid., passim.*
12. *Ibid.*, p. 93.

présents, tantôt du raisin, tantôt une série de photographies de ses sculptures. Il avait accepté ces cadeaux et ces lettres avec une certaine gratitude, mais sans encourager des liens plus intimes. Il l'avait même avertie de n'être pas déçue s'il ne répondait pas à ses lettres parce qu'il était très occupé. Puis tout à coup, au milieu de février, il lui déclara son amour et lui proposa de l'épouser. Cette décision soudaine intrigua et surprit les amis de Rilke. Mais était-ce vraiment si surprenant? N'était-ce pas une réaction humaine, très humaine, après avoir été rejeté par Lou?

Lou fut surprise, elle aussi, et même un peu en colère lorsqu'elle apprit le projet de Rilke. Elle était comme une mère irritée par le mariage de son fils. D'autre part, elle comprenait que c'était le moment décisif qui lui donnait l'occasion de la rupture définitive qu'elle avait depuis longtemps projetée. Dans une longue lettre commençant par « Dernier Appel », elle résumait les étapes de leur amour, et mettait Rilke en garde contre le mariage qu'il se proposait de faire.

S'attribuant le droit de lui parler comme une mère, elle écrivait qu'elle avait peur de lui voir subir le sort de l'écrivain russe, Garchine (qui s'était suicidé dans un accès de dépression), s'il nouait des liens matrimoniaux. Le seul moyen pour lui de trouver la paix était le travail. Elle avouait que ses brusques changements d'humeur, ses exaltations alternant avec ses dépressions, avaient épuisé sa propre énergie nerveuse et qu'elle avait marché auprès de lui comme une automate, incapable de lui dispenser une vraie chaleur. « Mais alors, écrit-elle, quelque chose d'autre est survenu, quelque chose qui est presque une culpabilité tragique envers toi : le fait qu'en dépit de notre différence d'âge, il m'a fallu grandir depuis Wolfratshausen, grandir pour trouver finalement ce que je t'ai annoncé avec tant de joie quand nous nous sommes dit au revoir, et si étrange que cela puisse paraître : ma jeunesse. Car ce n'est que maintenant que je suis jeune, ce n'est que maintenant que je puis être ce que sont les autres à dix-huit ans : entièrement moi-même. C'est pourquoi ta personne, si chère et si proche à Wolfratshausen, a disparu peu à peu de ma vue, comme un seul aspect dans un vaste paysage, un large paysage de la Volga, par exemple, et la petite hutte n'était pas à toi. Sans le savoir, j'ai obéi au grand dessein de ma vie qui, en souriant et au-delà de toute compréhension, de toute attente, me tendait un présent. Je l'ai accepté avec une grande humilité et, maintenant, je sais avec une clarté prophétique et je te crie : "Va de la même façon vers ton sombre Dieu." »

En tant que document humain, ce « dernier appel » que Lou

envoyait à son ami « si lointain » est émouvant; mais il manqua son but, qui était d'empêcher Rilke de se marier. Cependant, les pressentiments de Lou se réalisèrent : le mariage de Rilke ne dura point et le poète dut se rendre à cette triste évidence que personne ne pouvait l'aider, « ni ange ni homme ». Mais, en un certain sens, Lou avait fait erreur. Elle s'était trompée en imaginant qu'elle pourrait disparaître de la vie de Rilke. A chaque crise de sa vie, c'est auprès d'elle que le poète alla chercher aide et réconfort. Lou accepta le rôle de conseillère spirituelle que lui assignait Rilke, pleinement consciente de l'immense responsabilité qu'elle assumait ainsi. Elle n'était pas toujours prête à céder à son désir de la voir, bien que, dans les premières années qui suivirent leur rupture, ils se soient rencontrés de temps à autre. En revanche, elle répondait toujours de grand cœur à ses appels de détresse. Les lettres de Rilke à Lou sont un éclatant témoignage de ce qu'était pour le poète la certitude de pouvoir à tout moment recourir à sa grande amie. On y devine que, dans l'existence vagabonde de Rilke, Lou représentait un point fixe. Elle était, et elle demeura, un pont vers son avenir.

CHAPITRE XVII

Épilogue d'un amour
L'art et la vie

Il y aurait beaucoup à dire sur le développement de l'amitié entre Rilke et Lou après la première phase de leur amour, surtout sur l'influence de l'amie sur le long chemin parcouru par Rilke, chemin qui aboutit à sa solitude d'artiste. Car, ainsi qu'il l'a reconnu lui-même, « sans l'influence de cette femme extraordinaire, toute mon évolution n'aurait pu prendre la voie qui me fit découvrir tant de choses [1]. » Mais c'est de la vie de Lou qu'il s'agit et nous ne donnerons ici que les grandes lignes de ce développement.

Dans son « dernier appel », Lou avait conseillé à son ami d'aller par son travail « au-devant de son dieu sombre » et d'y chercher la sécurité que lui refusait la vie. Elle exprimait ainsi ce que Rilke nomma plus tard dans son Requiem pour Paula Modersohn-Becker le conflit fondamental de l'artiste :

Car il existe une vieille inimitié
Entre la vie et le travail acharné [2].

Il est peu d'artistes qui aient autant souffert de ce conflit que Rilke; il faillit plusieurs fois y succomber. Dans ces heures de profonde détresse, il s'adressait chaque fois à Lou, cherchant auprès d'elle aide et consolation, car, dans son cercle d'amis, elle était la seule qui comprît les causes profondes de sa peur de vivre. « On trouve parfois de tels cauchemars et un pareil syndrome de souffrance et de désir de violence chez les garçons au moment de la puberté, avant qu'ils n'aient complètement adapté leur sexe à leur moi », écrit Lou dans le livre qu'elle

1. Rainer Maria Rilke und Marie von Thurn und Taxis, *Briefwechsel*, Zurich, 1951, 2 Bd., p. 638.
2. R. M. R., *Sämtliche Werke*, I, p. 655.

consacra au souvenir de Rilke. Elle explique que le « bienfait de la fixation de l'être que procure l'échange érotique » est souvent refusé aux sujets particulièrement doués de facultés créatrices parce que leurs forces vives, au lieu de se dépenser dans un vrai partage, sont dispensées dans l'œuvre d'art. Le corps se défend alors par « des manifestations de dégoût qui ne sont que la nostalgie du désir refoulé et donnent naissance à des états morbides, à une exacerbation de la sensibilité confinant à l'hypocondrie [3] ».

Après sa séparation d'avec Lou, Rilke avait tenté de trouver dans sa relation avec Clara Westhoff un accomplissement tant sur le simple plan humain que sur le plan artistique. Cette tentative avait échoué. Il n'avait pu parvenir à la grande synthèse d'être à la fois époux, père et artiste. Il avait renoncé à sa « maison solitaire des marais » et s'était vu obligé de partir pour l'étranger. A Paris, il avait écrit un livre sur Rodin, mais n'avait pu réussir à écrire ses propres poèmes parce que la ville était « contre lui » et menaçait de l'écraser sous le poids des malheureux qui l'habitaient. Dans de longues lettres à Lou, il dépeint les tourments et les désespoirs de son séjour à Paris, décrit son obsession délirante de se sentir intimement mêlé à la vie des abandonnés, des pauvres, des malades. « Cela m'a arraché hors de moi-même pour m'introduire dans leur vie, pour m'identifier à toutes ces vies, toutes ces vies accablées. » Il conclut par cette plainte : « Si j'avais pu "concrétiser" les angoisses que j'éprouve ainsi, si j'avais pu les utiliser pour en faire des œuvres, des œuvres apaisantes... rien, alors, ne me serait arrivé. »

Les réponses de Lou à ces longues lettres de lamentations témoignent aussi bien d'une compassion profonde pour la détresse de Rilke que d'une sûre compréhension psychologique qui lui permettait de lui venir en aide de la meilleure manière : au lieu de le plaindre, elle lui écrivait qu'au beau milieu de sa lecture, elle avait complètement oublié la personne de l'auteur parce que ses écrits étaient création et œuvre d'art, « des choses vivantes et plausibles, un chant inspiré ». Une fois de plus, elle lui montrait ainsi la voie de l'auto-guérison, qui consistait à consigner ses angoisses, à les exprimer, peu importait que ce fût en vers ou en prose. Les *Cahiers de Malte Laurids Brigge* montrent l'importance que Rilke attachait aux conseils de Lou. On en trouve aussi la preuve dans les *Nouveaux Poèmes* avec des thèmes analogues. Nous aimerions entrer dans le détail de la métamorphose passionnante de ces plaintes, purement personnelles à l'origine et adressées à Lou, en une parfaite œuvre

3. L. A. S., *Rilke*, p. 15.

d'art. Mais nous nous bornerons ici à reconnaître que si Rilke a tenté de se libérer de ses états anxieux par son art, c'est grâce aux conseils de Lou. Il lui écrivait avec gratitude : « Tu me dis, chère Lou, de n'avoir pas peur. Je vais donc essayer de chasser mes craintes. » Mais survinrent d'autres inquiétudes. S'il était vrai que sa vie dépendait de son travail, une question angoissante se posait : était-il capable d'effort? Ne lui manquait-il pas la force, la discipline, la volonté nécessaires? N'était-il pas, comparé à Rodin, ce travailleur infatigable, un Hamlet impuissant, dont les doigts laissaient échapper la vie et l'art? Il souhaitait égaler Rodin, mais le pouvait-il en tant que poète? Le métier ne lui faisait-il pas défaut? Lou répondait : « Les mots ne se travaillent pas comme la pierre. Ils ne sont qu'un moyen de traduire des suggestions indirectes. » Elle ne cessait de lui rappeler sa vocation, de l'exhorter à la patience et lui conseillait de chercher un équilibre entre « la vie de l'art et l'art de la vie ». Ce n'est pas sans difficulté ni sans retomber parfois dans le désespoir que Rilke parvint à s'astreindre, durant son séjour à Paris, à un travail rigoureux qui trouva son expression dans la beauté plastique des *Nouveaux Poèmes*.

Une réaction était inévitable et le corps devait « se venger » des violences que l'esprit lui avait imposées en l'obligeant à l'imiter. Il s'ensuivit des années d'épuisement où Rilke était incapable de travailler et avait la nostalgie des rapports humains, bien qu'il sût que Lou avait raison en lui affirmant que les êtres humains ne lui étaient d'aucun secours et ne faisaient qu'encourager son apathie. Dans des lettres déchirantes, il implorait de nouveau son secours, lui demandant, à elle qui venait de pénétrer dans le cercle freudien, s'il devait se faire psychanalyser pour surmonter ses inhibitions d'homme et d'artiste, ajoutant que ce qu'il connaissait des œuvres de Freud lui était antipathique et lui faisait parfois hérisser les cheveux.

Lou a plus tard déclaré que, dans toute sa vie, déconseiller à Rilke de se faire psychanalyser avait été l'une des décisions les plus difficiles à prendre. A l'encontre de Freud, elle était d'avis que, loin de secourir un artiste accompli, l'analyse était pour lui un danger parce qu'elle touchait aux sources obscures de la création. Rilke était d'accord là-dessus. « Je sais maintenant que l'analyse n'aurait eu de sens pour moi que si j'avais vraiment pris l'étrange détermination *de ne plus écrire*, pensée que je caressais souvent comme une sorte d'allègement tandis que j'achevais *Malte*. » Peu de temps après avoir écrit ces lignes à Duino, survint le tournant décisif où Rilke, composant les premières *Elégies de Duino*, fut projeté hors de l'enfer du désespoir humain jusqu'aux plus hauts sommets de l'art. Jetant plus tard un regard en arrière, Lou aurait dit avoir mis tout en œuvre pour épargner à Rilke la psychanalyse qui, à son avis, eût détruit les germes de ce qui, elle le savait, devait devenir les Elégies. Lou était-elle vraiment au courant de ces *Elégies* dont le soudain jaillissement surprit Rilke lui-même? Il n'en faut pas moins remercier Lou d'avoir refusé au poète, sur le point de créer les *Elégies*, l'échappatoire de la psychanalyse.

L'ardeur avec laquelle Rilke pensait à Lou à l'époque où il attendait à Duino la venue de son Ange apparaît dans ce passage d'un poème écrit en octobre 1911 en souvenir de leur amour :

Ainsi qu'on tient un mouchoir
Pour retenir son haleine... Ou plutôt comme on le presse
Sur une blessure d'où jaillit la vie
Cherchant à s'échapper, je te tenais contre moi, je te voyais
Rougir par moi. Qui peut exprimer
Ce qui nous arriva? Nous avons compensé
Tout ce dont, faute de temps, nous avions été frustrés.
J'avais rarement réalisé les impulsions d'une jeunesse ignorée,
Et toi-même, près de mon cœur, ma bien-aimée,
Tu as comme une sorte d'impétueuse enfance [4].

Si l'Ange vint à Duino à cette époque, il n'y demeura point. Rilke chercha alors désespérément à se distraire, bien que sa propre expérience et la mise en garde de Lou lui eussent appris qu'il n'y avait rien à espérer des hommes. Peu de temps après la brève flambée de sa force créatrice dans les premières *Élégies*, survint l'épisode passionné avec Magda von Hattinberg. Lorsque cette tentative si riche d'espoir de faire fond sur une affection humaine échoua et que Rilke dut constater une fois de plus que « personne, vraiment personne ne pouvait l'aider », il se tourna de nouveau vers Lou pour chercher auprès d'elle un apaisement. Lou avoua qu'à la lecture de sa lettre, elle n'avait pu s'empêcher de « pleurer amèrement ». Elle sentait que ses paroles de consolation seraient vaines, car elle ne pouvait lui donner le réconfort de sa présence. Ces larmes étaient aussi l'expression de ses sentiments intimes, ce que révèle son aveu de l'avoir suivi par la pensée, car il lui paraissait probable « qu'une période fertile s'annonce pour toi, inspirée par une expérience humaine, période où un terrible danger et une grande victoire seront bien proches ».

Le « terrible danger » qui, à Paris, menaça Rilke durant les

4. R. M. R., *Sämlitche Werke*, II, p. 39.

chaudes semaines de juillet 1914 coïncida avec les effroyables événements qui devaient, peu de temps après, aboutir à la Première Guerre mondiale. Rilke avait décidé de rentrer en Allemagne en août pour suivre un traitement chez un médecin allemand. Lou l'avait invité chez elle, à Göttingen, espérant ainsi « le soustraire à l'internement ».

Le tournant décisif attendu par Rilke depuis des années était venu pour tout le monde avec la guerre. Dans l'enthousiasme des premiers jours, le poète lui-même alla jusqu'à chanter l'étrange dieu de la guerre. Dans son lyrisme, il se posait pourtant cette question angoissante : « S'il détruit tout ce que nous savons, ce dieu déchaîné peut-il être omniscient? » La réponse de Lou, à qui il envoya ses cinq chants de guerre, montre qu'elle était la seule de ses amis à comprendre la vraie nature de la guerre : « Ce n'est pas l'effroyable réalité, mais ce qu'elle peut comporter d'irréel, de fantomatique... » Cette fois encore, elle ne pouvait lui venir en aide et regrettait « de ne pas vivre ces moments auprès de toi ».

Pour échapper à cette dualité entre l'esprit et le corps, selon l'expression de Lou, à cette « inimaginable exigence de fécondité », Rilke se lança une fois de plus dans une aventure sentimentale. Mais sa passion pour Loulou Albert-Lazard, qui était peintre, s'éteignit aussi vite qu'elle s'était allumée. Dès mars 1915, Rilke avoue : « En somme, je ne lui ai rien apporté de bon. Je suis fait de telle sorte qu'après les premières semaines d'abandon et d'espoir, je lui ai presque tout repris, les contradictions de mon cœur ayant tôt fait de freiner mes sentiments humains. » De façon pressante, il pria Lou de venir les voir à Munich, son amie et lui. « Viens bientôt, ma chérie. Avec toi viendront le réconfort, l'aide et l'avenir. » Bien qu'à ce moment il fût difficile à Lou d'entreprendre ce voyage, elle accéda à son désir et vécut pendant deux mois en étroite cohabitation avec Rilke et Loulou. Au début, les relations des deux femmes furent naturellement tendues. Lou, qui avait toujours averti Rilke du danger des liens humains, connut tout de suite que l'artiste n'était pas la femme qui lui convenait. Elle savait en outre par Rilke qu'il songeait déjà à une rupture. Quant à Loulou, impressionnée par le fier regard de fauve de Lou, elle essayait en vain de saisir les raisons profondes de l'amitié qui unissait Rilke à Lou. « La vitalité de cette Russe », écrit-elle dans son livre, *Wege mit Rilke*, « cette force de la nature qui résiste à toute intellectualisation, a certainement une influence sur lui. » Elle ne parvenait pas à comprendre ce que Rilke pouvait bien trouver en Lou, « cette femme douée d'une intelligence pénétrante et d'un tempérament ardent », qui lui paraissait être, « malgré sa forte sensualité, trop cérébrale ». De son côté, Lou n'aimait guère la jeune femme, et sa peinture moins encore. Quand Rilke lui envoya la photographie d'un portrait que Loulou avait fait de lui, elle se borna à répondre : « Pour moi, ce n'est pas toi. » Et Rilke lui donna raison.

Après le départ de Lou et la rupture de ses relations avec Loulou, Rilke se laisse envahir plus que jamais par la peur de vivre, peur accrue par les croissantes horreurs de la guerre et la menace d'être appelé à son tour aux armées. En cette extrême détresse, il chercha et trouva le salut dans son art. A la fin de novembre 1915, la quatrième *Élégie* était achevée. Inspirée par le désespoir, elle compte parmi les témoignages les plus bouleversants qu'un poète ait jamais rendus sur le destin humain. Son symbolisme obscur, fruit de l'expérience la plus intime de Rilke, gravite autour des questions dernières quant au sens et à la valeur de la vie. Il se sert du symbole de la poupée — dont Lou parle aussi dans ses lettres — pour déterminer l'importance de l'art dans la vie. A-t-il eu raison de sacrifier sa vie à ces poupées? « Importe-t-il d'avoir créé toutes ces poupées? » demande Michel-Ange dans l'un de ses sonnets, et Rilke avait posé la même question à Lou depuis longtemps déjà. Il répond à cette question dans la quatrième *Élégie :* « L'ange et la poupée : voilà le vrai spectacle. » Quoi qu'il pût advenir, il était décidé à attendre, devant le théâtre de poupées qu'était sa vie, la venue d'un ange « qui devait animer les marionnettes ». Selon les commentaires de Lou, c'est l'aversion de Rilke pour ce qui est assujetti au physique qui a fait naître « l'ange dans sa poésie ». Mais, en ce mois de novembre 1915, ce n'était pas le temps de l'ange, mais celui de la mort, une mort grise et anonyme qui emplissait les fosses communes. C'est ainsi que la quatrième *Élégie* se termine par une question d'un orphisme obscur sur le sens de la mort, celle des enfants en particulier, mort que le poète qualifie d'« insaisissable ». Après cette brève flambée, la force créatrice de Rilke s'éteignit et le cycle des *Élégies* se referma de nouveau.

Vinrent alors les années d'attente : Rilke passa le conseil de révision, occupa provisoirement un poste aux archives militaires autrichiennes, puis revint en Allemagne pour y attendre la fin de l'interminable guerre. Dans les quelques lettres que Rilke reçut de Lou à cette époque, il est parfois question des événements marquants du moment. C'est ainsi que Lou écrivait en juillet 1917, à propos de la Révolution russe : « Nous savons bien tous deux que ce que fait en ce moment la Russie n'a pas grand rapport avec ce que les autres révolutions ont fait. Tous ses dénis ne sont encore qu'une manière d'être régentée par son Dieu, même si cela devait la conduire à sa perte. » Et Rilke, qui avait vécu à Munich la Révolution allemande et avait cru, dans les premiers jours, s'en émouvoir, s'était bientôt rendu compte que ce n'était pas là une vraie révolution, une tempête annonciatrice d'un avenir nouveau. « Le mal, conclut-il, nous a été généreusement dispensé. »

Pendant la guerre, Rilke et Lou ne s'étaient vus que rarement et l'avenir qui les attendait était incertain et menaçant. C'est pourquoi Lou lui écrivit en janvier 1919 : « Nous devrions nous voir et nous parler avant qu'il ne soit trop tard. » Rilke lui répondit aussitôt : « Il a été bien souvent nécessaire de nous revoir, mais l'occasion en a été perdue par ma faute, ayant toujours été freiné par mes indécisions. » Mais il fallait à présent, en dépit des conditions défavorables de l'époque, surmonter ces indécisions et accepter une rencontre avec Lou. Il avait formé le projet de se rendre en Suisse, mais il devait absolument revoir Lou avant son départ. « Quel meilleur prélude que notre rencontre me permettrait d'envisager sérieusement l'avenir, si avenir il y a? » concluait-il.

Rilke fit de touchants préparatifs pour le séjour de Lou à Munich, où l'on craignait une révolution. Il lui conseilla d'attendre que le Parlement eût arrêté son attitude « pour éviter que tu n'arrives à la gare au beau milieu d'une fusillade, comme ce fut le cas avant-hier ».

Lorsque Lou, après un voyage de près de trois jours, arriva à Munich dans la nuit du 26 mars 1919, elle trouva dans sa chambre une lettre d'accueil de Rilke et une gerbe de fleurs. Le lendemain, Rilke vint lui-même et, jusqu'au moment de leurs adieux, à la gare de Munich, ils restèrent inséparables. Ce furent pour le poète des semaines bien remplies : les préparatifs de son voyage en Suisse lui réclamaient beaucoup de temps et le fatiguaient; il avait aussi des obligations mondaines car, indépendamment de Lou, Clara Westhoff, Ellen Delp et Régina Ullmann se trouvaient alors à Munich. Ils étaient rarement seuls. Lou note cependant : « Quand je songe à Munich, je ne vois que Rainer. » Si autrefois c'était Rilke qui s'adressait à elle pour lui demander de le conseiller et de le réconforter, c'étaient maintenant les lettres de Lou qui faisaient appel à lui. Elle avait été visiblement très émue par la présence de Rilke et profondément impressionnée par ses poèmes. Il lui lut les *Élégies*, lui en donna des manuscrits, ainsi que le beau poème qu'il avait écrit à Duino en souvenir de leurs amours. « Tu m'as fait don d'un morceau de vie, déclara Lou, et j'en avais besoin plus que tu ne saurais le croire. »

Le temps prévu pour le séjour de Lou s'écoula plus vite

qu'ils ne l'eussent souhaité et ils convinrent de se revoir en octobre. Cette rencontre n'eut pas lieu, car la Suisse, où Rilke avait projeté de faire une tournée de conférences, devint pour lui une résidence permanente. « Tout paraissait si bien aller », écrit Lou dans son livre consacré à Rilke, « mais, tandis que nous parlions et plaisantions encore et que le train se mettait lentement en marche, je sentis l'inquiétude m'envahir et une phrase lourde de sens d'une de ses anciennes lettres de Paris me revint tristement à l'esprit : "Pour moi, je ressens ce qu'éprouve le gibier quand la période d'interdiction de la chasse a pris fin." » Lou avait raison d'être inquiète, car c'est en juin 1919 que se referma à Munich le cycle de leurs relations qui avait commencé là, de façon si inattendue, vingt ans auparavant.

Leur amitié, qui devait durer jusqu'à la mort du poète, se borna désormais à un échange de lettres dont l'ascension artistique de Rilke faisait l'objet essentiel. Exultant, il annonça le 11 février 1922 à son amie qu'il venait d'achever la dernière des *Élégies*, la dixième. Et Lou s'en réjouit avec lui tout en l'avertissant de la possibilité d'un choc en retour : « Parce que la création doit soutenir le créateur. » A quoi Rilke répondit : « Je sais fort bien qu'une réaction peut se produire : après avoir été projeté si haut, on peut retomber n'importe où. » Mais il promit de supporter avec patience tous les ennuis par gratitude pour le miracle dont il avait été comblé. Dans sa réponse, Lou souligna le mot « gratitude » et poursuivit : « Cette gratitude intime est pour moi l'unique preuve de l'existence de Dieu, existence manifeste par les dons qu'il t'a faits. »

C'est par le ton élevé de ces lettres que leur amitié parvint à son point culminant. Ensuite, elle connut de nouveau les plaintes et les angoisses du poète. La réaction que Lou lui avait laissé prévoir s'était produite et, bien que Rilke se fût promis de la subir avec courage, il ne put la surmonter. « C'est un cercle effroyable, gémit-il, un cercle maléfique où je suis retenu comme dans une scène infernale à la Bruegel. » Il supplia Lou, qui connaissait si bien le répertoire de ses craintes, de lui venir en aide une fois encore. Pourquoi ne viendrait-elle pas à Muzot, ne fût-ce que pour quelques jours?

Mais cela ne se réalisa point. Lou tenta de lui redonner courage dans ses lettres, ainsi qu'elle le faisait depuis si longtemps. Se fondant sur l'expérience qu'elle devait à la psychanalyse, elle lui écrivit que « retomber dans l'amertume, dans l'isolement, être à la merci de son propre corps » n'est pas uniquement une réaction après une création ardue, mais plutôt « quelque chose qui en fait partie intégrante, son revers, en quelque sorte, car le diable n'est rien d'autre qu'un *deus inversus* ». Mais ces explications n'apaisaient guère le poète, dont la santé déclinait de plus en plus. Malgré tout, il se cramponnait à Lou comme quelqu'un qui se noie. En décembre 1926, alors qu'il se mourait dans un sanatorium en Suisse, il suppliait encore ses médecins de demander conseil à Lou. « Lou, qui sait tout, connaît sans doute un remède à ma douleur. » Mais il était trop tard et, en face de la mort, Lou elle-même restait impuissante. Rilke avait-il encore été à même de lire les lettres que Lou lui écrivait? Nous ne le saurons jamais.

CINQUIÈME PARTIE

A la recherche d'une âme

1901-1937

CHAPITRE XVIII

Dans l'attente de Freud

Lou entra dans la cinquième décennie de sa vie avec le rayonnement et la vitalité d'une jeune fille de vingt ans. Le contraste entre son âge et son air d'incroyable jeunesse était si grand que ses contemporains moins fortunés pensaient qu'elle devait posséder une formule magique de jouvence. Les liens mystérieux de son mari avec la médecine orientale donnaient lieu à toutes sortes de spéculations. Pour Lou elle-même, la source de la jeunesse était l'amour, l'amour dans toutes ses manifestations, l'amour de la nature, l'amour des bêtes, l'amour des sexes.

Le temps avait adouci ses traits et elle y ajoutait quelque féminité en portant de douces fourrures, des boas et des collets sur les épaules et en retenant ses cheveux d'un blond argenté dans un chignon peu serré, avec des mèches qui s'échappaient sur son front. Ses robes de soie grège bleu-gris rehaussaient le bleu brillant de ses yeux et révélaient de beaux seins, une taille mince et des hanches étroites. Elle était grande et marchait avec la grâce rythmique des femmes qui ont de longues jambes. Sa beauté physique était égalée, sinon dépassée, par la vivacité de son esprit, par *sa joie de vivre*, son intelligence et sa chaleureuse humanité. Elle avait un rire contagieux, sans la moindre trace de malice et, de toute évidence, elle était à l'aise dans la joie. Et pourtant, cette femme généreuse et d'une haute intelligence subit, au cours de ces années, la plus cruelle épreuve de sa vie, une épreuve si douloureuse qu'une fois de plus la pensée du suicide lui traversa l'esprit.

Après sa rupture avec Rilke, en février 1901, Lou passa l'été et l'automne avec Zemek dans la Suisse saxonne et à Vienne. Elle était restée en rapport avec lui et sa sœur Broncia pendant les trois ans et demi de son amitié avec Rilke. Mais comme elle était très discrète au sujet de ses relations personnelles, il est fort possible que Zemek n'ait jamais su que Lou et Rilke étaient amants. En tout cas, Zemek était aux côtés de Lou lorsqu'elle avait besoin de lui et elle passa plusieurs mois agréables en sa compagnie. A son retour chez son mari, à Berlin, elle apprit la mort de Rée. Elle comprit soudain quel rôle fatal elle avait joué dans sa vie. Elle confia à Frieda von Bülow que la mort de Rée était le principal événement de cette fin d'automne :

« Je n'ai pu surmonter cela pendant des semaines et pour certaines raisons terrifiantes que je ne puis vous dire que de vive voix. Vous savez sans doute qu'il a fait une chute mortelle dans la Celerina (Haute Engadine), où nous passions ensemble les mois d'été et où il vivait seul depuis des années, été et hiver. J'ai relu d'anciennes lettres et bien des choses se sont éclairées pour moi. Tout le passé est devenu un présent fantomatique [1]. »

Ce qu'elle ne pouvait dire à Frieda que de vive voix était son soupçon, sa quasi-certitude même, que la mort de Rée n'était pas un accident, mais qu'il s'était tué parce qu'il ne pouvait l'oublier. Pendant quatorze ans, il avait supporté sa perte et n'avait pu la supporter plus longtemps. Sa disparition emplissait Lou d'un profond remords et, vainement, elle sondait son cœur pour y trouver des raisons pour lesquelles elle l'avait quitté. Était-ce sa malédiction de détruire les hommes qui l'aimaient? Son chagrin était si grand qu'elle en tomba malade. Elle commença à souffrir d'une étrange maladie de cœur qui se traduisait par des évanouissements pendant lesquels son pouls cessait de battre. Ce sont ces évanouissements qui firent naître la légende selon laquelle Lou avait le don des fakirs de l'Inde et pouvait arrêter à volonté les battements de son cœur. Ce n'était évidemment qu'une légende, mais sa maladie donnait une réalité physique au conflit majeur de sa vie, le conflit entre son cœur impulsif et sa volonté impérieuse. Elle ne le résolut jamais.

Dans sa détresse physique et mentale, elle se tourna de nouveau vers l'homme dont le tranquille courage l'avait autrefois aidée et dont l'amour lui offrait maintenant la paix et la réalisation. Le Dr Pineles, comme elle l'appelait lorsqu'elle était sa patiente, ou Zemek lorsqu'ils devinrent comme mari et femme, comprit que la maladie de Lou avait pour cause un épuisement nerveux. Il lui fallait apprendre à se détendre. Elle avait trop vécu sur son énergie nerveuse et, finalement, son corps se révoltait. Comptant parmi les jeunes internistes marquants de Vienne, Pineles se tenait en contact étroit avec la neurologie et connaissait les relations qui existent entre

1. L. A. S., *Lebensrüblick*, p. 331.

l'épuisement physique et mental. Il prescrivit de longs repos au lit, l'air frais de la campagne, les promenades, et supprima les livres. Tous deux passèrent l'été de 1902 à excursionner dans le Tyrol et en Carinthie, goûtant les magnifiques paysages montagnards, la saine nourriture des auberges dans les villages autrichiens et leur compagnie mutuelle. Le traitement réussit. Il réussit si bien que Lou devint enceinte.

Ce qu'elle avait auparavant redouté l'emplissait maintenant de joie. Le cercle de sa vie étrangement vécue serait ainsi fermé. Elle allait être mère. Dans ses lettres à Broncia, la sœur de Zemek, jeune mère elle-même, Lou exaltait les joies de la maternité : « Quel bonheur rayonnant doit être vôtre à présent, chère petite maman, écrivait-elle, et combien je donnerais pour être maintenant près de vous, juste le temps de vous embrasser... Vous devez avoir l'impression de revenir d'un long voyage plein d'aventures merveilleuses avec, pour butin, ce petit miracle dans vos bras. »

Et plus tard, lorsque Broncia eut donné naissance à son second enfant, Sylvia, Lou lui écrivit : « J'ai eu pour Sylvia une affection tout à fait spéciale dès que j'ai entrevu son adorable petit visage ensommeillé, comme si c'était ma propre enfant. Et peut-être ressemble-t-elle à ceux que j'aurais pu avoir. »

Eh bien, elle allait maintenant en avoir un. Avec une humble gratitude, elle observait le changement graduel de son corps. La vie remuait en elle, elle avait conçu et allait donner naissance à une vie humaine. C'était merveilleux. Elle était si heureuse, si pleine de ce chaud contentement végétatif, presque animal, qu'elle en oubliait les conditions inaccoutumées de sa vie. Zemek l'avait emmenée à Oberwaltersdorf, un petit village de la Basse-Autriche, où sa sœur Broncia vivait avec son mari et ses deux petits enfants dans une vaste maison de campagne pleine de coins et de recoins et entourée d'un jardin pareil à un parc. C'est là que Lou devait attendre ses couches. Il s'occuperait du reste.

Tout semblait si facile et naturel en ce chaud printemps et en ces premiers jours d'été où la vie mûrissait tout autour d'elle. Elle pouvait rester assise pendant des heures près de la fenêtre, regardant mûrir les pommes, merveilleusement submergée par le flot tiède qui coulait en dedans et au-dehors. Tout était facile, naturel, si paisible! Mais c'était une paix trompeuse et, avant peu, Lou allait être cruellement chassée de son paradis autrichien. Le fantôme d'un homme qui était mort à cause d'elle se dressa contre elle.

Il se peut qu'elle-même n'ait pas eu conscience de sa situation anormale à Oberwaltersdorf, mais ce n'était pas le cas pour les autres, le mari et la mère de Broncia, par exemple. Mme Pineles, vieille dame dévote élevée dans l'austère tradition de la loi mosaïque, était depuis longtemps contrariée par l'union illicite de son fils avec une femme mariée. Elle aimait Zemek et souhaitait de tout son cœur qu'il fût heureux. Mais elle était sûre qu'il ne pourrait trouver le bonheur avec Lou. Peu importaient les circonstances dans lesquelles Lou se trouvait. C'était une femme mariée et elle avait tort de se comporter comme elle le faisait. Elle n'avait pas seulement tort du point de vue social, mais Mme Pineles trouvait cela moralement répréhensible. Si elle y avait acquiescé au début, elle l'avait fait pour l'amour de son fils, mais elle était irritée qu'il eût amené Lou parmi eux à Oberwaltersdorf. Elle n'aimait pas être mêlée à cette affaire et ne pouvait comprendre pourquoi sa fille l'encourageait. Broncia, qui avait fait un mariage heureux, eût dû comprendre que la conduite de Lou était un affront à son sexe.

Le ressentiment de Mme Pineles, qui couvait depuis longtemps, fut à son comble lorsqu'elle apprit la mort de Rée. C'en était trop pour elle. Une femme qui a causé la mort d'un homme était, pour elle, au ban de la société. Il n'y avait pas de place pour Lou sous son toit. Elle accula sa fille à un ultimatum. Broncia enjoindrait à Lou de quitter Oberwaltersdorf dans une semaine. Zemek décida alors d'aller à Berlin raconter à Andreas ce qui était arrivé et de demander pour Lou le divorce. Il voulait l'épouser. C'était le seul moyen de réconcilier sa famille, de protéger Lou et sa propre réputation. Lorsqu'il avait autrefois parlé de mariage, Lou avait toujours affirmé que son mari refuserait de divorcer. Mais les choses étaient maintenant différentes. Andreas devrait s'incliner devant un *fait accompli*. Ne désirant pas effrayer Lou, Zemek lui cacha son intention de voir Andreas. Il lui dit simplement qu'il devait faire un petit voyage. Mais, en un éclair d'intuition, Lou sut où il se rendait et ce qu'il allait faire. Connaissant le tempérament violent de son mari, elle craignit pour la vie de Zemek. Brusquement, ses rêves de maternité se trouvèrent dispersés. Aussi longtemps que vivrait Andreas, elle ne pourrait porter l'enfant d'un autre. Zemek la supplia, mais elle resta inébranlable. Il fallait qu'on la débarrassât de l'enfant.

Nous ignorons ce qui arriva. Selon une version, Lou perdit son enfant accidentellement en tombant d'une échelle alors qu'elle cueillait des pommes. Et si l'on se rappelle les principes de vie que Lou s'était fixés, cette explication paraît tout à fait convaincante, plus convaincante, en tout cas, que les insinuations de quelques sceptiques qui prétendent qu'en sa qualité de médecin il était facile à Zemek de pratiquer l'avortement.

Quoi qu'il advînt, leur situation était désespérée et, pendant plusieurs semaines, la famille Pineles craignit de la voir finir tragiquement. Quand Lou et Zemek quittèrent Oberwaltersdorf pour Vienne et Dresde, un ami de la famille fut dépêché en toute hâte à leur suite. Il devait rester près d'eux, essayer de les consoler et veiller à ce qu'ils ne perdissent pas la tête. C'est cet épisode que Freud avait à l'esprit lorsqu'en écrivant son article nécrologique sur Lou, il dit que « l'événement le plus émouvant de sa destinée de femme eut lieu à Vienne [2]. »

La crise passa, mais Lou et Pineles en restèrent marqués. Cela força Pineles à accepter l'indissoluble lien entre Lou et Andreas, ce qui signifiait qu'il lui fallait renoncer à tout espoir d'en faire sa femme légitime, bien qu'il continuât de vivre avec elle par intervalles pendant un certain nombre d'années. Et cela fit comprendre à Lou que les joies de la maternité lui étaient interdites. Avec une pointe de résignation, elle dit à Rilke, l'année suivante, qu'elle y avait renoncé. Elle avait consacré sa vie à d'autres buts, sans toutefois les désigner. Elle savait qu'elle n'était pas une artiste et ne trouvait pas de véritable accomplissement dans son activité d'écrivain. Il lui fallait apprendre l'art de vivre, croyait-elle, ce qui voulait dire s'engager dans la vie des autres. Peut-être était-ce en cela que résidait son talent. Elle avait essayé de créer des personnages de fiction, des marionnettes nourries du sang de sa vie. Cela n'avait été qu'un pis-aller. La vie était beaucoup plus intéressante, plus merveilleuse et plus passionnante que la fiction. Elle étudierait de plus en plus sa propre vie singulière et celle des êtres qui l'entouraient. Il était plus fructueux de sonder leurs problèmes, et peut-être de les aider à les résoudre, que de faire des poupées de papier.

Le vrai tournant dans la vie de Lou, où la littérature fit place à la psychothérapie, ne survint que lorsqu'elle rencontra Freud, en 1911. Mais, pendant ces années intermédiaires, son activité littéraire diminua peu à peu. Elle écrivit encore quelques livres et un article de temps à autre. Cependant, son intérêt se porta de plus en plus vers les pulsions des hommes : qu'est-ce qui les faisait agir ainsi? Quelles forces les arrêtaient ou les déchiraient? De telles questions l'avaient toujours passionnée. Elle se mit à les étudier sérieusement. Elle savait, par sa propre expérience, que la pulsion sexuelle était l'une des forces les plus puissantes dans la vie des hommes et des femmes. C'était là le thème central de *Dans la zone crépusculaire*, choix d'histoires courtes qu'elle publia en 1902.

2. L. A. S., *In der Schule bei Freud*, p. 11.

Le livre traite de problèmes tels que l'amour passionné d'un père pour sa fille, l'infidélité d'un homme nouvellement marié qui dit à sa jeune femme, scandalisée : « La vie n'est pas telle que tu l'imagines. Évidemment, tu ne peux la comprendre. Tu es encore pleine d'illusions, et tant mieux. Mais crois-moi, Lisotchka, nous sommes tous de pauvres pécheurs, de pauvres pécheurs et rien d'autre. » Dans la quatrième nouvelle, intitulée « La Sœur », l'amour est la force sombre et mystérieuse qui tue une jeune fille : « Où est Macha?... Qu'est-ce qu'un homme avait fait à sa Macha?... Macha a aimé un homme et c'est pourquoi Macha est morte. »

Lou avait plus d'une fois senti la force fatale de l'amour et trouva qu'elle méritait d'être étudiée sans fausse honte. Sur la suggestion de Martin Buber, qui publiait alors une série d'études sociologiques, elle écrivit un livre sur ce sujet. Intitulé *Érotisme*, il parut l'année précédant sa rencontre avec Freud, qui confirma nombre de ses aperçus acquis en toute indépendance.

Pour Lou, l'amour sexuel est avant tout un besoin physique comme la faim ou la soif et ne peut être bien compris que s'il est considéré comme tel. Enraciné dans le sous-sol de notre vie, nous le trouvons même associé aux processus purement végétatifs de notre corps, tels que les rêves. C'est une force animale pure et simple, mais chez l'homme, l'animal supérieur, la pulsion sexuelle est combinée à une influence mentale qui cause une excitation nerveuse. La pulsion sexuelle devient alors sensation. Ceci mène à une idéalisation romantique de l'amour et au désir de sa permanence. Nous exigeons de ceux que nous aimons une fidélité éternelle. Mais, en réalité, tout besoin animal est vite apaisé et réclame un changement à grands cris. L'amour accompli meurt de satiété. Puisque tous les instincts animaux sont assujettis à la loi des retours qui vont en diminuant, la répétition de l'acte sexuel ou son accomplissement habituel émousse le stimulus et augmente le besoin de nouveauté. Il s'ensuit que « la vie amoureuse naturelle dans toutes ses manifestations, et peut-être surtout dans ses formes les plus hautes, est fondée sur le principe de l'infidélité ».

A la base de la pulsion sexuelle, dit Lou, se trouve le désir de l'union totale. On peut le voir très clairement dans la reproduction des animaux unicellulaires tels que les amibes, où le noyau cellulaire se divise et donne naissance à de nouvelles créatures. La procréation, la naissance, la mort et l'immortalité ne font qu'un avec un processus identique. Le désir de l'union totale existe également chez l'homme, mais, en raison du stade avancé de l'état de différentiation du corps humain, où les organes sexuels sont réservés à la procréation, l'amour physique reste une union partielle. Et, parce qu'elle est partielle, elle s'accompagne souvent d'un sentiment de honte. Les organes non participants font intrusion, pour ainsi dire, comme des spectateurs indésirables. Cependant, l'impulsion la plus forte au comble de la passion sexuelle est le désir de fusion complète avec le partenaire.

L'union totale signifie la soumission totale. Puisque cela est impossible pour l'homme, il éprouve, en même temps que son désir de fusion avec sa partenaire, un sentiment accru de sa propre existence. Sa partenaire devient l'allumette qui allume sa propre flamme et libère en lui de puissantes forces créatrices. En conséquence, tout amour, même le plus tragique, laisse un surplus positif. Ne pas avoir aimé signifie n'avoir pas vécu.

L'amour sexuel, la création artistique et la ferveur religieuse, affirme Lou, ne sont que trois aspects différents de la même force vitale. Car la ferveur religieuse elle-même ne pourrait exister si nous n'avions la conviction que nos rêves les plus hauts peuvent jaillir du sol le plus terrestre. C'est pourquoi le culte religieux de maints peuples primitifs est l'expression de leurs coutumes sexuelles. Toute exaltation de l'esprit mène à une exaltation du corps et plus un amour spirituel est intense, plus fort est le désir de l'union physique. Ce triple aspect de la force vitale est symbolisé par la triple fonction de la femme : maîtresse, mère et madone.

La différence entre la passion érotique et la passion artistique est que, dans la première, l'exaltation spirituelle est secondaire et la passion physique primordiale et que, dans la deuxième, c'est l'inverse qui se produit. Par conséquent, même durant l'exaltation créatrice de l'artiste, le plasma germinatif joue un rôle, tout comme pendant l'extase religieuse du saint.

Lou conclut de tout ceci que nous devrions nous rendre compte que l'amour sexuel est beau et dangereux à la fois. Nous ne devrions pas compter sur sa durée, même lorsque notre cœur et notre esprit aspirent à sa permanence. Nous ne devrions pas en faire abus par des manipulations machinales ni nous y livrer avec une mauvaise conscience. Nous devrions n'en user qu'ainsi que l'entend la nature, c'est-à-dire comme une grande force régénératrice de notre vie. « Si deux êtres sont absolument sérieux dans cet acte des plus transitoires, s'ils n'exigent aucune fidélité l'un de l'autre, mais que chacun d'eux se contente du bonheur de l'autre pendant sa durée, ils vivent dans un état de divine folie. »

La distinction que fait Lou entre la divine folie de l'amour sexuel et la quiétude du bonheur conjugal a souvent été tracée.

C'est l'un des plus grands thèmes de la littérature, de *Madame Bovary* à *Anna Karénine*. En règle générale, cela finit tragiquement. Dans la vie réelle, le conflit entre le mariage et l'amour entraîne également des conséquences tragiques, parfois la mort et plus souvent le divorce. La thèse que Lou essaie de défendre, et elle donne des arguments très persuasifs, est qu'il y a de la place pour les deux. Nous avons tous besoin d'un partenaire dans la vie, un mari ou une femme, qui soit notre refuge, notre appui, notre aide, notre frère et le gardien de notre solitude. Mais nous avons également besoin de la force régénératrice de l'amour. Sans elle, notre vie devient terne et nous souffrons d'un sentiment de frustration. L'amour est un élixir de jeunesse. Quand nous en sommes privés, nous déclinons.

Lou, savait, bien entendu, que ses arguments en faveur d'un mariage permettant à chaque partenaire la liberté régénératrice de festins d'amour périodiques étaient assez fantasques, non seulement parce qu'ils allaient à l'encontre des commandements moraux de la plupart des religions, mais parce qu'ils étaient incompatibles avec le puissant instinct possessif profondément enraciné chez l'homme. Combien de femmes seraient disposées à dire ce que disait Lou, qui souhaitait que son mari trouvât une jeune et belle maîtresse? Et combien de maris laisseraient leur femme partir si souvent en compagnie d'autres hommes? Même s'il est vrai que la « divine folie » de l'amour sexuel n'est qu'un vague souvenir dans la plupart des mariages au bout de quelques années, il est également vrai que la liberté sexuelle sans restriction conduirait à l'anarchie sociale.

Il faut rendre à Lou cette justice qu'en réalité son propre mariage n'en était pas un et que son insistance sur la nature extatique de l'amour écartait pour elle toute aventure de hasard. La promiscuité facile dépeinte dans de nombreux romans modernes l'eût scandalisée. C'est précisément parce qu'elle considérait l'amour comme une force élémentaire qu'elle était également opposée à la fausse modestie prêchée par ses contemporains victoriens et aux amours fortuites auxquelles s'abandonnaient nombre de femmes émancipées. Elle sentait que parce que l'amour physique touche au noyau de notre être, il doit être traité comme une chose précieuse et sacrée.

Même dans ces conditions, il n'en reste pas moins que la vie amoureuse de Lou était inaccoutumée et en dehors des normes humaines. Elle aimait comme elle vivait, se donnant entièrement, de toute sa personne, de tout son cœur, de toute son âme. « En aimant, écrit-elle, nous nous soutenons mutuellement, comme lorsqu'on apprend à nager avec une ceinture de liège; nous agissons comme si notre partenaire était la mer qui nous porte. » Cette image caractérise la vie « océanique » de Lou et ses sentiments amoureux. Il est également typique que Freud emploie la même image pour dépeindre la mentalité de l'homme religieux. Cela explique aussi pourquoi les amants de Lou gardaient de leur aventure avec elle un étonnement mêlé d'effroi. C'est ainsi qu'un vieux monsieur dont les relations amoureuses avec Lou remontaient presque à un demi-siècle confiait à ses amis : « Il y avait dans son étreinte une force irrésistible, primitive. Vous regardant avec ses rayonnants yeux bleus, elle déclarait : "Recevoir le sperme est pour moi le summum de l'extase." Et elle était insatiable. Quand elle était amoureuse, elle était absolument sans pitié. Peu lui importait que l'homme qu'elle aimait eût d'autres liens. Lorsqu'un de ses amants avouait qu'il avait des scrupules parce qu'il avait juré de rester fidèle à sa femme malade, elle ne faisait qu'en rire. De tels serments ne pouvaient juguler la force de la vie. Il était stupide de les faire. On pouvait aussi bien essayer de contenir le flux et le reflux de la mer par une adjuration. Elle était tout à fait amorale, et pourtant très pieuse, un vampire et une enfant. Quant aux hommes qui voulaient l'aimer, elle s'en remettait entièrement à son instinct. Un jour, alors qu'elle avait déjà rempli sa fiche dans un hôtel où elle allait passer la nuit avec un ami, elle sentit tout à coup que ce serait un échec. Elle quitta brusquement son partenaire, alla jusqu'à la gare et prit une chambre dans une localité proche. Mais elle s'aperçut qu'elle était encore amoureuse de cet ami. Elle se rappela une lettre qu'il lui avait écrite et qui se trouvait dans son sac. Et, pour apaiser le désir qu'elle avait de lui, elle mangea sa lettre. Elle ne raconta pas cette histoire comme un fait sensationnel. Manger la lettre de son amant paraissait la chose la plus naturelle du monde. »

Mais, là encore, combien d'hommes ou de femmes, si passionnément amoureux qu'ils soient, feraient pareille chose? Ce qui fascina tous les hommes qui connurent Lou intimement fut la nature élémentaire de sa passion féminine, alliée, pour ainsi dire, à la virilité de son esprit presque masculin. Ce fut, dans tous les cas, une fascination fatale, car un homme qui avait été aimé par Lou ne trouvait plus de satisfaction dans les bras d'une autre femme. Zemek lui-même, l'Homme de la Terre, l'ami le plus intime de Lou et son mari, sauf de nom, découvrit durant ces années-là cette vérité amère.

Si Lou avait vraiment voulu divorcer, probablement eût-elle pu le faire, car, à ce moment, Marie, sa gouvernante, donna naissance à un enfant illégitime et Lou ne pouvait douter un seul instant qu'Andreas en fût le père. Mais elle ne demanda point le divorce. Elle semble, au contraire, avoir accepté la petite fille comme si c'était la sienne. Il est naturellement possible que Lou n'ait pas voulu compromettre son mari, auquel on venait d'attribuer une chaire de langues orientales à l'université de Göttingen, par le moindre scandale. Andreas avait cinquante-sept ans lorsqu'il reçut cette nomination si longtemps espérée. C'était apparemment sa dernière chance d'obtenir le poste académique pour lequel il était si bien formé.

En outre, leur déménagement à Göttingen offrait des avantages considérables. Après avoir vécu quinze ans en appartement, ils étaient enfin à même d'avoir leur maison à eux. Ils en choisirent une à la lisière de la ville, une haute construction perchée de façon précaire au sommet de la pente escarpée du Hainberg, avec une vue magnifique sur la large vallée, sur la ville au-dessous et la chaîne de collines à l'horizon. Lou s'installa au dernier étage, où elle avait une chambre à coucher et un cabinet de travail qui ouvraient sur un grand balcon. Son mari et la gouvernante habitaient le rez-de-chaussée. Ils appelèrent la maison « Loufried », comme la petite maison de paysan à Wolfratshausen où Lou et Rilke avaient vécu.

« Elle est située dans un vaste paysage, écrivait Lou à Rilke, qu'elle surplombe avec ses forêts de hêtres et sa longue chaîne de collines, derrière lesquelles se dressent les montagnes du Harz. La ville est à nos pieds, dans la vallée. Et nous sommes entourés d'un vieux jardin plein d'arbres, d'un verger et d'un potager. Il y a même une basse-cour. Ici, je suis devenue une paysanne et mon mari un professeur. »

L'arrivée en 1903, en automne, de ce couple étrange fit sensation parmi la communauté académique de la petite ville universitaire. Lou était bien plus connue que son mari. Son amitié avec Nietzsche faisait d'elle un objet de respect mêlé de crainte et de curiosité et il y eut une agitation considérable parmi les épouses des professeurs de la faculté pour rencontrer la femme dont les livres avaient cette curieuse qualité d'éveiller les sentiments endormis. A leur grand désappointement, elles trouvèrent Lou plus timide que provocante et peu disposée à prendre part à leur vie sociale. Andreas, lui aussi, était très distant à l'égard de ses collègues et ne se montrait que rarement à l'université.

C'était là, assurément, un singulier ménage. On racontait que le couple faisait chambre à part, que tous deux vivaient à des étages différents et que leur gouvernante assumait les fonctions de maîtresse de maison. Tout cela était peu banal. Et quelle était la raison des absences fréquentes de Lou? Presque à chaque printemps, elle quittait Göttingen. On la voyait voyager en compagnie d'autres hommes. Secrètement, ces mères sérieuses, ces femmes de doyens et de professeurs d'université enviaient la liberté de Lou. L'une d'elles prit enfin son courage à deux mains et demanda carrément à Lou ce qu'elle faisait pendant ses voyages.

— Je suppose, Frau Professor, dit-elle avec un regard significatif, que, chaque printemps, vous éprouvez cette nervosité spéciale, cette sensation... vous voyez ce que je veux dire?

— Mais oui, mais oui, répondit Lou, regardant sa questionneuse avec ses souriants yeux bleus, mais hélas, Frau Geheimrat, j'éprouve cette sensation spéciale toute l'année, pas seulement au printemps.

Il était impossible de devenir intime avec Lou et, au bout de quelques années, Göttingen y renonça. On sentait qu'il y avait quelque chose de très bizarre chez les occupants de la maison du Hainberg, mais on ne comprenait pas très bien de quoi il s'agissait, de sorte qu'on les laissa tranquilles. C'était exactement ce que souhaitaient Lou et Andreas. Ils savaient que leur vie ne cadrait avec aucun groupe social et, étant non conformistes, ils n'étaient pas disposés à changer d'existence pour faire plaisir aux braves gens de Göttingen.

Le compagnon de voyage de Lou pendant ces années-là était Zemek. Comme il était médecin, peut-être pensait-elle qu'elle pouvait être vue avec lui sans provoquer trop de racontars. Mais ceux qui la connaissaient intimement, comme Rilke, devinaient leurs relations. Il est certainement significatif que dans la première lettre que Rilke écrivit à Lou après leur rupture, il lui demandait de lui donner l'adresse de Pineles. Nous ne savons si elle la lui donna. Une sorte de comédie des erreurs entre Lou et Pineles, d'une part, et Rilke, d'autre part, survint dans les années qui suivirent. En mai 1904, Lou et Zemek étaient à Venise et Rilke se trouvait à Rome. Rilke souffrait d'une grande dépression et aspirait à être près de Lou. Mais elle se borna à lui envoyer une carte postale. Rilke répondit tout aussitôt :

« Tu étais si près. Je sentais pendant tout ce temps que tu viendrais en Italie. En voyant ta carte, ton écriture et le timbre italien, j'ai eu un grand espoir, un trop grand espoir... » Au mois d'août de la même année, Lou et Zemek passèrent par Copenhague au cours d'un voyage en Norvège. De nouveau, Lou envoya à Rilke une carte postale. Le poète était alors en Suède, mais, lorsqu'il reçut la carte de Lou, il se rendit immédiatement à Copenhague et alla directement à l'hôtel de Lou pour apprendre qu'elle y était venue avec Pineles, mais l'avait déjà quitté. Consterné une fois de plus, il laissa un mot à l'hôtel en la priant de lui télégraphier si elle passait par Copenhague au retour. Il eût refait le voyage de Suède pour la voir. Mais Lou n'envoya pas de télégramme à Rilke. Dans une lettre de Saint-Pétersbourg, elle lui demandait d'excuser sa carte postale, disant qu'il était stupide à elle de la lui avoir envoyée. Les prières de Rilke pour une rencontre personnelle devinrent de plus en plus désespérées, mais Lou les repoussa discrètement. Ce n'est qu'au milieu de 1905 qu'elle lui permit de lui rendre visite à Göttingen.

Parfois avec des amies, parfois avec Zemek, Lou continua ses longs voyages qui la menèrent de la Norvège à l'Espagne et de la France aux Balkans. Elle allait souvent en visite dans sa famille en Russie et dans son large cercle d'amis à Berlin, qui comprenait maintenant Eugen Diederichs, Max Reinhardt, Walter Rathenau et Käthe Kollwitz. Quand elle passait par Vienne, elle avait l'habitude d'envoyer ses bagages de la gare à l'appartement de Zemek. Mais il était de plus en plus difficile à ce dernier de jouer le rôle que Lou lui avait assigné. Il n'aimait pas être maintenu à l'arrière-plan et traité comme une sorte de commodité. Il l'aimait encore et désirait l'épouser. Mais c'était inutile. Lou n'en voulait pas entendre parler. Il décida donc de mettre lui-même un terme à cette aventure, tout en sachant que cela lui briserait le cœur. Lorsque, une fois de plus, les bagages de Lou arrivèrent, il les expédia dans un hôtel.

Quelques années plus tard, alors qu'elle travaillait avec Freud, à Vienne, Lou vit Zemek de temps à autre, mais il n'était guère plus qu'un souvenir. Elle avait trouvé d'autres amis et d'autres intérêts. Zemek chercha l'oubli dans son travail. Il devint un grand médecin, et un membre honoré de la Faculté de médecine de l'université de Vienne. Ses collègues, ses assistants et ses malades l'adoraient. Il ne se maria jamais. Parmi les nombreuses femmes qui lui offrirent de partager sa vie, aucune ne le séduisait autant que Lou. Pendant un quart de siècle jusqu'à sa mort, en 1936, il porta son image dans son cœur. Seule sa famille connaissait la cause de sa tristesse.

CHAPITRE XIX

Exorcisation des démons

Le miroir... cela a commencé avec les miroirs : la naissance de la conscience de l'homme et sa découverte du fait qu'il avait été séparé de la *Magna Mater*, la Terre, et, par conséquent, de la source de vie. Dans la légende grecque, le choc éprouvé en reconnaissant sa propre identité causa la mort du jeune et beau Narcisse. Il devint amoureux de lui-même et se noya en tentant d'étreindre dans l'eau son propre reflet.

Selon Freud, un trait puissant de narcissisme existe chez tous les hommes. Ce point germinal de notre moi idéal est à la base de l'auto-érotisme. Lou avait réfléchi au problème de l'amour de soi avant de rencontrer Freud. Dans son livre, *Erotisme*, aussi bien que dans un article antérieur, « Pensées sur l'amour physique », elle l'avait traité comme étant l'une des deux émotions opposées qui sont éveillées pendant l'acte sexuel, l'autre étant le désir de soumission. Ses études psychanalytiques et sa propre expérience lui avaient apporté des notions supplémentaires sur cette double nature des pulsions inconscientes de l'homme. En réalité, sa contribution majeure à la psychanalyse est son affirmation que le phénomène du narcissisme inclut toujours l'amour de soi et la soumission. Car « on doit se rappeler que le Narcisse de la légende ne se tient pas devant un miroir artificiel, mais devant un miroir de la nature. Peut-être ne se voit-il pas seulement lui-même réfléchi dans l'eau, mais aussi ce qui l'entoure, sinon serait-il resté? Ne se serait-il pas enfui, plein d'horreur? Son visage n'exprime-t-il pas la mélancolie aussi bien que l'enchantement [1]? » L'enchantement parce que son image le ravissait, la mélancolie parce qu'il avait soudain pris conscience de son existence séparée et du fait

1. L. A. S., *Narzissmus als Doppelrichtung*, p. 366.

qu'il ne faisait plus partie intégrante de la terre, de l'eau et de l'air.

La dualité de base de notre subconscient revient sans cesse dans les écrits de Lou et traverse sa vie comme un leitmotiv. Elle était à la fois fortement concentrée sur elle-même et témérairement généreuse. Il en résultait qu'à certains moments elle vivait presque comme une recluse, comme le « Pape au Vatican », et qu'à d'autres elle se dispensait presque sans compter. Il y avait quelque chose d'élémentaire dans ses réactions à toute situation donnée. Étant inébranlablement fidèle à elle-même, elle était incapable d'être fidèle à quelqu'un d'autre. Elle répugnait à la fidélité pour l'amour de la fidélité. Elle eût appelé cela se trahir soi-même.

A l'occasion de son cinquantième anniversaire, on demanda à Lou d'écrire une esquisse autobiographique. Intitulée « Dans le miroir », elle parut en octobre 1911 dans l'*Écho Littéraire.* Elle commence, comme toujours, par rappeler le monde imaginaire de son enfance, faisant observer combien il s'opposait au monde réel qui l'entourait. Et elle rappelle l'épisode où elle est traitée de menteuse par sa jeune cousine, déconcertée d'entendre le récit fabuleux de Lou de ce qui leur était arrivé pendant leur promenade. Mais Lou avait-elle fait un mensonge? Elle ne le pensait pas. Pour elle, l'histoire était vraie. Évidemment, le monde dans lequel elle vivait était différent de celui de sa cousine, bien qu'il fût habité, tout comme le monde de sa cousine, par des gens réels, des gens qu'elle voyait chez elle ou observait dans la rue. Elle pénétrait simplement dans leur vie quotidienne, imaginait ce qu'ils avaient été dans leur enfance ou ce que l'avenir leur réservait. Elle les suivait intérieurement aussi loin qu'elle le pouvait jusqu'à ce qu'ils fussent complètement incorporés dans son ordre de choses à elle.

« Tandis que ces hommes, ces femmes, ces enfants, ces vieillards, me dépassaient sans se douter de rien, leur vie avait déjà été déterminée et tous possédaient à la fois leur jeunesse passée et leur destin futur, leurs ancêtres ou leurs petits-enfants... Et si j'étais morte de la rougeole étant enfant, j'aurais eu la désagréable impression d'être responsable d'innombrables destinées. C'est pourquoi je me suis mise à écrire, à faire des signes par lesquels la vie devient consciente d'elle-même. Cela restait un pis-aller [2]. »

Peu de temps après avoir écrit ces mots, Lou rencontra Freud et apprit de lui que, grâce à l'art de l'analyse, elle pourrait acquérir des vues dans ces forces subconscientes de la vie qu'elle

2. L. A. S., *Im Spiegel*, p. 87.

avait tenté d'exprimer dans ses écrits. Ils se rencontrèrent à mi-chemin, pour ainsi dire, venant de directions opposées : Freud, le rationaliste, descendant dans la profondeur du subconscient, et Lou luttant pour s'élever dans le royaume des relations conscientes.

« Ce n'est qu'en vous suivant, avoua-t-elle plus tard à Freud, que je compris que ce qui est devenu conscient représente le sens et la valeur des poussées inconscientes [3]. »

Par un curieux tour du destin, l'homme qui présenta Lou à Freud, le psychothérapeute suédois, Poul Bjerre, tomba bientôt en disgrâce auprès de l'école freudienne et perdit Lou, qu'il aimait, et qui devint l'un des disciples les plus intimes de Freud. Dans ses souvenirs, Lou ne fait pas plus mention de Bjerre que de Pineles. Et il semble presque qu'en rejetant leur nom de sa mémoire, elle désire éliminer ces deux hommes de sa vie. Il se peut qu'elle ait eu de bonnes raisons pour cela, mais elle serait la première à admettre que le rejet indique toujours que quelque chose d'important se cache derrière un tel fait.

Lou rencontra Bjerre chez une parente éloignée de ce dernier, l'auteur suédois, Ellen Key, qui fut l'une des premières amies et admiratrices de Rilke. Lou, qui connaissait Ellen depuis des années, lui rendait souvent visite. Bjerre était marié et avait quinze ans de moins que Lou, mais, comme la plupart des hommes, il paraît avoir tout de suite succombé à ses charmes. Ils devinrent amants très vite et, pendant une courte période, furent passionnément heureux. Presque à la fin de sa vie, réfléchissant à son aventure avec Lou avec le calme détachement d'un vieillard qui a beaucoup souffert et beaucoup appris, Bjerre la dépeint ainsi :

« On remarquait aussitôt que Lou était une femme extraordinaire. Elle avait le don d'entrer complètement dans l'esprit de l'homme qu'elle aimait. Son immense pouvoir de concentration attirait, pour ainsi dire, le feu intellectuel de son partenaire. Dans ma longue vie, je n'ai jamais rencontré personne d'autre qui m'ait compris si vite, si bien et si complètement qu'elle. En outre, elle s'exprimait avec une franchise presque déconcertante. Elle parlait de ses affaires intimes avec la plus grande indifférence. Je me souviens avoir été choqué lorsqu'elle me raconta le suicide de Rée. "N'éprouves-tu pas de remords de conscience?" lui demandai-je. Mais elle se mit à rire et dit que la conscience est un signe de faiblesse. Je conçois que c'était peut-être de la bravade, mais elle ne semblait pas se soucier des conséquences de ses actes et, à cet égard, c'était une force de la

3. L. A. S., *Mein Dank an Freud*, p. 109.

nature plus qu'un être humain. Sa force de volonté peu commune aimait à triompher des hommes. Elle pouvait être très passionnée, mais seulement dans l'instant et avec une passion étrangement froide. Je crois que Nietzsche avait raison lorsqu'il disait que Lou était tout à fait diabolique, mais il faut l'entendre dans le sens gœthéen du terme, où le mal produit le bien. Elle m'a fait beaucoup de mal, mais elle m'a beaucoup donné. Quand je l'ai rencontrée, je travaillais à établir les bases de ma psychothérapie, qui est fondée, à l'encontre de celle de Freud, sur le principe de la synthèse. Dans mes conversations avec Lou, des choses que j'aurais pu ne pas trouver par moi-même me sont apparues clairement. Comme un catalyseur, elle activait le processus de ma pensée. Il se peut qu'elle ait détruit des vies et des mariages, mais sa compagnie était stimulante. On sentait en elle l'étincelle du génie. On avait l'impression de grandir en sa présence.

« Nos relations durèrent près de deux ans et furent, au début, très intimes. Nous vivions et voyagions ensemble. Elle rendit d'abord visite à sa mère à Saint-Pétersbourg et me rejoignit plus tard à Helsingfors, où je donnais une série de conférences. Elle m'écrivit de Berlin, de Saint-Pétersbourg et de Göttingen. Mais lorsque je la retrouvai à Munich, en 1913, elle avait complètement changé. Elle s'était détournée de moi et était passée dans le camp de Freud. Il y avait là, bien entendu, le jeune Tausk, qui était éperdument amoureux d'elle et plus tard se tua. A Munich, Lou me dit qu'elle avait brûlé mes lettres et me demanda d'en faire autant. Elle ne voulait voir traîner aucune de ses lettres. Je promis de le faire et je tins ma promesse. En ce temps-là, j'étais froissé et ne m'intéressais plus à elle. Mais je le regrette aujourd'hui. Car le côté séduisant de ses lettres était qu'elles reflétaient entièrement sa personnalité. C'étaient les lettres d'une femme passionnée qui, en même temps, était une érudite et une philosophe. Je me souviens qu'elle avait commencé à apprendre le suédois parce qu'elle voulait lire mes livres dans l'original. Ce qu'elle disait au sujet de la langue suédoise était d'un intérêt extraordinaire, même du point de vue philologique. Elle avait de grands dons pour les langues. De fait, elle alliait une intuition peu commune à un intellect peu commun. C'est là une rare association. Le premier de ces traits me semblait russe, le second occidental.

« Elle me dit avoir été une fois enceinte, mais n'avoir pu, ou n'avoir voulu devenir mère. Il se peut cependant qu'il y ait eu des raisons plus profondes à son refus d'accepter la maternité. Devenir mère signifie donner quelque chose de sa propre personne à l'enfant. Une femme qui devient mère se sacrifie en un certain sens à son enfant. Mais c'était là précisément ce que Lou ne pouvait faire. Elle ne put jamais, même durant l'étreinte la plus passionnée (et elle n'était nullement froide), se donner complètement. Elle en parlait toujours, mais ne pouvait le faire. Intellectuellement, elle pouvait se fondre dans son partenaire, mais non humainement. Peut-être était-ce là la vraie tragédie dans la vie de Lou. Elle aspirait à être délivrée de sa forte personnalité, mais n'y parvenait pas. Dans l'acception la plus profonde du terme, Lou était la femme non délivrée. »

Pour être équitable envers Lou, il faut ajouter qu'elle aussi trouvait que Bjerre était non délivré et non affranchi. Elle savait qu'il avait juré d'être fidèle à sa femme malade et souffrait de son infidélité. Elle trouvait que cela démontrait son manque de liberté intérieure et voyait en lui un « obsessionnel » typique : « Il était retenu par des milliers de fixations et d'auto-reproches, mais avait besoin d'une auréole. Pour racheter son amour, il lui fallait être l'infirmier de sa femme [4]. »

Des récriminations mutuelles de cette sorte sont, bien entendu, l'indice d'une désillusion mutuelle. Lorsqu'ils étaient amoureux, ils se voyaient sous un jour tout à fait différent. Pour le jeune Bjerre, Lou était l'inspiration personnifiée, la mère de ses pensées à venir, la maîtresse de sa passion juvénile. Et, pour une brève période, Lou se laissa entraîner par l'ardeur de son amant. Ses idées la séduisaient parce qu'elles touchaient à des problèmes avec lesquels elle s'était elle-même débattue. Lorsque Bjerre lui suggéra de l'accompagner au troisième congrès psychanalytique de Weimar, elle accepta avec empressement. Une fois de plus, l'amour fit tourner la roue de la fortune. C'était l'amour de Gillot qui l'avait aidée à se trouver elle-même. Grâce à l'amour de Rée, elle avait acquis son indépendance. Et voici que l'amour de Bjerre la menait maintenant vers Freud. Dans chaque cas, son amant, qui avait fait office d'agent catalyseur, se trouvait rejeté dès qu'une nouvelle relation était établie.

Le Congrès de Weimar de l'Association psychanalytique internationale s'ouvrit le 21 septembre 1911. Quelque cinquante-cinq membres et invités de nombreuses parties du monde y assistaient. Contrairement à d'autres réunions de cette sorte, il eut lieu dans une atmosphère amicale et détendue. Le président de l'Association était alors le Suisse Carl Jung, mais Freud, son maître indiscuté, présidait le congrès avec une bienveillante autorité. Il avait cinquante-cinq ans environ et était dans toute la force de l'âge. Cet homme posé, qui parlait avec douceur et était entouré d'une auréole de dignité, avait un charme

4. L. A. S., *In der Schule bei Freud*, p. 149.

suranné. Il était de taille moyenne et, sans avoir une lourde carrure, il avait cette tendance à l'embonpoint qui est comme une caractéristique du savant. Son visage, orné d'une moustache grise, était encadré d'une barbe soignée. C'était un visage plein de distinction, animé par des yeux noirs au regard inquiet, ces yeux d'explorateur qui s'était entraîné à voir à travers le mirage du monde. Selon ses dispositions, les yeux de Freud pouvaient être tristes et sévères ou pétillants d'humour. Par tempérament, c'était « *un conquistador* avec la curiosité, la hardiesse et la ténacité qui appartiennent à ce type d'homme [6] ».

Lou fut présentée à Freud par Bjerre au début du Congrès de Weimar. Elle se rappelle que Freud se mit à rire devant son « désir exprimé avec véhémence d'étudier la psychanalyse ». Elle n'avait que cinq ans de moins que lui, mais elle se conduisait comme une enfant qui vient de voir un nouveau et merveilleux jouet et veut le posséder. Son ardeur paraissait quelque peu naïve, car personne ne savait mieux que Freud à quel point les voies de l'inconscient sont tortueuses et quel travail patient est nécessaire pour le découvrir. Il lui avait fallu la moitié de sa vie pour parvenir à ses conclusions et Lou, elle, était impatiente de les assimiler en quelques cours. Rien de surprenant à ce qu'il fût amusé et lui demandât, avec une lueur de malice dans les yeux, si elle le prenait pour le Père Noël. Mais l'ironie de Freud ne découragea pas Lou et, peu à peu, l'amusement de Freud fit place à l'émerveillement. Quelle femme étrange c'était là! Il avait appris que Lou était écrivain et connaissait ses relations personnelles avec Nietzsche. Le destin de Nietzsche à Lou avait certainement enseigné le tragique et la complexité des processus psychiques. Mais tandis qu'elle était là devant lui, radieuse et pleine de vitalité, elle semblait être la contradiction de toute conception tragique du monde. C'était assurément une femme réfléchie. En vérité, en l'entendant parler, Freud fut frappé par la profondeur de ses observations. Sa brillante intelligence était indubitable. Même durant leur premier entretien, Freud sentit que Lou le comprenait parfaitement. Pourquoi, en ce cas, en face de toute l'évidence du contraire, persistait-elle dans son « joyeux optimisme »? Cette question intrigua Freud et continua de l'intriguer pendant les nombreuses années que dura leur amitié.

Le nom de Nietzsche fut souvent cité dans des discussions officieuses pendant le Congrès de Weimar. Il était généralement connu que la sœur de Nietzsche, Elisabeth, habitait la ville et était l'énergique directrice des Archives Nietzsche, qu'elle

5. Ernest Jones, *La vie et l'œuvre de Sigmund Freud.*

avait fondées. Lou, bien entendu, évitait avec soin sa grande adversaire. Elle dut être amusée lorsqu'elle apprit que deux des collaborateurs les plus proches de Freud rendirent visite à Élisabeth et lui dirent que son célèbre frère avait anticipé nombre des trouvailles de Freud. Connaissant l'antisémitisme virulent d'Élisabeth, Lou pouvait la voir au supplice à la pensée que le nom de son frère était associé à celui de Freud. Le « Fidèle Lama » se mit en colère lorsqu'elle apprit la présence de Lou dans la ville. L'aventurière russe lui avait donné assez de souci dans le passé. Elle lui avait publiquement dénié à elle, Élisabeth, le droit d'être l'unique interprète autorisée de la philosophie de Nietzsche. Allait-elle traîner le nom de son frère dans la boue psychanalytique? Élisabeth était furieuse de n'y pouvoir rien faire. Pour le meilleur ou pour le pire, Lou était le lien vivant entre Nietzsche et Freud.

Ce que Lou apprit à Weimar fit sur elle une telle impression qu'elle décida d'étudier sérieusement la psychanalyse. Travaillant tantôt seule, tantôt avec Bjerre, elle saisit rapidement les concepts majeurs de Freud. Mais plus profondément elle pénétrait dans les complexités de la science nouvelle, plus elle sentait qu'il lui faudrait travailler pendant un certain temps avec Freud lui-même.

« Depuis qu'il me fut permis d'assister au Congrès de Weimar, en automne dernier, lui écrivait-elle, il m'a été impossible d'abandonner l'étude de la psychanalyse, et plus profondément je pénètre dans ce domaine, plus il me passionne. A présent se réalise mon désir de pouvoir aller à Vienne pour quelques mois. Puis-je donc m'adresser à vous, suivre vos cours et obtenir la permission de me joindre à votre groupe du mercredi soir? Ma seule raison de venir à Vienne est mon désir de me consacrer entièrement à ces questions [6]. »

Freud acquiesça aimablement à sa demande, disant qu'il sentait que le fait qu'elle avait assisté au Congrès de Weimar était un « heureux augure ». Il lui montrerait volontiers les quelques aspects de la psychanalyse qui peuvent être exposés à un profane. Ainsi encouragée, Lou partit pour Vienne à la fin d'octobre 1912, accompagnée de sa jeune amie, Ellen Delp, et y passa six mois. Ce fut une période de travail concentré, de longues discussions, parfois très animées, et de nombreuses conversations cœur à cœur avec Freud.

Les relations entre Lou et Freud, qui avaient commencé sous de si bons auspices, se resserrèrent avec les années et ne furent pas entamées par certains désagréments majeurs. Cela

6. L. A. S., *In der Schule bei Freud*, p. 11,

est d'autant plus remarquable que Freud et Lou avaient de fortes convictions qui n'étaient nullement identiques et que ni l'un ni l'autre ne trouvait facile de transiger sur des positions intellectuelles au nom de l'amitié. Quand Lou rejoignit Freud, celui-ci avait des dissensions très désagréables avec d'anciens disciples. Il s'était déjà séparé de son ancien collaborateur, Alfred Adler, et était en pleine controverse avec un autre membre éminent parmi ses initiés, Wilhelm Stekel. Et, le pire de tout, la menace de dissidence de son disciple favori, le Suisse C. G. Jung, qui avait suivi Freud pendant un certain temps, lui était alors très amère et lui causait un grand chagrin personnel.

Involontairement, Lou fut entraînée dans le conflit Freud-Adler parce qu'elle avait exprimé le désir d'assister aux cours d'Adler aussi bien qu'à ceux de Freud. Comme les relations entre les deux hommes et leurs disciples étaient rompues, ce que Lou ignorait, sa requête avait dû paraître quelque peu naïve. Mais, des deux côtés, on consentit tacitement à faire une exception dans son cas et à l'admettre dans les séances, pourvu qu'elle gardât strictement pour elle ce qui transpirait de chacun des groupes. Dès le début, Lou fut ainsi placée devant l'un des aspects les moins plaisants de la psychanalyse : les heurts violents des personnalités de ses praticiens, leurs revendications et contre-revendications et leurs attaques souvent virulentes les uns contre les autres.

Pendant un temps assez court, Lou se soumit à cette situation quasi schizophrénique, mais elle cessa bientôt d'assister aux cours d'Adler et se rallia à Freud. Cette aventure est peut-être la raison pour laquelle elle défendra Freud plus tard en termes vigoureux dans ses écrits psychanalytiques. Elle commence presque chaque article par une allusion aux détracteurs de Freud. Ce qui éloigna Lou d'Adler fut son affirmation que ce sont des défauts organiques qui se trouvent la cause des troubles psychiques. Elle pensait qu'en matière de psychanalyse il n'y avait rien à gagner à tenter de découvrir les causes physiques de tout complexe d'infériorité. Le refus ironique d'Adler de la théorie freudienne de la libido (« cette fleur de rhétorique sexuelle qui est censée être l'essence des choses [7] ») élargit la brèche entre lui et Lou. Car Lou partageait la conviction de Freud que la pulsion sexuelle, prise dans le sens le plus large, est le premier mobile des actions humaines et, en réalité, de la vie elle-même. Enfin, Lou était irritée par les critiques auxquelles se livrait Adler sur la personne de Freud. Elles lui

7. *Ibid.*, p. 14.

paraissaient mesquines et injustes. Car elle admirait l'impassible honnêteté de Freud dans l'exploration de ces aspects cachés, et souvent répugnants, de l'âme que l'esprit conscient essaie de réprimer. Elle savait qu'au fond du cœur Freud était un rationaliste qui eût été bien plus heureux s'il n'avait été forcé de reconnaître l'immense pouvoir des forces irrationnelles qui façonnent notre destinée. Elle savait aussi que le conflit entre sa prédilection rationaliste et sa pénétration croissante dans la puissance de l'irrationnel était à la base du pessimisme de Freud. Il ne voyait aucun espoir pour un monde dirigé par les pulsions, les angoisses et les exigences inconscientes.

Il en était autrement pour elle. Ayant une optique différente, elle voyait dans l'inconscient la source de vie, le grand réservoir de toute activité créatrice, et elle abordait ce problème avec émerveillement et respect. Le don que lui offrait la psychanalyse était « la rayonnante expansion de son être » en lui permettant d'avancer à tâtons vers la source qui le reliait à la totalité de la vie. Elle sentait que le dieu caché du « fleuve du sang » et le Dieu des rêves de son enfance formaient le grand cercle qui renferme la vie. Elle acceptait humblement le fait que les plus hautes aspirations de l'homme et ses besoins les plus terrestres viennent de la même source. Lorsqu'elle s'exprimait en de tels termes, Freud observait d'un ton sec qu'elle voyait apparemment dans la psychanalyse une sorte de clé magique qui ouvrait la porte du plus merveilleux des mondes. Et elle acquiesçait allégrement. Car, pour elle, la psychanalyse n'était pas le moyen de résoudre des conflits intimes, mais d'acquérir des vues plus profondes. Il n'y avait eu aucune discordance entre ses pulsions inconscientes et ses actes conscients. Bien entendu, ces tensions non résolues entre son cœur impulsif et sa forte volonté avaient pu la faire souffrir comme les autres, mais les conflits majeurs de sa vie étaient dus à ce qu'en obéissant à ses impulsions, elle avait enfreint les conventions sociales et les tabous. Freud lui enseignait à présent que les contraintes imposées à l'individu par la société tendent à entraver sa croissance en l'obligeant à réprimer ses pulsions. Cette connaissance lui montrait combien elle avait eu de chance dans sa propre vie et combien elle avait eu raison en refusant de s'incliner devant les ordres de la société. Si elle avait encore eu le moindre doute à cet égard, elle en était maintenant tout à fait libérée.

L'entrée de Lou dans le cercle freudien fut saluée comme un « heureux augure » non seulement par le maître lui-même — qui avouait s'être attaché à elle au point d'être contrarié lorsqu'il voyait son siège vide pendant ses cours — mais aussi par la plupart de ses disciples. Ils sentaient que la présence de Lou et celle de sa jeune et belle amie Ellen ajoutaient une note de chaleur féminine à leurs discussions souvent arides. La plupart du temps, Lou écoutait tranquillement, tantôt prenant des notes, tantôt tricotant, mais prêtant toujours une grande attention à ce que l'on disait. Les plus surprenants exposés sur le comportement des névrosés ou l'importance accordée à la sexualité la laissaient absolument impassible. Un jour, tandis qu'elle tricotait, quelqu'un la désigna du doigt et dit plaisamment que Lou semblait jouir en s'adonnant à un coït continuel, symbolisé par le mouvement de ses aiguilles à tricoter. Elle se contenta de sourire et continua de tricoter.

Le contraste entre l'heureux caractère de Lou et la sombre idée que Freud se faisait du monde aboutissait parfois à des incidents assez amusants. Un jour, par exemple, Freud lui dit qu'il venait tout juste de tomber sur la *Prière à la Vie* de Nietzsche et la trouvait exécrable. Il ne comprenait pas qu'un philosophe pût écrire d'aussi grandiloquentes absurdités que :

Millénaire à exister, à penser, à vivre!
Dans tes deux bras, serre-moi de toutes tes forces!
Si tu n'as plus de bonheur à me donner,
Donne-moi ta douleur.

« Non, non, dit Freud, je ne saurais donner mon adhésion à ça. Un bon rhume de cerveau me guérirait de tels souhaits [8]! » Il ne se doutait guère que ce n'était pas de Nietzsche qu'il se moquait et que l'auteur de ces absurdités était assis devant lui. Peut-être Lou le lui dit-elle. En tout cas, elle avait beaucoup trop d'affection pour lui pour être blessée par son ironie et se mit probablement à rire avec lui.

Qu'elle fût capable de se moquer d'elle-même, qu'elle fût sans malveillance et n'eût pas la moindre vanité quant à sa personne ou à son œuvre littéraire étaient des traits de caractère que Freud admirait chez Lou. La plupart de ses collaborateurs étaient des jeunes gens terriblement ambitieux et sérieux, qui se froissaient facilement et l'affrontaient avec l'esprit rebelle de certains fils devant un père gênant. Peu importait que leurs sentiments fussent justifiés ou non (et Freud, sans aucun doute, présidait son école comme un patriarche de l'Ancien Testament), c'était pour lui un agréable soulagement de trouver quelqu'un qui refusait de se laisser entraîner dans leurs éternelles querelles de famille. C'était

8. *Ibid.*, p. 261

plus agréable encore lorsqu'il s'agissait d'une femme rayonnante, pleine d'expérience et de maturité, dont l'esprit bien exercé pouvait suivre avec aisance ses arguments les plus subtils. Freud, il est vrai, ne pouvait partager l'optimisme de Lou, et lorsqu'elle s'exclamait que, quoi qu'il en fût, « la vie était magnifique », il se demandait si elle avait compris quelque chose à tout ce qu'il avait tenté de lui dire. Mais alors elle le surprenait toujours par une étonnante pénétration acquise par une sorte de synthèse intuitive qui dépassait de beaucoup les limites de sa propre méthode analytique. Pour résumer ce qui les différenciait, Freud disait que, tandis qu'il écrivait en prose, Lou était « le poète de la psychanalyse ». C'est sur ce fond de respect mutuel qu'ils se lièrent d'amitié, amitié qui dura jusqu'à la fin de leur vie, pendant près d'un quart de siècle. Durant toutes ces années, Lou fut la plus dévouée des interprètes de Freud.

Il était inévitable qu'au cours de son séjour de six mois à Vienne, où elle apprit l'art de l'analyse qu'elle allait bientôt pratiquer elle-même, Lou formât des liens intimes avec l'un ou l'autre des jeunes hommes qui entouraient Freud. Inévitable parce que l'âge avait augmenté plus que diminué son sex-appeal, et particulièrement inévitable dans une atmosphère où les questions sexuelles formaient le thème constant de la conversation. Lorsqu'un homme et une femme qui partagent la même curiosité intellectuelle et passent des heures à parler d'un sujet devant fatalement éveiller leurs émotions se sentent également attirés physiquement l'un vers l'autre, le résultat n'est pas difficile à prévoir. Longtemps avant d'avoir rencontré Freud, Lou avait écrit que de nombreux chemins mènent de l'excitation intellectuelle à l'amour physique et les événements de sa vie le confirmaient. Elle se trouvait de nouveau dans cette situation. Personne n'ignorait que Bjerre était l'amant de Lou lorsqu'elle avait rencontré Freud à Weimar, mais Bjerre n'était pas à Vienne et, en tout cas, Freud n'avait pas beaucoup de considération pour lui. Il était donc raisonnable de présumer que, tôt ou tard, quelqu'un d'autre réclamerait sa place. Apparemment, plusieurs d'entre eux le firent. Même le jeune baron von Gebsattel, le « benjamin » du groupe, trouva irrésistibles les charmes de Lou, bien qu'elle eût plus du double de son âge. On raconte qu'il avait froissé Lou en lui demandant brusquement, au cours d'une heure intime, quel âge elle avait. L'homme qui conquit finalement l'amour de Lou fut l'un des plus jeunes et des plus doués des disciples de Freud, le Dr Victor Tausk.

Tausk, alors âgé de trente-cinq ans (seize ans de moins que

Lou), grand et bel homme, possédait à un haut degré cette qualité que les femmes trouvent séduisante et dangereuse. Ellen Delp elle-même, la jeune amie de Lou, était très éprise de lui et eût peut-être succombé si Lou, qui avait sur Tausk ses propres desseins, n'était intervenue. Tausk avait invité Ellen, qui était actrice, dans son appartement pour une lecture privée des scènes de Gretchen de *Faust*. Mais peu de temps avant l'heure fixée pour le rendez-vous, Lou dit à son amie que Tausk la priait de l'excuser parce qu'il était occupé à autre chose. Apparemment, ce n'était pas vrai. Tausk attendit Ellen et lui demanda plus tard pourquoi elle n'était pas venue. Quand les émotions de Lou étaient en jeu, elle pouvait être sans merci.

Bien que Tausk fût le favori des femmes, c'était un homme profondément malheureux. La brève histoire de sa vie fait l'effet d'une course d'obstacle qu'il ne pouvait espérer gagner et qu'il abandonna finalement en désespoir de cause. Il était croate, avait fait des études de droit et était devenu juge. D'amères épreuves personnelles l'avaient forcé à renoncer à sa profession peu de temps après ses débuts. Il fit du journalisme et travailla pendant un certain temps à Berlin et à Vienne. Là, il entra en rapport avec Freud et décida de consacrer sa vie à la psychanalyse. Comme tant d'autres, Tausk était sans doute attiré par la science nouvelle parce qu'il espérait qu'elle l'aiderait à résoudre l'énigme de sa propre vie. Handicapé par une effroyable situation familiale (il avait fait un mariage malheureux et était père de deux garçons) et par un manque d'argent chronique, il avait entrepris l'étude de la médecine et préparait son examen final lorsqu'il rencontra Lou.

Tausk était l'un de ceux qui dirigeaient les débats sur la théorie freudienne et Lou assistait régulièrement à ses séminaires. Elle aimait la façon dont il présentait les idées de Freud et, seulement de temps à autre, elle pensait qu'il suivait le maître trop servilement et n'était pas toujours d'accord avec ses conclusions. Il était nettement le plus marquant de ceux qui menaient les discussions, mais Lou remarquait que Freud le critiquait plus que les autres. Apparemment, Freud trouvait que Tausk était trop impétueux, trop enclin à s'aventurer dans des régions qui n'avaient pas encore été complètement explorées. Mais c'était là précisément ce qui plaisait à Lou. Elle sentait chez Tausk une force primitive, « la bête de proie », comme disait Freud, une force que Tausk réprimait en se forçant à penser analytiquement. Lou observait la lutte entre ces deux tendances opposées et espérait que son amour aiderait à l'apaiser. « Je sentais dès le début que c'était précisément cette lutte qui m'émouvait si profondément : la lutte de l'animal humain. Mon frère animal. Toi[9]. »

Et ce que pouvait faire l'amour, l'amour de Lou le fit. Pendant un certain temps, Tausk fut en paix avec lui-même. Ils parlaient philosophie, sujet qui faisait froncer les sourcils à Freud. Tausk montra à Lou un essai qu'il avait écrit sur Spinoza et qu'elle lut avec un grand intérêt. Puisque Spinoza était le seul philosophe avec lequel elle s'était sentie en étroite affinité, même étant toute jeune, elle était ravie de découvrir qu'il était le philosophe de la psychanalyse. Elle était si impressionnée par la pénétration philosophique de Tausk qu'elle lui conseilla de s'exprimer plus souvent dans cet idiome qui lui paraissait naturel, au risque de déplaire à Freud. Parfois, ils délaissaient leurs études et, comme des enfants qui font l'école buissonnière, s'amusaient secrètement en allant au cinéma voir ces premiers films muets dont on se souvient avec une nostalgie souriante. Lou, elle aussi, souriait en y pensant plus tard. Mais elle ne partageait pas le mépris des intellectuels pour cette « Cendrillon des arts ».

« Même si ce n'est qu'un amusement superficiel, il enrichit nos sens d'une profusion d'images, de formes et d'impressions[10]. » Elle prédisait que le cinéma aurait un grand avenir dans un monde où la croissante monotonie du travail causait une telle lassitude intérieure que les formes de l'art les plus exigeantes ne pourraient plus satisfaire les besoins de la majorité. Et elle ne regrettait pas ces demi-heures volées qu'elle passait avec Tausk au Cinéma Urania à Vienne. C'était amusant et elle y prenait plaisir. Quant à Tausk, il se sentait plus détendu que jamais. Pour la première fois de sa vie, il avait trouvé une femme disposée à partager les deux aspects de son caractère, l'un sérieux, l'autre enjoué, une femme à l'esprit brillant, au corps merveilleux et qui avait le don de le mettre à l'aise avec lui-même.

On se demande quelle direction la vie de Tausk eût prise si Lou avait été capable de rester auprès de lui. Le fait qu'elle le favorisait convainquit Freud que Tausk devait valoir plus qu'il ne le croyait et il s'avouait que, sans Lou, il se fût séparé de Tausk parce qu'il le considérait comme un danger pour l'avenir de la psychanalyse. Mais Lou ne pouvait rester près de Tausk, ainsi qu'elle le lui avait clairement exposé dans une longue conversation qu'ils avaient eue sur l'infidélité. Tausk appelait la faculté de certaines femmes d'entrer en de nom-

9. *Ibid.*, p. 189.
10. *Ibid.*, p. 103.

breuses relations intellectuelles avec des hommes « polyandrie sublimée ». Mais Lou objectait que les femmes infidèles ne quittent pas nécessairement un homme pour le suivant. Souvent, elles sont simplement obligées de retourner à elles-mêmes. Leur infidélité n'est pas de la trahison. « Une femme, dit-elle, est comme un arbre qui aspire à la foudre qui le déchire et qui pourtant, comme un arbre, a le désir de croître [11]. » Elle n'a par conséquent que le choix de rester un « arbre fracassé », la prétendue meilleure moitié d'un homme (pourquoi l'une des moitiés pouvait être la meilleure passait l'entendement de Lou) ou de recommencer une croissance nouvelle après chaque coup de foudre : le choix entre le sacrifice de son intégrité ou l'infidélité. L'amour est une passion élémentaire. Tenter de le conserver est aussi absurde qu'il le serait d'essayer de conserver une tempête. Chaque tempête s'apaise d'elle-même, car c'est la nature des tempêtes. Il en est ainsi de l'amour. Plus un amour est passionné, plus courte est sa durée. La fidélité mutuelle ne peut subsister que si les passions élémentaires ne sont pas en jeu. Il y a des crimes de la passion, mais un mariage passionné est une contradiction évidente.

Tausk, qui était passionnément amoureux de Lou, écoutait ses arguments avec des sentiments mêlés. Son esprit lui disait qu'elle avait raison, mais il ne pouvait s'empêcher de sentir que « tout amour aspire à l'éternité, une profonde éternité ». Quand Lou mit fin à cette brève aventure et rentra à Göttingen, Tausk se jeta dans le travail avec la fureur du désespoir. Il passa ses examens, devint neurologue et, pendant la guerre, médecin-chef d'un hôpital militaire. De retour à Vienne après la guerre, déprimé par les horreurs qu'il avait vues, il essaya de refaire sa clientèle dans des conditions très difficiles et se fiança. Il était sur le point de se remarier lorsqu'une semaine avant son mariage, accablé de désespoir, il se tua. On raconte qu'il mourut d'une mort particulièrement affreuse, en s'émasculant d'abord. Il avait quarante-deux ans. Lorsqu'elle apprit sa mort, Lou écrivit à Freud : « Pauvre Tausk, je l'aimais. Je croyais le connaître, et pourtant je n'aurais jamais pensé à la possibilité d'un suicide... J'imagine que sa mort fut celle d'un violent, mais aussi d'un malade [12]. »

L'ouverture des hostilités et les brutalités commises dans les deux camps par des hommes civilisés confirmèrent Freud dans son estimation très pessimiste de la nature humaine. Qu'il était mince, ce vernis de civilisation, et qu'elle était puis-

11. *Ibid.*, p. 133.
12. *Ibid.*, p. 232.

sante, cette force qui poussait l'homme à se détruire lui-même! « Où est maintenant votre optimisme? » demanda-t-il à Lou. Il lui était difficile de répondre à cette question. La guerre représentait pour elle une horreur particulière : elle la coupait de sa famille, en Russie, et entraînait dans un combat mortel le pays qu'elle aimait et où elle était née et celui où elle s'était créé un foyer. Elle ne pouvait partager les sentiments patriotiques de ses compatriotes allemands (comment eût-elle pu se réjouir des victoires qu'ils gagnaient au début de la guerre sur ses frères russes?) ni leur souhaiter du mal. En ce qui concernait Lou, c'était, littéralement parlant, une guerre fratricide qui la laissait glacée d'horreur.

« Je ne puis guère exprimer par des mots ce qui me cause une telle angoisse, écrivait-elle à Rilke en septembre 1914, mais, vois-tu, voilà ce qu'il en est : dans notre idée, la guerre est pareille à une poupée. Je lisais, l'autre jour, qu'un uniforme ennemi, avec tout son accoutrement, avait été accroché à l'avant d'une locomotive comme un mannequin; et, involontairement, j'ai pensé : c'est là l'image, le symbole. » Le mannequin ennemi était la représentation visuelle de leur haine de soi. Mais, hélas, au lieu de se contenter de la décharger sur une chose inanimée comme un mannequin, ils se mettent à tirer sur des corps vivants, sans se rendre compte de la duperie monstrueuse, tout comme si, pendant les manœuvres, de vraies munitions avaient été fournies par erreur. Voilà ce qui lui faisait horreur : la sinistre irréalité de la guerre, sorte de vampire qui suce le sang pour apaiser le besoin de l'homme de se détruire lui-même. Mais il n'y a aucune échappatoire parce que « nous sommes tous et serons toujours nos propres assassins, et de nous-mêmes et les uns des autres. Peut-être est-ce inévitable, mais, à cause de cela, notre culpabilité est terriblement universelle et notre unique moyen de rédemption est de l'accepter telle quelle, de sentir l'universalité de notre culpabilité. Quand j'eus compris cela, je me rendis compte avec étonnement que, pour cette raison, je me serais battue, moi aussi, si j'avais été un homme, et si j'avais eu des fils, j'aurais envoyé mes fils à la guerre. »

L'emploi par Lou du mot « culpabilité » est ici significatif parce que dans le premier article qu'elle avait publié dans la revue de Freud, *Imago*, un an environ avant la guerre, elle avait déclaré avoir une « prévention innée contre tout sentiment de culpabilité ». Maintenant, elle l'acceptait comme une inévitable condition de l'existence humaine, mais elle se refusait encore à s'abandonner au désespoir. Les horreurs de la guerre et sa pénétration croissante dans les obscurs abîmes de l'âme lui firent donner une expression plus discrète à sa joie de vivre. Elle augmenta sa compassion pour ses semblables et étendit ses sympathies. Les discussions purement théoriques sur des thèmes psychologiques ou les essais littéraires tendant à les présenter sous forme de fiction ne la satisfaisaient plus. Elle aspirait à alléger de son mieux la souffrance et l'angoisse de l'animal humain. Bien qu'elle n'eût aucune formation médicale officielle, elle avait passé la plus grande partie de sa vie adulte en la compagnie de médecins dont elle avait beaucoup appris et elle avait un don inné de l'art de guérir. Encouragée par Freud, elle adopta la profession de psychothérapeute.

La guerre et le chaos de l'après-guerre amenèrent un grand accroissement des troubles psychiques de toutes sortes exigeant une aide psychiatrique à laquelle les moyens traditionnels ne pouvaient répondre. La longue lutte de Freud pour que sa profession fût reconnue entrait maintenant dans une phase nouvelle. Nombre de ses collègues, autrefois sceptiques, commençaient à prendre ses idées au sérieux, se soumettaient à des analyses didactiques et lui adressaient leurs malades. Puisque ses disciples et lui-même ne pouvaient suffire à toutes ces demandes, s'ouvrait pour Lou un large champ de travail. C'est ainsi qu'elle passa six mois à Königsberg, en 1923, analysant cinq médecins en même temps qu'un certain nombre de leurs malades. C'était un travail épuisant. Freud, lui-même infatigable, avait averti Lou que faire dix heures de psychanalyse par jour était beaucoup trop et pourrait altérer sa santé. Mais elle persista. Elle trouvait un véritable accomplissement dans son travail et, si elle était fatiguée à la fin de la journée, elle se sentait amplement récompensée par la confiance que ses malades mettaient en elle.

Encore profondément émue par ses expériences de Königsberg, elle écrivit à Rilke en lui parlant de sujets chez lesquels, « en raison de leur névrose, tout était mort, qui étaient morts à eux-mêmes, non seulement à cause de leur profonde apathie, mais aussi parce que tout ce qui est vivant (les hommes, les animaux, la nature) devenait tout aussitôt pour eux des choses, des objets sans valeur et, finalement, des rebuts, ce qui provoquait de terribles états d'angoisse et des frayeurs sans nom. Ils se sentaient des morts parmi les morts, étrangers à eux-mêmes et à toute logique, vivant dans la terreur. » Puis elle décrit comment une femme souffrant d'agoraphobie (Rilke en avait été autrefois affligé, au grand effroi de Lou) avait retrouvé la joie de vivre : « C'est chez nous qu'elle prit conscience, dans le sentier de la forêt, que les arbres vivaient et ce qu'exprimaient les champs moissonnés, si clairs, si jaunes.

Elle cria de joie parce que la splendeur du monde venait de lui être rendue et que la terre accueillait ses pas libérés. »
C'étaient ces expériences qui emplissaient Lou d'un bonheur reconnaissant pour le travail béni qu'elle accomplissait. L'un des médecins qu'elle analysa à Königsberg nous relate ses succès en ces termes :

« J'avoue que la façon dont Lou m'analysa laissa en moi une impression profonde et me fut toute ma vie d'un grand secours. Depuis lors, je suis bien moins enclin à me laisser choquer par les actions d'autrui. Car si l'on a affronté une fois son « salaud intérieur » — et chacun de nous a le sien — on est beaucoup moins prêt à s'indigner au nom de la morale. C'est le grand avantage de ces analyses : elles vous rappellent à l'humilité.

« Pour le reste, j'avais l'impression que Lou était plus intéressée par le côté psychologique que par les aspects médicaux de la psychanalyse. Et, après tout, chaque vie est un roman. Pour un écrivain, tel que Lou l'était à l'origine, rien ne saurait être plus intéressant que d'explorer la vie d'autrui. Ce sont des romans vivants. Je me rendais compte que Lou trouvait beaucoup plus enrichissant de participer à la vie des autres que d'écrire des romans. Je puis fort bien le comprendre. Etant médecin, il est rare, à présent, que je lise des romans. Pourquoi le ferais-je? Chaque jour, j'entends et je vois des choses qu'aucun auteur ne pourrait imaginer. Car, de beaucoup, la vie surpasse l'art. Je suppose que Lou se tourna vers la psychanalyse parce qu'elle lui permit de pénétrer dans les secrets les plus profonds de la vie de ses semblables.

« Elle avait une très calme façon de parler et le don d'inspirer confiance. Je suis encore un peu surpris aujourd'hui de tout ce que j'ai pu lui dire alors. Mais j'ai toujours eu le sentiment que non seulement elle comprenait tout, mais pardonnait tout. Je n'ai jamais eu de nouveau l'impression de bonté conciliante, ou, si vous voulez, de compassion, que celle que j'ai éprouvée auprès d'elle.

« Nous nous asseyions généralement l'un en face de l'autre dans une demi-obscurité. Je parlais la plupart du temps et Lou écoutait. Elle savait écouter. Mais, parfois, elle me racontait des histoires de sa vie. Je me souviens particulièrement de l'une d'elles. "Un jour, dit-elle, j'étais assise dans un train avec Rilke, et nous nous amusions au jeu de la libre association d'idées. L'un de nous disait un mot et l'autre répondait par un mot qui lui venait à l'esprit. Cela dura assez longtemps. Et, tout à coup, je compris pourquoi Rilke voulait écrire son roman militaire et le lui dis. Je lui expliquai la nature des forces qui le poussaient à écrire parce qu'elles avaient été réprimées pendant qu'il était à l'école. Il se mit d'abord à rire, puis dit qu'il n'avait plus à écrire ce roman. Je le lui avais ôté de l'âme. Cela me bouleversa et, soudain, je me rendis compte du danger de la psychanalyse pour l'artiste créateur. Ici l'intervention signifie la destruction. C'est pourquoi, plus tard, j'ai toujours conseillé à Rilke de ne pas se faire analyser. Si, en effet, une analyse couronnée de succès peut libérer un artiste des démons qui l'assiègent, elle pourra aussi chasser les anges qui l'aident à créer. Une âme sans germes est une âme stérile." En écoutant l'histoire de Lou, je compris pourquoi elle s'intéressait à la relation entre le processus créateur et l'analyse profonde. C'est un thème auquel elle consacra de longues réflexions, bien qu'elle sût par intuition que, pour l'artiste, l'œuvre d'art, et non l'analyse, est la voie du salut. »

Son travail à Königsberg, si épuisant qu'il fût, donnait à Lou beaucoup de satisfaction personnelle. Mais ce n'était pas toujours le cas. Un jour, elle reçut une lettre du directeur d'un sanatorium, près de Munich, qui lui demandait de l'assister dans le traitement de ses malades, pour la plupart des femmes plus ou moins atteintes mentalement. Le travail et les conditions paraissaient intéressants. Lou accepta et consentit à passer un certain temps au sanatorium comme psychothérapeute. Mais à la grande surprise de son neveu, Franz Schönberner, qui était alors rédacteur en chef du *Simplizissimus*, elle regagna brusquement Munich quelques jours plus tard, disant qu'elle ne pouvait continuer à travailler là parce que le directeur du sanatorium s'était si bien débarrassé de toutes ses inhibitions qu'il avait pris l'habitude de coucher avec ses patientes. Bien qu'elle ne se choquât pas aisément, Lou pensait qu'une telle conduite violait la morale professionnelle.

Göttingen n'était pas un lieu favorable pour pratiquer l'art de Freud. Cette petite ville avait tous les préjugés des petites villes et l'on regardait avec méfiance ce qui se passait dans la maison du Hainberg. Mais Freud continuait à envoyer des malades à Lou et d'autres trouvaient tout seuls le chemin de sa maison. Elle traitait tous les genres de troubles psychiques, des cas légers d'hystérie aux névroses graves. Tranquillement assise dans son fauteuil et écoutant les histoires que lui racontaient ses malades, elle paraissait distraite et perdue dans ses pensées. En réalité, son esprit était en alerte pour déceler dans chaque histoire les éléments révélateurs, la phrase ou le mot significatifs qui lui donneraient la clé du problème. Rien ne pouvait la détourner de son activité, pas même les risques physiques. Un jour, au cours d'une séance, l'une de ses malades, souffrant d'une névrose d'angoisse aiguë et sujette à des accès de violence, saisit soudain sur la table un coupe-papier long et pointu et en menaça Lou. Celle-ci sauta hors de son fauteuil et, tout en courant autour de la table, qu'elle essayait de garder entre elle et la malade, elle ne cessait de se répéter : « Écoute, maintenant! Écoute ce qu'elle dit. » Elle espérait, et à juste titre, que les paroles virulentes de la femme, qui avait l'écume aux lèvres, révéleraient la clé de la nature de sa maladie. Toutefois, les incidents aussi dramatiques étaient rares. La plupart du temps, rien n'interrompait le calme des séances d'analyse, sinon la voix des patients qui, encouragés par sa compréhension et sa sympathie, transféraient sur elle leurs problèmes, tout comme, étant enfant, elle avait, dans le silence de la nuit, transféré les siens sur un Dieu plein de bonté et de pardon.

En plus de son travail de psychothérapie, Lou trouvait encore le temps d'écrire un peu, la plupart du temps, mais non exclusivement, sur des sujets psychanalytiques. Elle collaborait à la revue de Freud, *Imago*, par des articles traitant, par exemple, de l'érotisme anal, du narcissisme, de la religiosité primitive, de la féminité. Elle écrivit des comptes rendus et des articles sur des thèmes russes pour l'*Écho littéraire* et publia un certain nombre de livres. Certains d'entre eux, tels *La Maison* et *Rodinka*, avaient été écrits vingt ans auparavant. D'autres, comme *Trois lettres à un petit garçon* et l'*Heure sans Dieu et Autres histoires*, furent écrits pendant et après la guerre. C'est également à cette période que remonte son œuvre la plus inaccoutumée, une pièce en vers en sept scènes intitulée *Le Diable et sa grand-mère*.

D'un langage coloré, cette pièce a pour thème le retour du diable à Dieu. Dieu est la vie, la justice, la perfection, mais il a pris naissance dans le vaste Sein de la Terre, que Lou appelle la « grand-mère du diable ». Et le diable lui-même est le fils aîné de Dieu. Autre errant, il a quitté Dieu et s'est dressé contre lui, comme un sombre miroir qui reflète l'unicité primordiale de Dieu et de Satan. Mais le diable est maintenant devenu inutile, parce que :

Dieu est, depuis longtemps, devenu juste
Et que, depuis longtemps, s'éloignant de Dieu,
L'homme créa son propre enfer.

Ennuyé par son travail parmi les morts et secrètement amoureux de la vie, le diable, séducteur séduit, comme Méphistophélès dans le *Faust* de Gœthe, décide de mourir tout comme son jeune frère, le Christ, et de revenir à Dieu, tout en sachant que :

> *Personne ne pleurera sur moi*
> *Comme des millénaires ont pleuré mon frère*
> *Qui mourut sur la croix.*

Le sens de cette étrange parabole, où les éléments religieux et psychanalytiques sont grotesquement mêlés, est que l'amour est vainqueur de la mort. Même le proscrit renaît dans l'amour. Une fois de plus, Lou traite un thème qui l'absorba toute sa vie : la force régénératrice de l'amour. Mais là, une nouvelle dimension se trouve ajoutée. La forme poétique accentue la force du subconscient et l'introduction d'un scénario de film dans l'une des scènes, idée hardie et expressionniste, prête à l'action une puissance dramatique. Du point de vue artistique, *Le Diable et sa grand-mère* est l'œuvre la plus réussie de Lou. Elle montre que son activité psychanalytique n'affaiblissait point ses facultés créatrices.

Mais en dépit de la satisfaction qu'elle tirait de son travail, sa vie, à la fin de la guerre et durant la période d'après-guerre, n'était pas facile. La révolution russe lui causait un grand souci personnel. Elle savait que la vie de ses frères et de leur famille était en danger. C'est en vain qu'elle tenta de leur venir en aide. Dans sa détresse, elle se tourna vers l'un de ses anciens soupirants. Mais la lettre qu'elle envoya à Georg Ledebour, devenu l'un des membres du Reichstag, lui fut renvoyée sans avoir été ouverte. Il ne pouvait lui pardonner d'avoir été évincé plus de vingt-cinq ans auparavant.

Ce que firent les Bolcheviks de l'idéal social du peuple russe, que Lou partageait, lui paraissait une trahison monstrueuse. Elle continuait pourtant d'espérer. Car « qui peut décider des valeurs ultimes? Mais la vie, l'extraordinaire vie, continuait dans ce pays mourant et renaissant sans cesse, dans ce pays où, pendant la famine, les petits enfants s'enfuyaient des villages de la Volga pour n'être pas mangés vivants ». Assurément, il y avait, en Europe aussi, de la souffrance et des privations et « si l'on ne mourait de vieillesse, soupirait Lou, on mourait de tristesse », mais, de tous les peuples du monde, les Russes buvaient la coupe la plus amère. Leur martyre, pensait-elle, les sanctifiait et les préparait au rôle dirigeant qu'ils étaient appelés à jouer dans le monde de demain. Comme Spengler, Lou croyait que les jours de l'Occident étaient comptés. Spirituellement, l'Occident était mort. Il ne lui restait plus de foi, pas même en son avenir.

Une fois de plus, sa santé déclina. A la suite d'une grippe sérieuse, à la fin de la guerre, elle perdit temporairement presque tous ses cheveux et, comme une vieille dame, dut porter un bonnet de dentelle. Pour la première fois de sa vie, elle se sentit vieillir. Elle ne s'était jamais souciée de son âge auparavant et ne s'en tourmentait guère maintenant. En un sens, elle avait l'impression d'être sans âge. Mais, après son soixantième anniversaire, elle avouait être de l'autre côté de l'échelle tout en affirmant qu'il ne saurait être question pour elle de « retour d'âge ».

Des ennuis d'argent l'assaillirent une fois de plus pendant l'inflation allemande, après 1920. Lou avait besoin de fonds pour ses parents en Russie qui mouraient de faim et pour l'entretien de sa maison, qui avait grand besoin de réparations. Freud la secourut dans cette impasse en lui envoyant des sommes généreuses, partageant avec elle, comme il disait, sa fortune fraîchement gagnée. Il l'invita également à passer quelque temps à Vienne avec lui. Lou accepta son invitation et vécut « des jours pleins de richesse », en premier lieu grâce à Freud lui-même, mais aussi grâce à ceux qui l'entouraient (que ce fût pour sa situation ou pour sa personne) et à quelques vieux amis (notamment le fidèle Beer Hoffmann), et surtout grâce à la fille de Freud, Anna. Il l'appelait maintenant « très chère Lou » et lui faisait part de ses pensées les plus intimes, tels ses sentiments pour sa fille Anna et son amère désillusion lorsque Otto Rank, qu'il avait traité comme un fils, l'abandonna.

Freud, lui aussi, vieillissait et le courage avec lequel il supportait sa douloureuse maladie émouvait Lou profondément. Elle se rappelle leur dernière entrevue à Berlin, en automne 1928. C'était un merveilleux automne. Dans le parc de Tegel, où ils faisaient de longues promenades, les couleurs étaient, cette année-là, particulièrement brillantes. Des pensées rouges, bleues et violettes étaient en pleine floraison et il y en avait de nombreux parterres. Freud en offrit un bouquet à Lou. Il avait beaucoup de mal à parler à cause de sa maladie, mais ils évoquèrent leur première rencontre, en 1911, et toutes les années pendant lesquelles ils s'étaient connus. Tout à coup, Lou demanda à Freud s'il se rappelait encore sa *Prière à la Vie*, le poème qu'il avait cru écrit par Nietzsche. Freud acquiesça en souriant. « Et survint alors, écrit-elle, une chose que je ne compris pas moi-même, mais nulle force au monde n'eût pu me retenir : les lèvres tremblant de révolte contre son destin et son martyre, je m'écriai : "Vous avez réalisé ce que, dans l'enthousiasme de la jeunesse, je n'avais fait qu'exalter". » Bouleversée par ses propres paroles, Lou éclata en larmes. Freud ne répondit point. « Je sentis seulement ses bras autour de moi[3]. »

13. L. A. S., *Lebensrückblick*, p. 213.

CHAPITRE XX

Gratitude de Lou envers Freud

La raison pour laquelle Lou s'était tournée avec tant d'intensité vers la psychanalyse, qui aurait dû être si étrangère à sa nature, au fond très pieuse, a souvent préoccupé ses amis. Certains d'entre eux n'hésitèrent pas à considérer comme une sorte de fatalité le fait que Lou, ayant pénétré dans l'univers de Freud, se trouva prise dans un courant qui l'amena à expliquer par la psychanalyse toutes les manifestations de l'art et de la vie. « N'est-ce pas par un grave malentendu, demandait Loulou Albert-Lazard, que Lou explique l'Ange de Rilke comme la conception d'un être souffrant, maladif, rêvant d'une existence incorporelle [1] ? » Ellen Delp, en compagnie de laquelle Lou assista à ses premiers cours de psychanalyse et qui, à cette époque, était sa meilleure amie, exprima, elle aussi, des doutes à propos de l'exclusivité avec laquelle Lou se voua à la science freudienne. Et Lou en personne raconte que Freud lui demanda un jour avec étonnement pourquoi elle s'était consacrée si entièrement à la psychanalyse.

Elle donne à cela trois motifs : d'abord, son intérêt purement objectif, ensuite son impression de « se trouver devant une science en gestation », enfin — et ce qui importe le plus — « la satisfaction intime qui en découle [2] ». On voit donc que, dans une certaine mesure, la psychanalyse était pour Lou une fin en soi. Elle la pratiquait pour sonder les profondeurs de son âme. Ajoutons qu'elle avait été témoin de graves ébranlements dans la vie de Rilke et de Rée et que le destin de Nietzsche lui avait permis de constater à quel point le génie et la folie sont étroitement apparentés. Toutes ces explications sont plausibles. Lou s'était tournée vers Freud et la psychanalyse

1. L. Albert-Lazard, *Wege mit Rilke*, Francfort, 1952, p. 56.
2. L. A. S., *In der Schule bei Freud*, p. 87.

parce qu'elle pouvait ainsi plonger dans les causes premières de la vie. Mais comment se faisait-il qu'elle eût précisément choisi de s'attacher à l'école de Freud et non à celle de Jung? Cela tenait à ce que Lou avait de grandes affinités avec le processus de la pensée freudienne. A l'encontre d'Adler et de Jung, et dans toutes les manifestations de la vie, Freud assigne un rôle primordial à la pulsion sexuelle. Lou partage entièrement cette opinion; elle était déjà de cet avis avant de connaître Freud. Dans son livre, *Die Erotik*, elle établit les rapports intimes existant entre l'art et la sexualité. Il lui semble que le lien involontaire de l'érotisme et de l'esthétique est un signe de « leur venue fraternelle d'une même racine ». Elle fait remarquer qu'ardeur et ferveur jaillissent des mêmes sources et que tout enivrement érotique authentique est provoqué par « quelque chose d'analogue à une poussée créatrice ». A propos de l'exemple donné par des femmes qui, atteintes de troubles psychiques, sont exposées aux pires aberrations sexuelles, elle fait observer qu'il y a un lien entre l'état psychique et l'arrière-plan sexuel. C'est ainsi que, lorsque Lou fit la connaissance de Freud, le thème principal de sa doctrine lui était déjà familier; il n'y manquait que la consécration scientifique. C'est la raison pour laquelle, dès le début de leurs relations, à sa gratitude pour l'enrichissement qu'elle devait à la psychanalyse, se mêlait la joie de voir sanctionné ce qui, depuis longtemps, était pour elle une certitude.

Dans *Mein Dank an Freud* (Ma Gratitude envers Freud) que Lou écrivit en 1931 à l'occasion du soixante-quinzième anniversaire de son ami, Lou tenta d'exposer son attitude à l'égard de Freud et de sa doctrine. Comme le titre l'indique, il s'agit là d'un hommage public qui s'adresse et au savant et à l'homme. Lou s'exprime sans réticence et émet des critiques sur certains points du dogmatisme freudien. En dépit de son admiration pour Freud, elle tient à conserver son indépendance d'esprit. Elle est prête à « se laisser tenir en laisse », mais à condition « que la laisse soit vraiment longue ».

C'est alors que commencent ses critiques. Elle a des idées hérétiques sur trois points de la conception de Freud en matière d'art : en premier lieu sa surestimation du rêve diurne, « qui peut naturellement se manifester chez l'artiste d'une manière particulièrement plastique, mais qui est cependant moins probant dans le domaine de l'art, où l'artiste peut le mieux s'exprimer lui-même »; en second lieu, son attribution de l'origine de la création artistique au refoulement ne lui paraît pas évidente; elle croit qu'elle provient plutôt « de l'accomplissement d'un désir impérieux, d'une involontaire réalisation de ce qui n'est pas encore personnalisé »; enfin, elle est opposée à la trop grande importance accordée au facteur social dans l'effort artistique. Elle convient que certains mobiles sociaux, tels le désir de la célébrité et l'appât du gain, participent à la création artistique, mais maintient que le créateur est isolé par la joie de la force créatrice; d'ailleurs, « même mu par un instant désir de contact avec ses semblables, qu'il soit d'ordre éthique ou érotique, cela n'a aucune part dans l'œuvre à venir ».

Ces passages, et bien d'autres de même nature, démontrent que les rapports de Lou avec la psychanalyse étaient avant tout déterminés par l'intérêt qu'elle porta toute sa vie au processus créateur. Elle comparait l'attitude de l'analyste vis-à-vis des analysés à celle du poète vis-à-vis des formes qu'il crée. Alors qu'en tant que psychothérapeute il lui importait surtout de secourir des malades, son intérêt théorique s'adressait presque exclusivement à l'exploration de ces états extrêmes de l'âme qui, chez l'artiste, aboutissent à l'œuvre, et chez le saint à la création de Dieu. Car malgré la réprobation de Freud, à qui ce genre de question paraissait secondaire, Lou parlait constamment du problème de « l'être pieux ». Partant de l'opinion de Freud que les névroses obsessionnelles et la religion sont étroitement apparentées, Lou se pencha très sérieusement sur les phénomènes religieux et y découvrit un drame latent dû au fait « qu'en matière de croyance, il n'y a pas de résurrection sans crucifixion ». Des idées auxquelles elle fait déjà allusion dans ses œuvres antérieures sont reprises et réexaminées. Le titre même de son premier livre, *Une lutte pour Dieu*, révèle les problèmes dont elle s'est occupée toute sa vie : la perte de la foi et la nostalgie de Dieu. Elle revient toujours sur ces problèmes. Dans ses livres et dans ses essais, elle raconte le choc que lui a fait éprouver la perte de sa foi, ses tentatives pour le surmonter par le raisonnement et sa certitude croissante que plus on remonte aux sources de la vie, plus on approche de Dieu. Dès lors, ses travaux de psychanalyse l'amenèrent à reconnaître que la représentation de Dieu est également une « projection érotique » et que, malgré le « rejet catégorique » d'une parenté entre la religion et la sexualité, « ... la volupté n'est pas de nature à souiller ce qui est religieux et n'implique pas non plus l'idée primitive de cette conception. Disons plutôt qu'elle lie très intimement la prière et le sexe, lesquels demeurent éternellement dépendants l'un de l'autre. » D'audacieuses formules de cette sorte ne laissaient pas d'impressionner Freud; en revanche, les amis de Lou en étaient déconcertés. Ils étaient consternés et souvent effrayés quand Lou prétendait que les plus hautes extases de l'esprit coïncident avec les pulsions érotiques les plus profondes : « Que nous nous élevions ou que nous nous abaissions, que nous nous abandonnions à l'adoration ou à la volupté, cette expérience irréfutable ne peut faire de doute que pour le spectateur extérieur enclin à dissocier les deux éléments. » Il n'en faut pas moins retenir que, dans *Une lutte pour Dieu*, Lou traite déjà les thèmes de la volupté et de l'adoration. La psychanalyse ne servit qu'à lui confirmer finalement les conclusions de ses propres hypothèses.

Dans la seconde partie de son livre sur Freud, Lou traite un thème qu'elle a déjà souvent évoqué dans ses ouvrages : le problème de l'artiste. Comme toujours, elle s'appuie sur ses propres expériences et, cette fois, sur son amitié avec Rilke. Elle explique tout d'abord que, d'une manière générale, un narcissisme primitif s'exprime chez l'artiste en opposant la pulsion sexuelle à une forte pulsion ascétique et elle conclut : « ... son [celui de l'artiste] érotisme échappe en partie à son objet et à son développement physiques. L'œuvre d'art est sa matérialisation. » Puis elle dépeint, en prenant l'exemple de Rilke, la tragédie que provoque chez l'homme la sublimation dans l'art de son destin humain. « L'ange diminue l'homme jusqu'à le frustrer de sa réalité. » En d'autres termes, l'artiste sacrifie sa vie à son art et, ainsi que l'enfant reporte sur ses poupées le trop-plein de son cœur, le poète nourrit de sa force vitale les créations de son esprit. Lou interprète l'Ange des œuvres de Rilke comme la projection d'un besoin inassouvi d'amour humain. « Toute la dévotion va à l'ange usurpateur de la réalité, qui, conçu dans un flanc maternel étranger, est en soi le centre d'amour; l'ange est alors le partenaire amoureux. »

La hardiesse des images et des comparaisons à l'aide desquelles Lou découvre le processus créateur et l'expose sur le plan psychanalytique a certainement fait une grande impression sur Freud, car c'est précisément dans ce domaine qu'il a reconnu son autorité et une part importante de ce que Lou dit à ce sujet éclaire la tragédie humaine de l'artiste, son besoin de vivre et de créer. Il reste à savoir si de telles considérations servent à expliquer l'art. En effet, et même en admettant que l'Ange de Rilke ait usurpé la vie du poète, cette explication nous permet-elle de mieux comprendre le personnage de l'Ange dans les *Élégies?* Que Lou, dans le cas de Rilke, dont elle connaissait les désespoirs et pour laquelle l'homme comptait plus que l'œuvre, ait eu recours à la psychanalyse, rien n'est plus compréhensible. Mais les généralités qu'elle tire du cas isolé de Rilke pour les appliquer à tous les artistes sont beaucoup plus contestables. Néanmoins, la psychanalyse n'est responsable qu'en partie de cette généralisation. Bien avant d'être familiarisée avec cette méthode, Lou avait toujours été encline à comparer le corps et l'esprit. Il ne serait pas exagéré de dire que, par sa nature, elle était portée à ce genre de comparaisons, qu'elle avait toujours eu une vue intuitive des liens secrets qui unissent le corps à l'âme et que, dès sa plus grande jeunesse, elle s'était attachée à les découvrir. Si elle devait de la reconnaissance à Freud, c'était parce qu'il lui avait donné la possibilité de sonder consciemment les profondeurs de l'inconscient. Elle l'en remercie dans les dernières phrases de son hommage, qui se termine par cet aveu : « Ce dont je prenais enfin conscience en suivant votre doctrine se révéla être le sens et la valeur de mes aspirations inconscientes. »

Touché par la sincérité de cette confession et la franchise avec laquelle Lou discutait sa doctrine, Freud dit de son livre : « C'est une vraie synthèse qui permet d'espérer que le faisceau de nerfs, de muscles et d'artères, résultat de la transformation du corps par le scalpel analytique, pourra être reconstitué en un organisme vivant. » De la part du fondateur de la psychanalyse, c'était là un éloge inaccoutumé. On a l'impression que Freud se sentait, lui aussi, tenu à de la gratitude envers Lou et que le secret de leur longue amitié était un enrichissement mutuel. Ils apprirent beaucoup au contact l'un de l'autre. Il y faut ajouter la grande amitié qu'Anna, la fille préférée de Freud, portait à Lou et qui resserra encore les liens qui les unissaient. En gage d'estime, Freud donna à Lou l'une des cinq bagues qu'il avait fait faire pour ses amis les plus fidèles et affirma que son livre était une preuve de « sa supériorité sur nous tous ». Lou avait donc des raisons d'être satisfaite de son travail de psychothérapeute. « Mes travaux psychanalytiques me rendent si heureuse, écrivait-elle à Rilke, que, fussé-je milliardaire, je n'y renoncerais pas. »

Lorsqu'elle eut surmonté les années difficiles de l'après-guerre, sa situation financière s'améliora de nouveau et sa vie s'écoula sur un rythme tranquille. Même son mari, qu'elle avait jusque-là grandement ignoré, commença à jouer dans sa vie un rôle plus important. Cela survint lorsque, un peu avant 1920, il alla la voir dans une maison de santé de Göttingen, après une grave opération qu'elle venait d'y subir. Après avoir vécu ensemble — et pourtant séparés — pendant près d'un demi-siècle, ils se retrouvaient soudain face à face dans une chambre d'hôpital. Andreas, qui avait maintenant quatre-vingt-cinq ans, était encore vigoureux. Ce n'était pas un vieillard, mais, comme disait Lou, un tempérament. Lou elle-même, qui approchait de soixante-dix ans, n'était pas non plus une vieille femme. Son visage montrait seulement que les années l'avaient mûrie plus que vieillie. Ils ne surent d'abord que se dire. Ils avaient l'impression de gens qui se retrouvent de façon inattendue après un difficile et long voyage. Mais il n'était guère besoin de parler. N'avaient-ils pas atteint tous deux, en suivant des chemins séparés, le but le plus ardu que la vie ait à offrir : la maturité sans le désenchantement? Ils se regardèrent tranquillement, à peine capables de réprimer un sourire subtil en se rappelant les obstacles qu'ils avaient eu à surmonter avant de parvenir à ce haut sommet de paix et de sérénité.

Mais, de nouveau, le destin eut tôt fait d'intervenir et leur bonheur conjugal ne dura point. Un jour, très brusquement, peu de temps après leurs retrouvailles, Andreas mourut. Lou resta seule dans sa maison du Hainberg. Pas tout à fait seule, il est vrai, car Mariechen et son mari vécurent avec elle et prirent soin de ses besoins physiques. Mais elle se sentait de plus en plus isolée dans un monde entraîné une fois de plus vers le chaos. Le monde ouvert de sa jeunesse et de ses années les plus actives était mort avec la guerre. Il n'était guère facile, à présent, d'aller à Saint-Pétersbourg, à Paris ou à Rome. Des gardes hostiles accueillaient les étrangers aux frontières. L'Europe était la proie d'immenses forces irrationnelles qui allaient l'engloutir bientôt dans un autre conflit meurtrier. Et la longue nuit de la dictature de Staline s'étendait sur la Russie.

Lorsque la Première Guerre mondiale avait éclaté, Rilke avait écrit à Lou : « Je pense souvent avec envie à ceux qui sont morts ces dernières années sans connaître tout ceci. » Mais Rilke, lui aussi, était mort à présent et les horreurs qu'elle avait à affronter lui étaient épargnées. Et pourtant, on ne pouvait reculer devant la vie. Il ne fallait pas perdre foi en elle, même au milieu d'un enfer créé par l'homme.

C'est dans cet esprit que Lou regarda le chaudron du diable bouillonner en Allemagne jusqu'à ce qu'il débordât et vomît Hitler. Elle savait ce que les Nazis pensaient de Freud et de ses travaux et, comme elle venait de lui rendre un hommage public, elle savait ce qui pouvait l'attendre. Elle connaissait la haine implacable qu'Élisabeth Nietzsche, qui était encore vivante et, comme le dragon mythique des Nibelungen, gardait le trésor de son frère, nourrissait contre elle. Elle savait également que les Nazis dénaturaient les idées de Nietzsche pour les accommoder à leurs desseins et la traitaient de « Juive finnoise ». Devait-elle courir le risque de leur colère et rester dans le Troisième Reich, ou devait-elle suivre l'exemple de nombre de ses amis et partir en exil? Peut-être ne songea-t-elle jamais sérieusement à fuir. Après tout, elle était âgée et malade, et où pourrait-elle aller? Mais peut-être sentait-elle aussi que fuir ne lui irait guère. Elle ne l'avait jamais fait de sa vie. Elle demeura donc, resta sur ses gardes et attendit.

CHAPITRE XXI

La sibylle du Hainberg

Du balcon de sa maison sur le Hainberg, très haut au-dessus de Göttingen, entre ciel et terre, pour ainsi dire, où Lou passa les dernières années de sa vie, elle observait l'orage qui se préparait. Elle n'avait pas peur. Car, tandis qu'elle contemplait les terres chatoyantes, au-dessous, elle savait que peu importait ce que les hommes se faisaient les uns aux autres et que le grand rythme de la vie continuait, impassible. Chaque jour, le soleil se levait derrière les bois de hêtres et se couchait dans sa rayon nante splendeur derrière les collines, à l'ouest. Chaque printemps, les arbres de son jardin refleurissaient et les oiseaux chanteurs, dont elle s'occupait avec tant d'affection, revenaient du sud. Chaque année, la nature renaissait, mûrissait et mourait. Et l'homme, lui aussi, mourait et renaissait. Sa foi dans cette loi élémentaire de la vie restait inébranlable. Elle l'avait accompagnée dans les nombreuses vicissitudes de sa propre vie et l'accompagnerait sûrement au-delà. Elle en était certaine. « Il y aura des bras tendus pour me recevoir », dit-elle en parlant de la mort pendant l'une des nombreuses maladies qui l'accablaient maintenant.

Elle souffrait du diabète et, à cause d'un cancer, il fallut lui faire l'ablation d'un sein. Lorsqu'il fut décidé que cette opération était nécessaire, elle quitta tranquillement sa maison, sans dire, même à ses amis les plus intimes, où elle allait. Ce n'est qu'après son retour de l'hôpital qu'elle les informa de ce qui était arrivé. Elle n'aimait pas que l'on se tourmentât pour elle. Aussi longtemps que son esprit conserverait son activité, il était inutile de s'émouvoir du déclin naturel de son corps. Mettant sous sa robe de soie un peu de rembourrage pour remplacer son sein perdu, elle disait avec un sourire plaisant à l'ami de son vieil âge : « Nietzsche avait raison, en fin de compte. Maintenant, j'ai vraiment une fausse poitrine. »

Bien qu'elle vécût tranquillement et retirée du monde, elle n'était pas coupée de tout. Elle recevait encore des malades de temps à autre, répondait à sa correspondance et recevait toujours des lettres de personnes absolument étrangères. Des gens qui avaient lu ses livres s'adressaient à elle pour lui demander conseil. *Ruth* surtout, ce roman de sa jeunesse qui dépeint l'épidode Héloïse-Abélard de son juvénile amour pour Gillot, trouvait d'avides lectrices parmi les jeunes filles. Elles lui écrivaient pour lui dire tout ce que son livre signifiait pour elles et combien elles comprenaient les sentiments de son héroïne. Parfois, elles lui demandaient si elles pouvaient venir la voir. Lou n'encourageait pas toujours les rencontres, mais lorsqu'elle sentait que le mobile de ses correspondantes n'était pas une vaine curiosité, mais un véritable besoin, elle les recevait avec générosité. C'est ainsi qu'avait commencé son amitié avec Ellen Delp et d'autres amitiés se nouèrent de la même façon.

Une jeune personne, fille d'un professeur de Göttingen très connu, bravant l'opprobre de sa famille, qui appelait Lou la « sorcière du Hainberg », lui rendit visite en cachette lorsqu'elle apprit que Lou était l'auteur de *Ruth.* Elle fut frappée par la franchise avec laquelle Lou répondit à toutes ses questions, même les plus intimes.

« Elle me dit tout, absolument tout. C'était comme si elle se tenait nue devant moi, sans le moindre soupçon d'embarras. Elle me laissa même emporter les lettres de Gillot et je les lus secrètement le soir, dans ma chambre. Bien qu'elle fût beaucoup plus âgée que moi, je n'ai jamais eu l'impression de parler à une vieille femme. Elle était pour moi comme une sœur plus âgée et, comme une sœur, partageait tout avec moi. Elle me parla des hommes avec qui elle avait voyagé et vécu et me dit qu'elle avait toujours su par intuition jusqu'où elle pouvait aller. J'étais jeune et sortais d'un monde absolument différent, un monde fermé en comparaison du monde libre dans lequel Lou avait vécu. Je l'admirais grandement et elle changea le cours de ma vie. Pour le meilleur ou pour le pire, je ne sais. Elle avait une si forte personnalité! Ce qui était bon pour elle ne l'était pas nécessairement pour les autres. »

Mais ce n'étaient pas seulement les jeunes filles dans le tourbillon de l'adolescence qui recherchaient les conseils de Lou. Des femmes et des hommes mûrs venaient à elle parce qu'ils voyaient en elle l'une des principales interprètes du freudisme en Allemagne. L'un d'eux était Viktor von Weizsäcker, le fondateur de l'anthropologie médicale. Il se tourna vers Lou pendant une période critique de sa vie :

« Je dois encore citer une femme à qui je dois ma rencontre avec la psychanalyse : Lou Andreas-Salomé. En 1931, aux environs de la Noël, je tombai sur son livre, *Ma gratitude envers Freud*, qu'elle avait écrit à l'occasion du soixante-quinzième anniversaire de Freud. Il fit sur moi une telle impression que j'envoyai à cette inconnue une lettre qui aboutit à une correspondance et à ma visite chez elle, visite qui fut pour moi d'un grand secours à ce moment d'anxiété dont j'ai parlé plus haut. Lou avait alors soixante-dix ans et continuait tranquillement à exercer la psychanalyse à Göttingen, menant la vie mystérieuse d'une sybille dans le royaume de l'esprit. Il est bien connu que lorsqu'elle était jeune fille, Nietzsche l'aima et voulut l'épouser. Son livre sur lui est resté l'une des meilleures présentations de sa vie et de son œuvre. Elle fut également très intime avec Rilke pendant de nombreuses années. Et elle écrivit un bon livre sur lui. Finalement, elle gagna l'amitié de Freud. Les lettres qu'elle m'envoya montrent une perspicacité inégalée. Elle doit avoir su dès le commencement à qui elle avait affaire et ce qui se trouvait à la base de mon anxiété. Peut-être ne pouvait-elle pas m'aider, mais elle aimait le courage et était chez elle dans le monde de la solitude. Ce fut pour moi un grand soulagement de remarquer, même dans son livre sur Freud, que, grâce à sa propre originalité, elle était absolument libre de tout dogmatisme psychanalytique. Elle démontrait que la vérité d'une doctrine peut être traduite en d'autres langues. Je fus très ému par sa féminité et sa chaleur naturelle et, bien qu'il n'y ait peut-être pas eu de malentendu, il est certainement dommage que notre échange d'idées, si plein d'entrain au début, ait cessé plus tard. Elle avait rempli sa mission envers moi et je ne pouvais lui offrir quoi que ce fût dont elle pouvait avoir besoin à cet âge avancé.

« Cette femme extraordinaire était encore blonde et elle se mouvait avec les mouvements souples d'un jeune arbre. Elle était moins monumentale que Gertrüd Bäumer ou Ricarda Huch, mais elle avait le don de s'intéresser à son interlocuteur avec une gracieuse sympathie et n'était pas affligée de cette trop forte prédominance masculine de la femme intellectuelle. Mon respect pour Freud et mon admiration pour son œuvre n'ont jamais eu besoin de la moindre confirmation. Mais l'effet de la psychanalyse ressemble quelque peu à celui d'un nœud coulant qui vous étrangle inexorablement. On ne peut y être engagé sans crier au secours, pour ainsi dire, ou du moins sans lutter constamment contre lui. Avec Lou Andreas-Salomé, je me suis trouvé devant le cas rare d'une femme qui, ayant compris profondément cette science nouvelle, est pourtant restée elle-même. Je n'ai jamais plus rencontré d'exemple aussi convaincant [1]. »

Tandis que Lou méditait sur le sens de la vie en ces heures crépusculaires, un sentiment de gratitude jaillissait de son cœur. Elle voyait maintenant qu'il y avait un grand dessein sous le désordre apparent et contradictoire de la voie qu'elle avait suivie depuis son enfance en Russie jusqu'à sa retraite sur le Hainberg. Et comme Lyncée, le gardien de la tour dans le *Faust* de Gœthe, elle voyait en toutes choses « la grâce sans fin ». Dans un monde où la médiocrité est produite en série, elle a réussi à préserver son identité distincte. Pour le meilleur ou pour le pire, elle n'a pas succombé aux forces sociales ou morales de la standardisation. Elle est restée fidèle à elle-même. Ce fait lui paraissait assez important pour justifier une confession publique. Non qu'elle pensât que sa vie avait été exemplaire et pouvait servir de modèle à autrui, non qu'elle voulût livrer ses secrets les plus intimes au regard des curieux, à la manière de Rousseau, mais elle présentait simplement sa vie comme un phénomène dans l'esprit de Luther. « Je suis là. Je ne puis rien faire d'autre. Dieu m'aide. »

Elle appela ce dernier livre qu'elle écrivit *Lebensrückblick*. C'est une autobiographie, un compte rendu de sa vie, ou, selon ses propres termes : l'*Arrière-plan de quelques réminiscences* [2]. C'est un livre étrange et peu facile à lire parce qu'il est écrit dans un style très enveloppé, un style qui souvent, au lieu de révéler ses pensées, paraît les dissimuler. Pourtant, c'est un livre passionnant, absolument différent de la plupart des autres mémoires, car il ne suit pas un développement chronologique. Le temps est hors de propos, semble-t-elle dire. Elle se borne à présenter un certain nombre d'expériences de base, telles son expérience de Dieu, son expérience de l'amour, son expérience de la Russie et son expérience de Freud. Comme les rayons d'une roue, toutes ces expériences partent d'un moyeu central, le centre des expériences de la vie de Lou : sa préoccupation presque mystique et sa pénétration dans « l'unité de l'être ». « Jusque-là, dit-elle, nous étions tout, indivisés, indivisibles d'une certaine forme d'existence, puis nous fûmes projetés dans la naissance pour devenir une simple particule du tout [3]. » C'est pourquoi notre plus ancien souvenir est un choc causé par le fait d'avoir été arrachés à une source de vie et jetés dans un univers indifférent.

1. Viktor von Weizsäcker, *Natur und Geist: Erinnerungen eines Arztes*, Gottingen, 1955, p. 186.
2. *Der Grundriss einiger Lebenschinnerungen.*
3. L. A. S., *Lebensrückblick*, p. 9.

La nature se souvient-elle encore de ce choc
Lorsqu'un lambeau de la création
Se détacha de ce qui était?

écrit Rilke dans l'un de ses poèmes. Nous trouvons d'abord asile dans la chaleur de l'amour familial et cherchons à combler l'abîme entre notre intégrité originelle et notre présent séparé dans le monde fantastique de notre enfance, où tout est encore interchangeable : les animaux, les arbres, les poupées, les gens. Si nous avons des tendances religieuses, nous appelons Dieu toute cette force qui nous environne et nos relations avec Lui sont aussi libres et naturelles qu'avec nos parents. C'était le cas de Lou. Dieu n'était pas une idée implantée en elle de l'extérieur, mais sa propre création, le lien entre elle et le reste du monde. Dieu était un père tout-puissant qui savait tout et pardonnait tout. Lorsqu'Il disparut brusquement, lorsque le vide s'ouvrit, béant, entre son intégrité imaginée et la réalité de son existence séparée (elle mentionne le choc bouleversant des miroirs sur sa jeune âme), elle fut d'abord inconsolable et Le pleura comme un paradis perdu. Ses efforts pour trouver un substitut intellectuel au Dieu de son enfance échouèrent et, puisqu'il eût été hypocrite de feindre L'avoir trouvé, elle quitta l'Église pour n'y jamais revenir. Mais sa notion d'un univers sans dieu n'était pas du désespoir. Tout au contraire, elle l'emplissait d'une compassion profonde pour toutes les créatures du monde, car n'étaient-elles pas forcées de vivre sans Sa présence protectrice? N'étaient-elles pas abandonnées à leurs propres ressources parmi les étoiles indifférentes? Elle conçut une vénération profonde et permanente pour la vie, pour toute vie, et un grand désir de se rapprocher autant que possible de sa source. Ses intérêts intellectuels en tant qu'écrivain et analyste tendaient vers cette fin, ainsi que ses relations personnelles.

Ce que le mystique appelle l'« union avec Dieu », Lou l'appelait l'« unité de l'être », et tandis que le premier essaie de l'atteindre par la prière et la méditation, elle la cherchait dans l'amour. Le désir de l'« union totale » était la force motrice de sa vie d'amour. Son respect pour la vie faisait d'elle une amie intime des fleurs et des animaux. Le but de sa curiosité intellectuelle était de pénétrer le monde aperceptible. Le sentiment d'être liée indissolublement à tout ce qui existe dans une « immense communauté de destin » eut une influence dirigeante sur le cours de sa vie. C'était là l'explication et de son audace et de son humilité. Car si vous avez l'impression de n'être qu'une vaguelette infinitésimale dans la mer sans limite de la vie, votre fierté fait place à la soumission. Cela vous emplit, en même temps, d'un sentiment d'audace car, quoi que vous fassiez, vous savez que vous êtes porté par la grande marée de la vie que rien, pas même la mort, ne peut détruire. C'est ce sentiment qui incita Lou à choisir pour devise : « Ose tout... n'aie besoin de rien. »

Ses besoins personnels, qui n'avaient jamais été extravagants, furent vraiment modestes pendant ses années de déclin. Elle ne voyageait plus, passait la plupart du temps dans sa maison, dans son jardin, ou faisait dans les bois des promenades solitaires, et elle prenait seule dans sa chambre ses repas frugaux et végétariens. Elle n'avait jamais pris part à la vie sociale de Göttingen et le lien fragile qui l'avait rattachée à l'université durant la vie de son mari avait été tranché par sa mort. Elle était vraiment seule, à présent, une recluse et une étrangère. C'était presque une étrangère dans sa propre maison, car avec les gens qui habitaient au rez-de-chaussée, Mariechen et son mari, elle n'avait rien de commun.

Tandis qu'elle écrivait ses Mémoires, la question de ce qu'il adviendrait de sa propriété littéraire, de ses livres, de ses manuscrits, de ses lettres, commença à la préoccuper. Il y avait, par exemple, les lettres de Nietzsche, très convoitées par ses amis et ses ennemis. Elle les avait jalousement gardées pendant toutes ces années soit dans son coffre à la banque, soit en les déposant chez son neveu à Munich, qui, étant le rédacteur en chef de *Simplizissimus*, semblait être l'héritier le plus logique de ses biens. Mais l'ascension de Hitler au pouvoir avait obligé Schönberner à l'exil et il n'y avait personne pour la conseiller sur ce qu'elle devait faire des lettres de Nietzsche. Serait-il avisé de les publier maintenant que Nietzsche était proclamé saint patron du Troisième Reich? Elle savait que Hitler avait, à Weimar, rendu personnellement visite à son ennemie jurée, Elisabeth. Ne serait-ce pas attirer sur elle une attention indésirable que de permettre la publication des lettres de Nietzsche et celle de cette fameuse photographie de Lucerne montrant le philosophe « aryen » tirant une charrette dans laquelle il y avait une « Juive finnoise »? Elle hésita pendant longtemps et si elle remit finalement les lettres et la photographie au jeune commentateur de Nietzsche, Erich Podach, peut-être craignait-elle que, si elles n'étaient publiées, elles pourraient être détruites après sa mort. Elle savait qu'Elisabeth Förster-Nietzsche, qui avait fait tout ce qui était en son pouvoir pour la discréditer durant sa vie, n'hésiterait pas à détruire les lettres de son frère si elles tombaient entre ses mains.

Et qu'adviendrait-il de sa volumineuse correspondance avec Rilke? Devait-elle revenir à Ruth, la fille du poète, qui, en collaboration avec son mari, le Dr Carl Sieber, avait fondé les Archives Rilke à Weimar? Cette idée ne plaisait pas non plus à Lou. Elle savait que son livre sur Rilke n'était pas en faveur auprès de la famille du poète. Ils élevaient, en particulier, des objections à son affirmation que, sur son lit de mort, Rilke avait dit « « Que d'enfers ! » paroles dans lesquelles certains des commentateurs de Rilke avaient vu une réfutation de la foi du poète en le « c'est merveilleux d'être là ». Dans leur empressement à corriger cette impression et à présenter Rilke comme un homme qui penche pour l'affirmative, Ruth et son mari forcèrent Lou à un désaveu public de ce qu'elle avait dit dans son livre. Le 8 mars 1936, parut dans le journal littéraire *Deutsche Zukunft*, la déclaration suivante :

Rilke n'employa nullement cette expression, mais comme nous l'écrit Mme Andreas, elle s'est glissée dans son livre « parce qu'elle est liée à de nombreux souvenirs de nos conversations ». Elle n'a rien à voir avec une dernière parole prononcée par lui, ni avec quoi que ce soit de cet ordre. Afin d'empêcher tout emploi abusif ultérieur de cette expression, nous tenons à déclarer ceci catégoriquement.

Mais ni Ruth ni le Dr Sieber ne savaient que Lou avait en sa possession une lettre que Rilke lui avait écrite lorsqu'il était mourant, en Suisse, et qui contient l'aveu saisissant : « Et maintenant, Lou, que d'enfers ! Tu sais la place que, dans ma vie, j'avais assignée à la douleur, la douleur physique, la vraie douleur, place qui ne devait être qu'une exception et me permettre de retrouver l'air libre. Mais à présent, elle m'envahit jour et nuit. Où prendre courage?

« Chère, chère Lou, le médecin t'écrit, Mme Wunderly t'écrit... Mais que d'enfers ! »

Pour avoir la paix et parce qu'elle ne voulait pas être entraînée dans d'autres controverses, Lou se soumit à ce désaveu forcé. Mais elle était déterminée à ne pas laisser tomber les lettres de Rilke entre les mains de sa famille.

A ce dernier tournant de sa vie, le destin, une fois de plus, lui vint en aide sous la forme de deux jeunes hommes (jeunes comparativement à elle) qui étaient venus lui demander son aide et lui restèrent pour apporter un adoucissement à sa vieillesse. Tous deux sont encore vivants. Il est donc prématuré de faire un exposé complet de leur rôle dans la vie de Lou. Mais les ignorer entièrement serait une grave omission. Leur venue met la dernière main au motif qui commence avec l'enfance de Lou, fille unique parmi ses frères, et qui se répète au cours de sa vie avec des combinaisons variées.

L'un de ces visiteurs, Josef König, maintenant professeur de philosophie à l'Université de Göttingen, ne nécessite qu'une brève mention. Ses visites donnèrent à Lou l'occasion de discuter sur ces sujets qui l'avaient toujours intéressée : le concept de l'Être, le problème de la connaissance, la condition de l'homme. Les spéculations philosophiques avaient été pour elle plus qu'un passe-temps. Elles avaient été l'occupation de toute sa vie. Tandis qu'elle écoutait le jeune homme lui exposer les tendances de la philosophie moderne, les efforts tentés pour mettre l'existence individuelle de l'homme, plus que tout système rationnel, au centre de la pensée, elle avait dû se rappeler Nietzsche et leurs conversations passionnées, ou Rée et son sort tragique, ou l'intérêt que, toute jeune, Kierkegaard lui avait inspiré. Il y avait maintenant d'autres noms, mais ils ne lui apportaient rien de nouveau. Lorsque Jaspers et Heidegger soulignaient que l'angoisse est pour l'homme le seul moyen d'atteindre la pénétration dans son existence authentique, elle les comprenait parfaitement. N'avait-elle pas été proche de Nietzsche et de Rilke? N'avait-elle pas éprouvé elle-même l'angoisse de l'intuition créatrice? D'accord avec Jaspers, elle pensait que, durant ces moments éphémères, l'homme a le sentiment de l'arrière-plan de l'Être, source de toutes choses. Elle se rendait compte qu'elle avait vécu ce que ces philosophes modernes enseignaient. Dans son livre sur Freud, elle avait écrit :

« La vie humaine — Ah! la vie tout court — est poésie. Inconscients de nous-mêmes, c'est nous qui la vivons, jour après jour et fragment par fragment, mais, dans son inviolable intégrité, c'est elle qui nous vit, qui nous mène. »

Il n'y a rien à ajouter à cela.

Les relations de Lou avec Ernst Pfeiffer, le plus intime ami de sa vieillesse, sont plus profondes et plus complètes.

D'après ses propres dires, Pfeiffer rendit visite à Lou au début des années trente dans sa demeure de Göttingen, afin de lui demander son aide pour un ami neurasthénique. De fait elle lui proposa d'entreprendre lui-même le traitement, en se déclarant prête à l'initier à la technique freudienne. Il se peut qu'elle ne l'ait pas soumis à une analyse didactique selon les règles; elle l'encouragea plus vraisemblablement à faire le récit d'une vie qui n'avait été rien moins que facile. Il se créa ainsi un lien entre elle et lui, lien semblable à celui qui s'établit souvent entre l'analyste et son patient. Le transfert s'opéra. En racontant sa vie à Lou, Pfeiffer en vint de plus en plus à dépendre d'elle. Elle lui donna ce qu'il avait cherché en vain jusqu'à ce qu'il la rencontrât : un but dans la vie.

Une amitié de cette sorte n'est jamais, bien entendu, à sens unique. Si Pfeiffer avait besoin de Lou, elle avait également besoin de lui. Aussi franche avec lui qu'il l'avait été avec elle, elle lui raconta l'histoire de sa vie, lui lut des chapitres de ses Mémoires, lui demanda de les éditer, et, deux ans et demi avant sa mort, lui fit spontanément cadeau de toute sa propriété littéraire. C'était un geste généreux, mais en accord avec sa personnalité. Elle savait que personne plus que cet ami de sa vieillesse ne prendrait un soin affectueux de ses lettres et de ses manuscrits. Elle connaissait son affection et était sûre qu'il la lui garderait même après sa mort. Elle ne se trompait pas.

Pendant les derniers mois de sa vie, alors qu'elle s'affaiblissait rapidement à cause d'un empoisonnement urémique, Pfeiffer allait la voir presque chaque jour. Comme un paladin fidèle, il s'asseyait à son chevet, pourvoyait à ses besoins et lui lisait des pages de ses Mémoires. Parfois, elle l'interrompait tranquillement et disait : « Oui, c'est ainsi que je dirais cela encore aujourd'hui. » Un jour, elle leva brusquement les yeux et dit d'un ton surpris : « Je n'ai vraiment rien fait d'autre que travailler toute ma vie... travailler... pourquoi? » Et, vers la fin, ses yeux se fermèrent, et, comme se parlant à elle-même, elle murmura : « Si je laisse errer mes pensées, je ne trouve personne. Le mieux, après tout, est la mort[4] . »

Elle mourut dans son sommeil dans la soirée du 5 janvier 1937. Seuls König et Pfeiffer l'accompagnèrent dans son dernier voyage de Göttingen jusqu'au crematorium de Hanovre. Elle avait demandé que ses cendres fussent dispersées dans son jardin. Et ç'eût été là une fin digne d'une vie pleine de l'espoir fervent que nous retournons finalement à nos racines. Mais cela ne devait pas être. Une loi allemande interdit la dispersion des cendres humaines. Elles doivent être placées dans une urne et enterrées dans un lieu consacré. C'est ce qui fut fait. L'urne contenant les cendres de Lou fut déposée dans la tombe de son mari, dans le cimetière municipal de Göttingen. Aucune plaque commémorative ne marque l'endroit. Par un dernier tour du destin, Lou était liée à Andreas, même dans la mort.

4. L. A. S., *Lebensrückblick*, p. 386.

Œuvres de Lou Andreas-Salomé

LIVRES

1. *Im Kampf um Gott* (Une lutte pour Dieu) par Henri Lou, Leipzig-Berlin : W. Friedrich, 1885.
2. *Hendrik Ibsens Frauengestalten* (Personnages féminins d'Ibsen), Iéna : Eugen Diederichs, 1892.
3. *Friedrich Nietzsche in seinen Werken* (Frédéric Nietzsche dans son œuvre), Vienne : Carl Conegen, 1894.
4. *Ruth*, Stuttgart : Cotta, 1895.
5. *Aus fremder Seele* (D'une âme troublée), Stuttgart : Cotta, 1896.
6. *Fenitschka. Eine Ausschweifung* (Fenitschka. Une Débauche), Stuttgart : Cotta, 1898.
7. *Menschenkinder* (Les Enfants des hommes), Stuttgart-Berlin Cotta, 1899.
8. *Ma* (M'man), Stuttgart-Berlin : Cotta, 1901.
9. *Im Zwischenland* (Dans la zone crépusculaire), Stuttgart-Berlin : Cotta, 1902.
10. *Die Erotik* (Érotisme), Frankfort/Main : Rütten & Loening, 1910.
11. *Drei Briefe an einen Knaben* (Trois lettres à un petit garçon), Leipzig : Kurt Wolf. 1917.
12. *Das Haus* (La Maison), Berlin : Ullstein, 1919.
13. *Die Stunde ohne Gott, und andere Kindergeschichten* (L'heure sans Dieu), Iéna : Eugen Diederichs, 1922.
14. *Der Teufel und seine Grossmutter* (Le Diable et sa grand-mère), Iéna : Eugen Diederichs, 1922.
15. *Rodinka*, Iéna : Eugen Diederichs, 1923.
16. *Rainer Maria Rilke*, Leipzig : Insel, 1928.
17. *Mein Dank an Freud* (Ma gratitude envers Freud), Vienne : Internationaler Psychoanalytischer Verlag, 1931.

18. *Lebensrückblick* (Mémoires), éd. Ernst Pfeiffer, Zurich : Max Niehans; Wiesbaden : Insel, 1951.

19. *Rainer Maria Rilke-Lou Andreas-Salomé Briefwechsel* (Correspondance Rilke-Salomé), éd. Ernst Pfeiffer, Zurich : Max Niehans; Wiesbaden : Insel, 1952.

20. *In der Schule bei Freud* (Dans l'école de Freud), éd. Ernst Pfeiffer, Zurich : Max Niehans, 1958.

ARTICLES

1. « Die Wildente I », *Freie Bühne*, 10 septembre 1890.

2. « Die Wildente II », *ibid.*, 17 septembre 1890.

3. « Friedrich Nietzsche », *Vossische Zeitung*, Sonntag N°s 2-4, 1891.

4. « Ein holländisches Urteil über moderne deutsche Dramen » (Sudermann und Holz), *Freie Bühne*, 3 juin 1891.

5. « Ein holländisches Urteil über moderne deutsche Dramen » (Holz und Hauptmann), *ibid.*, 10 juin 1891.

6. « Der Realismus in der Religion I », *ibid.*, 14 octobre 1891.

7. « Der Realismus in der Religion II », *ibid.*, 21 octobre 1891.

8. « Der Realismus in der Religion III », *ibid.*, 4 novembre 1891.

9. « Gottesschöpfung », *ibid.*, février 1892.

10. « Zum Bilde Friedrich Nietzsches », *ibid.*, mars 1892.

11. Zum Bilde Friedrich Nietzsches II, *ibid.*, mai 1892.

12. » Ein Apokalyptiker (Die Wiederkunftslehre Friedrich Nietzsches) », *Magazin für Literatur*, octobre 1892.

13. « E. Mariot » (Emilia Mataja), *Vossische Zeitung*, Sonntag N°s 31-34, 1892.

14. « C. Schubin » (Lola Kirchner), *ibid.*, Sonntag N°s 2-3, 1892.

15. « Harnak und das Apostolikum », *Freie Bühne*, vol. 3, 1892.

16. « Ideal und Askese », *Zeitgeist*, Berlin N° 20, 1893.

17. « Ibsen, Strindberg, Sudermann », *Freie Bühne*, vol. 4, 1893.

18. « Die Duse », *ibid.*

19. « Hanna Jager, Ein Nachwort », *ibid.*

20. « Der Talisman », *ibid.*

21. « Ein Frühlingstraum », *ibid.*

22. « Hartlebens Erziehung zur Ehe », *ibid.*

23. « *Hannele* », *ibid.*

24. « Von der Bestie zu Gott », *Neue Deutsche Rundschau*, vol. V, 1894.

25. « Probleme des Islam », *Vossische Zeitung*, Sonntag n°s 29-30, 1894.

26. « Vom Ursprung des Christentums », *ibid.*, n° 51, 1895.

27. « Winterlaub », *Die Frau*, avril 1895.
28. « Ricarda Huch : Erinnerungen von Ludolf Urslen dem Jüngern », *ibid.*, octobre, 1895.
29. « Kampfruf », *ibid.*, février 1896.
30. « Jesus der Jude », *Neue Deutsche Rundschau*, vol. VII, 1896.
31. « Skandinavische Literatur », *Cosmopolis*, vol. IV, 1896.
32. « Abteilung : Innere Männer », *ibid.*, vol V, 1897.
33. « Russische Dichtung und Kultur I », *ibid.*, août 1897.
34. « Russische Dichtung und Kultur II », *ibid.*, septembre 1897.
35. « Aus der Geschichte Gottes », *Neue Deutsche Rundschau*, décembre 1897.
36. « Die russischen Heiligenbilder und ihr Dichter », *Vossische Zeitung*, Sonntag nº 2, 1898.
37. « Leo Tolstoi, unser Zeitgenosse », *Neue Deutsche Rundschau*, novembre 1898.
38. « Russische Philosophie und semitischer Geist », *Die Zeit*, 15 janvier 1898.
39. « Religion und Kultur », *ibid.*, 2 avril 1898.
40 « Vom religiösen Affekt », *Die Zukunft*, 23 avril 1898.
41. « Missbrauchte Frauenkraft », *Die Frau*, juin 1898.
42. « Mädchenreigen », *Cosmopolis*, septembre 1898.
43. « Physische Liebe », *Die Zukunft*, 29 octobre 1898.
44. « Adine Gemberg : Der dritte Bruder », *Das Literarische Echo*, 1er novembre 1898.
45. « S. Hochstetter : Sehnsucht, Schönheit, Dämmerung », *ibid.*, 15 novembre 1898.
46. « Thomas P. Krag : Die eherne Schlange », *ibid.*, 1er janvier 1899.
47. « Ein Wiedersehen », *Die Frau*, février 1899.
48. « Grundformen der Kunst », *Pan*, février 1899.
49. « Ketzereien gegen die moderne Frau, » *Die Zukunft*, 11 février 1899.
50. « Vom Kunstaffekt », *ibid.*, mai 1899.
51. « Erleben », *Die Zeit*, 19 août 1899.
52. « Der Mensch als Weib (Ein Bild im Umriss) », *Neue Deutsche Rundschau*, vol. X, 1899.
53. « Ellen Key Essais », *Das Literarische Echo*, 1er octobre 1899.
54. « Friedrich Nietzsche i hans Voerker », *Samtiden*, novembre-décembre 1899.
55. « Russische Geschichten », *Die Zeit*, 9 décembre 1899.
56. « Zurück ans All », *Die Romanwelt*, vol. I, 1899.
57. « Zurück ans All », *ibid.*, vol. II.
58. « Zurück ans All », *ibid.*, vol III.
59. » Der Egoismus in der Religion » (in Arthur Dix, *Der Egoismus*, p. 385), 1899.

60 « Wilhelm Bölsche : Vom Bazillus zum Affenmenschen », *Das Literarische Echo*, 15 janvier 1900.

61. « Die Schwester », *Die Romanwelt*, 27 octobre 1900.

62. « Gedanken über das Liebesproblem », *Neue Deutsche Rundschau*, vol. II, 1900.

63. « Zur Würdigung des "Michael Kramer", *Der Lotse*, Hambourg, vol. I, 1901.

64. « Alter und Ewigkeit », *Die Zukunft*, 26 octobre 1901.

65. « An den Kaiser », *Die Gesellschaft*, juin 1901.

66. « Der Graf von Charolais », *Die Zukunft*, vol. L, 1905.

67. « Das Glashüttenmännchen », *ibid.*, vol. LIV, 1906.

68. « Frühlingserwachen », *ibid.*, vol. LVIII, 1907.

69. « Vier Kammerspiele ». *Die Schaubühne*, 20, 27 février et 5 mars 1908.

70. « Lebende Dichtung », *Die Zukunft*, 22 février 1908.

71. « Die Russen », *Die Schaubühne*, 23 septembre 1909.

72. « Der Lebensbund », *Die Neue Generation*, octobre 1910.

73. « Das Kindlein von Erika Rhenisch », *Das Literarische Echo*, 15 septembre 1911,

74. « Im Spiegel », *ibid.*, 15 octobre 1911.

75. « Eine Nacht », *Geistiges Leben*, mai 1912.

76. « Marie Luise Enkendorff : Realität und Gesetzlichkeit im Geschlechtsleben », *Das Literarische Echo*, 1er septembre 1912.

77. « Elisabeth Siewert », *ibid.*, 15 septembre 1912.

78. « Von Paul zu Pedro », *Die Neue Generation*, octobre 1912.

79. « Vom Kunstaffekt », *Deutsche Monatsschrift für Russen*, juillet 1912.

80. « Aus dem Briefwechsel Leo Tolstois », *Das Literarische Echo*, octobre 1913.

81. « Vom frühen Gottesdienst », *Imago*, vol. II, nº 5, 1913.

82. « Zum Typus Weib », *ibid.*, vol. III, nº 1, 1914.

83. « Kind und Kunst », *Das Literarische Echo*, 1er octobre 1914.

84. « Seelchen, eine Weihnachtsgeschichte », *Velhagen und Klasings Monatshefte*, vol. XXVIII, 1914.

85. « Seelchen, eine Ostergeschichte », *ibid.*

86. « Das Bündnis zwischen Tor und Ur », *ibid.*

87. « Zum Bilde Strindbergs », *Das Literarische Echo*, 1er mars 1915.

88. « Bericht über einen Weihnachstmann », *Velhagen und Klasings*, Monatshefte, vol. XXIX, 1915.

89. « Anal und Sexual », *Imago*, vol. IV, nº 5, 1915.

90. « Angela Langer », *Das Literarische Echo*, vol. XIX, 1916.

91. « Expression », *ibid.*, 1er avril 1917.

92. « Psychosexualität », *Zeitschrift für Sexualwissenschaft*, avril-juin 1917.

93. « Luzifer : Eine Phantasie über Ricarda Huchs Buch, « Luthers Glaube », *Die Neue Generation*, mai 1917.

94. « Nadja Strassers Russin », *Die Neue Rundschau*, août 1917.

95. « Die Psychosexualität », *Das Literarische Echo*, 1er septembre 1917.

96. « Karl Nötzel's Tolstoï », *ibid.*, 1er août 1918.

97. « Dichterischer Ausdruck », *ibid.*, 15 décembre 1918.

98. « Der russische Intelligent », *Die Neue Rundschau*, janvier 1919.

99. « Leopold von Wiese: Strindberg », *Das Literarische Echo*, 1er mars 1919.

100. « Des Dichters Erleben », *Die Neue Rundschau*, mars 1919.

101. « Der geistliche Russe », *Der Neue Merkur*, novembre 1919.

102. « Agnes Hennigsen », *Das Literarische Echo*, 15 janvier 1920.

103. « Nikolaus Leskow: Die Kleriserei », *ibid.*, 15 avril 1920.

104. « Isolde Kurz: Im Traumland », *ibid.*, 15 mai 1920.

105. « Unser Anteil an Dostoevski und Tolstoi », *Vossische Zeitung*, 23 juillet 1920.

106. « Kurt Engelbrecht: Dieckmanns Denkwürdigkeiten und Erinnerungsbücherei, vol. I, Die Liebe », *Das Literarische Echo*, 1er août 1920.

107. « Tagebuch eines halbwüchsigen Mädchens », *ibid.*, 1er septembre 1920.

108. « Waldemar Bonsels », *ibid.*, 1er octobre 1920.

109. « Michael Saltykow-Schtschedrin: Satiren », *ibid.*, 1er novembre 1920.

110. « Gustav Landauer: Der wervende Mensch », *ibid.*, 1er décembre 1921.

111. « Russische Romantik », *Romantik*, vol. V-VI, 1921.

112. « Narzissmus als Doppelrichtung », *Imago*, vol. VII, n° 4, 1921.

113. « Die Geschwister », *Deutsche Rundschau*, vol. 189, 1921.

114. « Tendenz und Form russischer Dichtung », *Das Literarische Echo*, 1er janvier 1922.

115. « Eros », *Faust*, Berlin, vol. I, 1923.

116. « Zum 6. Mai 1926 (Freuds 70. Geburtstag) », *Almanach des psychoanalytischen Verlegers*, Vienne, 1927.

117. « Was daraus folgt, dass man nicht die Frau geworden ist, die den Vater totgeschlagen hat », *ibid.*, 1928.

118. « Rilke und Russland », *Russische Blätter*, n° 1, octobre 1928.

119. « Der Kranke hat immer recht », *Almanach des psychoanalytischen Verlegers*, Vienne, 1933.

MANUSCRITS NON PUBLIÉS

1. *Di Russlandreise* (Journal Russe), 1900.
2. *Der Stiefvater*, pièce en trois actes, 1925-1930.
3. *Die Tarnkappe*, pièce féerique (sans date).
4. *Jutta*, roman commencé en 1921.

Table des matières

QUATRIÈME PARTIE

Amour et poésie (1897-1901)

CINQUIÈME PARTIE

A la recherche d'une âme (1901-1937)

Volumes parus

1. Jean-Paul Sartre : *L'être et le néant.*
2. François Jacob : *La logique du vivant.*
3. Georg Groddeck : *Le livre du Ça.*
4. Maurice Merleau-Ponty : *Phénoménologie de la perception.*
5. Georges Mounin : *Les problèmes théoriques de la traduction.*
6. Jean Starobinski : *J.-J. Rousseau, la transparence et l'obstacle.*
7. Émile Benveniste : *Problèmes de linguistique générale, I.*
8. Raymond Aron : *Les étapes de la pensée sociologique.*
9. Michel Foucault : *Histoire de la folie à l'âge classique.*
10. H.-F. Peters : *Ma sœur, mon épouse.*
11. Lucien Goldmann : *Le Dieu caché.*
12. Jean Baudrillard : *Pour une critique de l'économie politique du signe.*
13. Marthe Robert : *Roman des origines et origines du roman.*
14. Erich Auerbach : *Mimésis.*
15. Georges Friedmann : *La puissance et la sagesse.*
16. Bruno Bettelheim : *Les blessures symboliques.*
17. Robert van Gulik : *La vie sexuelle dans la Chine ancienne.*
18. E. M. Cioran : *Précis de décomposition.*
19. Emmanuel Le Roy Ladurie : *Le territoire de l'historien.*
20. Alfred Métraux : *Le vaudou haïtien.*
21. Bernard Groethuysen : *Origines de l'esprit bourgeois en France.*
22. Marc Soriano : *Les contes de Perrault.*
23. Georges Bataille : *L'expérience intérieure.*

24. Georges Duby : *Guerriers et paysans.*
25. Melanie Klein : *Envie et gratitude.*
26. Robert Antelme : *L'espèce humaine.*
27. Thorstein Veblen : *Théorie de la classe de loisir.*
28. Yvon Belaval : *Leibniz, critique de Descartes.*
29. Karl Jaspers : *Nietzsche.*
30. Géza Róheim : *Psychanalyse et anthropologie.*
31. Oscar Lewis : *Les enfants de Sanchez.*
32. Ronald Syme : *La révolution romaine.*
33. Jean Baudrillard : *Le système des objets.*
34. Gilberto Freyre : *Maîtres et esclaves.*
35. Verrier Elwin : *Maisons des jeunes chez les Muria.*
36. Maurice Merleau-Ponty : *Le visible et l'invisible.*
37. Guy Rosolato : *Essais sur le symbolique.*
38. Jürgen Habermas : *Connaissance et intérêt.*
39. Louis Dumont : *Homo hierarchicus.*
40. D. W. Winnicott : *La consultation thérapeutique et l'enfant.*
41. Soeren Kierkegaard : *Étapes sur le chemin de la vie.*
42. Theodor W. Adorno : *Philosophie de la nouvelle musique.*
43. Claude Lefort : *Éléments d'une critique de la bureaucratie.*
44. Mircea Eliade : *Images et symboles.*
45. Alexandre Kojève : *Introduction à la lecture de Hegel.*
46. Alfred Métraux : *L'île de Pâques.*
47. Émile Benveniste : *Problèmes de linguistique générale, II.*
48. Bernard Groethuysen : *Anthropologie philosophique.*
49. Martin Heidegger : *Introduction à la métaphysique.*
50. Ernest Jones : *Hamlet et Œdipe.*
51. R. D. Laing : *Soi et les autres.*
52. Martin Heidegger : *Essais et conférences.*
53. Paul Schilder : *L'image du corps.*
54. Leo Spitzer : *Études de style.*
55. Martin Heidegger : *Acheminement vers la parole.*
56. Ludwig Binswanger : *Analyse existentielle et psychanalyse freudienne (Discours, parcours et Freud).*
57. Alexandre Koyré : *Études d'histoire de la pensée philosophique.*
58. Raymond Aron : *Introduction à la philosophie de l'histoire.*
59. Alexander Mitscherlich : *Vers la société sans pères.*
60. Karl Löwith : *De Hegel à Nietzsche.*

61. Martin Heidegger : *Kant et le problème de la métaphysique.*
62. Anton Ehrenzweig : *L'ordre caché de l'art.*
63. Sami-Ali : *L'espace imaginaire.*
64. Serge Doubrovsky : *Corneille et la dialectique du héros.*
65. Max Schur : *La mort dans la vie de Freud.*
66. Émile Dermenghem : *Le culte des saints dans l'Islam maghrébin.*
67. Bernard Groethuysen : *Philosophie de la Révolution française*, précédé de *Montesquieu.*
68. Georges Poulet : *L'espace proustien.*
69. Serge Viderman : *La construction de l'espace analytique.*
70. Mikhaïl Bakhtine : *L'œuvre de François Rabelais et la culture populaire au Moyen Âge et sous la Renaissance.*
71. Maurice Merleau-Ponty : *Résumés de cours (Collège de France, 1952-1960).*
72. Albert Thibaudet : *Gustave Flaubert.*
73. Leo Strauss : *De la tyrannie.*
74. Alain : *Système des beaux-arts.*
75. Jean-Paul Sartre : *L'Idiot de la famille, I.*
76. Jean-Paul Sartre : *L'Idiot de la famille, II.*
77. Jean-Paul Sartre : *L'Idiot de la famille, III.*
78. Kurt Goldstein : *La structure de l'organisme.*
79. Martin Heidegger : *Le principe de raison.*
80. Georges Devereux : *Essais d'ethnopsychiatrie générale.*
81. J.-B. Pontalis : *Entre le rêve et la douleur.*
82. Max Horkheimer/Theodor W. Adorno : *La dialectique de la Raison.*
83. Robert Klein : *La forme et l'intelligible.*
84. Michel de M'Uzan : *De l'art à la mort.*
85. Sören Kierkegaard : *Ou bien... Ou bien...*
86. Alfred Einstein : *La musique romantique.*
87. Hugo Friedrich : *Montaigne.*
88. Albert Soboul : *La Révolution française.*
89. Ludwig Wittgenstein : *Remarques philosophiques.*
90. Alain : *Les Dieux* suivi de *Mythes et Fables* et de *Préliminaires à la Mythologie.*
91. Hermann Broch : *Création littéraire et connaissance.*
92. Alexandre Koyré : *Études d'histoire de la pensée scientifique.*
93. Hannah Arendt : *Essai sur la Révolution.*
94. Edmund Husserl : *Idées directrices pour une phénoménologie.*

95. Maurice Leenhardt : *Do Kamo.*
96. Elias Canetti : *Masse et puissance.*
97. René Leibowitz : *Le compositeur et son double.*
98. Jean-Yves Tadié : *Proust et le roman.*
99. E. M. Cioran : *La tentation d'exister.*
100. Martin Heidegger : *Chemins qui ne mènent nulle part.*
101. Lucien Goldmann : *Pour une sociologie du roman.*
102. Georges Bataille : *Théorie de la religion.*
103. Claude Lefort : *Le travail de l'œuvre Machiavel.*
104. Denise Paulme : *La mère dévorante.*
105. Martin Buber : *Judaïsme.*